전시컨벤션 산업론

Understanding
Convention and
Exhibition Industry

정숙화 지음

창조와 지식

정숙화 ┃ 국제학 박사

컨벤션기획사(PCO)로 전시컨벤션 산업에 입문한 후,
창원컨벤션센터(CECO)와 제주국제컨벤션센터(ICC JEJU)에서 컨벤션센터 홍보 마케팅과 목적지마케팅 업무를 진행하였다.
이러한 경험을 바탕으로 부산대학교에서 전시컨벤션 분야를 국제협력과 국제통상의 관점에서 연구하여 국제학 박사를 취득하였다.
현재, 국제회의 기획과 운영에 관련된 컨설팅 활동과 부산대학교, 동서대학교, 부산외국어대학교 외 다수 기관에서 전시컨벤션 분야에 대한
강의를 진행하고 있다.
주요 연구주제는 전시컨벤션 분야에서 지식경영, 지속가능성, ESG, 국제기구 등이며,
주요강의는 글로벌 전시컨벤션연구, 전시컨벤션 지식경영 연구, 컨벤션 경영과 마이스 도시, 목적지마케팅, 마이스 베뉴 운영론,
컨벤션기획 실무, 호텔컨벤션 영어 등이다.

전시컨벤션산업론

초판 1쇄 발행 2024년 02월 22일

지은이_ 정숙화
펴낸이_ 김동명
펴낸곳_ 도서출판 창조와 지식
인쇄처_ (주)북모아

출판등록번호_ 제2018-000027호
주소_ 서울특별시 강북구 덕릉로 144
전화_ 1644-1814
팩스_ 02-2275-8577

ISBN 979-11-6003-706-7(93320)

정가 24,000원

전시컨벤션 산업론

지식플랫폼으로서
컨벤션과 전시산업 이해

정숙화 지음

전시컨벤션 산업론

지식플랫폼으로서
컨벤션과 전시산업 이해

정숙화 지음

창조와 지식

'세계는 평평하다(The world is flat).' 미국의 정치 평론가이자 작가인 프리드먼 (1953년 생, 퓰리처상 세 번 수상)이 한 말이다. 정보통신기술과 교통수단의 발전에 따라 세계화가 가속화되면서, 국경을 넘어 자유로운 이동과 교류가 가능해진 세상을 일컬은 것이다. 첨단통신기술, 원격회의, 사물인터넷(IoT), 가상현실(VR) 등 획기적인 정보통신기술의 발전으로 사람들을 직접 만나지 않고도 온라인 플랫폼을 통해 디지털 지식정보를 교류할 수 있는 세상이 되었다. 전시컨벤션 비즈니스의 경쟁 공간도 지역의 경계를 넘어 글로벌 경쟁으로 변모하게 된 것이다.

코로나 팬데믹으로 전 세계가 국경을 닫고, 강력한 사회적 거리두기를 시행하면서 컨벤션, 전시, 미팅, 관광까지 가상의 온라인 플랫폼으로 이동하게 되었다. 그러나 온라인 가상플랫폼에서 개최되는 전시컨벤션이 참석자들 모두를 만족시킬 수는 없었다. '줌피로(Zoom fatigue)'라 불리는 장시간 온라인으로 참석하는 데서 오는 피로감과 산만함, 또한 행사 참가를 위해 새로운 도구를 사용해야 하는 불편함 등 때문이다.

2023년 5월, 세계보건기구(WHO)의 공식적인 엔데믹 선언 이전부터 감염의 위험을 무릅쓰고 대부분의 전시컨벤션 행사가 대면 행사로 전환되거나 혹은 온라인 행사와 대면 행사가 결합된 하이브리드 행사로 진행되었다. 그 이유는 무엇일까? 이 물음에 대한 답을 찾기 위해서는 전시컨벤션의 기능과 역할을 역사적, 사회문화적 배경을 기반으로 살펴봐야 한다.

컨벤션(convention)의 어원은 라틴어인 'Con(together)' + 'Vene(come)'의 합성어로 '함께 모이다'라는 뜻이다. 전통적으로 컨벤션은 특정 장소에서 사람들이 모여 공동의 관심사에 대하여 의논하고, 의사결정을 하며, 정보를 교환하고, 최신의 상품을 보여주고, 거래하는 산업이자 장소를 뜻한다. 컨벤션과 전시는 인류의 역사와 맥을 같이 한다. 고대 시대부터 사람들은 함께 모여서 토론했고, 물물교환, 거래가 가능한 시장을 형성해서 지식과 정보를 공유해왔다.

우리는 상대방을 직접 만남으로써 몸짓, 표정, 시선 처리, 말투와 분위기 등 맥락(context)을 공유하면서 수많은 암묵적 지식(tacit knowledge)을 얻을 수 있다. 직접적인 만남을 통해 얻을 수 있는 이러한 정보들을 통해 신뢰를 쌓으며 비즈니스와 네트워크를 시작하는 것이다. 우리에게 필요한 것이 문서로 된 코드화된 정보(codified information)뿐이라면 온라인 행사로 충분히 가능할 수 있다.

하지만 전문가 면담, 비즈니스 상담, 신기술 및 신제품 체험 등 오프라인 행사를 통해 얻는 수많은 정보와 암묵적 지식을 온라인 행사에서는 충족되기 어렵다. 가상공간이 일반화되면서 온라인으로 전시컨벤션이 가능한 관련 기술이 오래전에 개발되었지만, 사람들은 여전히 직접 만나 소통하면서 정보와 지식을 교환하는 것을 선호한다. 이처럼 컨벤션과 전시산업에서 '현장성'은 중요하다. 컨벤션과 전시산업은 대면 소통을 통해 지식과 정보를 교류함으로써 관련 분야의 전문성을 심화하고, 비즈니스를 촉진하는 플랫폼으로 기능하고 있다.

그렇다면 비대면 전시컨벤션은 필요 없는 것일까? 그 대답은 온라인의 특징에서 찾을 수 있다. 온라인 전시컨벤션 행사는 온라인 전시 공간, 혹은 원격회의 방식을 적절하게 사용하면서 지식과 정보의 교류와 확산을 활성화함으로써 오프라인 행사와 상호 보완할 수 있다. 가상회의 및 전시를 통해 행사 장소에 직접 갈 수 없는 참석자도 참가 가능해지면서 훨씬 많은 관계자들이 관심과 흥미를 갖고 참석할 수 있는 환경이 되었다. 또한, ICT 기반의 정보저장 및 반복재생 등의 정보공유가 원활해지면서 체계적인 정보교류 시스템을 마련할 수 있게 되었다. 온라인/오프라인 전시컨벤션 플랫폼은 새로운 개념의 전시컨벤션 기능을 발전시켜 더 높은 고객 가치를 제공하는 지식 플랫폼으로 성장할 것으로 보인다.

이 책은 지난 20여 년 동안 컨벤션기획사(PCO)로서 전시컨벤션산업에 입문하여 창원컨벤션센터(CECO)와 제주국제컨벤션센터(ICC JEJU)에서 전시컨벤션센터 홍보 및 마케팅업무를 통해 쌓아온 나의 경험과 전시컨벤션 산업에 대해 직접 강의하고 연구한 내용을 바탕으로 쓰게 되었다. 이 책에서 다양한 전문 분야의 사람들이 직접 만나서 소통하고 교류하면서 참가의 목적을 넘어 폭넓은 체험을 제공하는 전시컨벤션 산업에 대해 새로운 관점에서 정의하고자 했다.

전시컨벤션 행사의 참가자들은 정보와 지식 획득, 네트워킹을 통한 비즈니스 확대와 교류 증진을 목적으로 한다. 참가자들이 '지식탐색자(knowledge seeker)'와 '지식제공자(knowledge provider)'로서 각각 목적을 달성하는 지식 창출의 관점으로 전시컨벤션 산업을 바라보았다. 전시컨벤션이 지식 플랫폼으로 기능하는 것이다.

이 책에서 전시컨벤션 산업을 역사적 관점, 사회적 관점 등 다양한 시각에서 재조명하고, 전시컨벤션의 다양한 파급효과를 살펴봄으로써 전시컨벤션 산업을 지식 플랫폼으로 이해하는 데 도움이 될 것이다. 또한, 관련 전문가나 전공자뿐만 아니라 일반인들도 이 책을 읽고 전시컨벤션 산업에 대한 이해를 높일 수 있기를 바란다.

끝으로, 지식 창출이라는 새로운 관점으로 전시컨벤션 산업을 연구하고, 책을 쓰도록 동기 부여해 주신 부산대학교 이재우 교수님과 물심양면으로 무한한 지지를 보내준 가족에게 깊은 감사의 마음을 전하고 싶다.

2024. 1.

저자 **정숙화**

CONTENTS

CONTENTS

제7장 컨벤션기획 및 운영

CONTENTS

제1장

지식플랫폼으로서
컨벤션과 전시
트렌드 변화

제1절 컨벤션산업의 국내외 동향
제2절 전시산업의 국내외 동향
제3절 코로나19 이후 컨벤션과 전시의 변화

제1장
지식플랫폼으로서 컨벤션과 전시트렌드 변화

전시컨벤션산업은 정치, 경제, 사회, 문화, 기술 등 다양한 외부환경에 영향을 받으며, 행사주제와 관련된 전문가, 오피니언 리더 및 관계자들이 함께 모여 최신의 정보와 지식을 교류하고, 새로운 지식과 정보가 창출 및 확산되어 참가자에게 비즈니스 창출의 기회를 제공하며, 미래 발전 방향을 예측하고 제시하는 지식플랫폼으로서 역할을 하고 있다. 전시컨벤션 참가자는 일반 관광객과 비교했을 때, 분야별 전문가이거나 결정권을 가진 사회적으로 지위가 높은 부류의 사람들이 참석하는 경향이 있다. 이들은 해당 분야의 여론 주도층으로서 전시컨벤션 개최로 인한 경제적, 사회문화적 측면에서 파급 효과가 크다. 또한, 전시컨벤션행사 참석자의 행사 및 행사개최지에 대한 느낌과 만족도는 입소문을 통해 전해지는 전파력이 크며, 수치로 환산할 수 없는 지역 및 국가의 이미지 제고 효과를 기대할 수 있다. 전시컨벤션산업은 관련 산업들이 개별적으로 독립된 산업이면서도 상호의존성이 높아서, 전시컨벤션개최로 인한 연관산업에 미치는 파급효과가 크다. 이러한 이유로 세계 각국에서는 전시컨벤션 산업의 부가가치를 인식하고 있으며, 이를 국가적 전략산업으로 육성하기 위하여 대규모 전시컨벤션센터 및 관련 시설을 건립하고 전시컨벤션 유치 활동을 적극적으로 지원하고 있다.

2019년 말 시작된 코로나19의 확산은 2020년 코로나 팬데믹으로 전 세계를 강타하였고 2023년 코로나19 팬데믹 종식까지 약 3년간 전 세계는 국경을 닫고 사람들의 이동을 제한하는 새로운 세계를 경험하였다. 하지만 이동이 제한된 상황에서도 사람들은 온라인을 이용한 전시컨벤션행사를 지속하였고, 사회적 거리두기가 완화되면서 온·오프라인 행사를 동시 개최하는 하이브리드(hybrid) 형태의 전시컨벤션행사가 지속되었다. 2023년 5월 세계보건기구(WHO)의 코로나 팬데믹 사태를 엔데믹

(endemic) 단계(풍토병화)로 접어들었다고 선언함에 따라 전시컨벤션행사는 대면 중심의 행사로 급격히 전환되었다. 이러한 현상은 시공간이라는 맥락을 공유하면서 상대방의 표정, 제스처, 태도 등 말로는 다 설명할 수 없는 다양한 정보를 확인할 수 있는 대면소통을 통하여 암묵지(tacit knowledge) 공유의 중요성과 가치를 증명하는 계기가 되었고, 전시컨벤션행사가 지식과 정보를 교류하고 소통하고 네트워크를 확산하는 지식플랫폼으로서 기능과 역할을 확인하는 계기가 되었다.

제1절 컨벤션산업의 국내외 동향

전시컨벤션산업론

1. 세계 컨벤션시장 동향

컨벤션은 컨퍼런스, 콩그레스, 국제회의, 마이스 등 다양한 용어로 불린다. 컨벤션의 개최 형태는 대규모, 장기적 체류 형태에서 중소규모, 단기적 체류 형태로 변화하고 있다. 컨벤션 주최자는 주로 협회, 기업, 정부 및 기타 사적 영역의 그룹들이며, 이들의 활동이 컨벤션산업에 크게 영향을 미치고 있다.

전 세계적으로 개최되는 국제행사의 개최현황에 대한 통계는 국제협회연합(UIA : Union of International Associations)과 국제컨벤션협회(ICCA: International Congress and Convention Association)에서 매년 발표된다. UIA와 ICCA 두 국제기구의 통계를 기준으로 국제회의 개최 건수 변화 추이를 살펴보면 다음과 같다.

1) 국제협회연합(UIA)

(1) 국제회의 인정기준

UIA(Union of International Associations)는 1907년 벨기에 브뤼셀에 설립된 국제협회연합기구로 42,000여 개의 국제협회와 네트워크를 유지하고 있다(UIA, 2023). 이 기구는 국제기관 및 협회 간의 정보 교류와 발전을 목적으로 설립되었으며, 주요 활동으로는 전 세계 국제회의 실적 집계 및 통계보고서 발간, 세계정부, 민간단체, 국제기구 자료 수집과 발간, 국제협회의 법적 신분 향상을 위한 진흥 활동 등이 있다. 국제협회연합(UIA)에서 국제회의 행사를 분류하는 기준은 다음과 같이 세 가지로 구분된다.

〈표 1-1〉 UIA 국제회의 분류

A Type	국제기구 또는 단체가 주관하거나 후원하는 회의
B Type	국제기구 또는 단체가 주최하거나 후원하는 회의는 아니지만, 그 성격이 국제적 성격을 띠는 회의로, 국내기구 또는 단체와 국제기구 또는 단체의 국내지부가 주최하는 회의 중 다음 조건을 만족하는 회의 • 회의 기간이 3일 이상 • 전체 참가자 수가 300명 이상이거나 전시회 동반 • 참가자 중 외국인이 40% 이상이고, 참가국 수 5개국 이상
C Type	국제기구 또는 단체가 주최하거나 후원하는 회의는 아니지만, 성격이 국제적 성격을 띠는 회의로, 국내기구 또는 단체와 국제기구 또는 단체의 국내지부가 주최하는 회의 중 다음 조건을 만족하는 회의 • 회의 기간이 2일 이상 • 전체 참가자 수가 250명 이상이거나 전시회 동반

자료: UIA(2023), International Meetings Statistics Report_64[th] Edition

(2) 국제회의 개최 변화추이

2020년은 코로나19 팬데믹의 영향으로 행사 개최 건수가 2019년 12,472건에서 2020년 4,242건으로 65.9% 감소하였다. 코로나 시기에 대부분의 국제회의는 온라인 가상회의(online/virtual event)형태로 개최되었고, 이후 사회적 거리 두기가 완화되면서 온·오프라인이 함께 개최되는 하이브리드(Hybrid) 형태의 컨벤션행사로 전환되었다. 2022년 6월 기준으로 대부분의 국제행사는 방역시스템을 가동하면서 대면 행사로 전환되어 개최되었고, 2023년 5월 이후에는 코로나 이전의 국제회의 행사형태로 전환되고 있다. 뿐만 아니라 부분적인 온라인 행사 또는 온·오프라인의 하이브리드 형태도 병행하여 개최되고 있다.

〈표 1-2〉 UIA 세계 국제회의
개최건수(2012-2021)

연도	건수(건)	증감율(%)
2012	10,498	2.3
2013	11,135	6.1
2014	12,212	9.7
2015	12,350	1.1
2016	11,000	-10.9
2017	10,786	-1.9
2018	11,240	4.2
2019	12,472	11.0
2020	4,242	-65.9
2021	6,473	52.6

자료: UIA Statistics Report 2020-2022

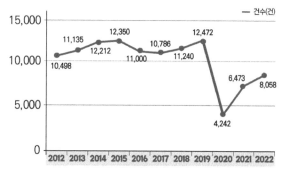

[그림 1-1]
UIA 국제회의 개최건수 변화추이

○ **대륙별 현황**

2019년 UIA 보고서를 기준으로 대륙별 현황을 살펴보면, 전반적으로 아시아와 유럽의 개최 건수가 다른 대륙에 비해 상대적으로 높은 편이다. UIA의 A+B Type 기준, 대륙별 1위 국가를 살펴보면 아프리카는 '남아프리카 공화국(101건)', 미주는 '미국(750건)', 대양주는 '호주(247건)', 아시아는 '싱가포르(1,205건)', 유럽은 '벨기에(1,094건)'로 나타났다.

〈표 1-3〉 대륙별 현황

(상위 5위, 단위: 건)

대륙	국가	A+B Type	A+C Type	A Type
아프리카	남아프리카 공화국	101	101	98
	에티오피아	68	68	68
	이집트	47	47	47
	모로코	35	35	35
	케냐	31	32	31
미주	미국	750	752	718
	캐나다	265	269	257
	멕시코	65	65	65
	아르헨티나	61	61	61
	브라질	44	44	44
대양주	호주	247	248	241
	뉴질랜드	54	54	53
	피지	10	10	10
	사모아	3	3	3
	바누아투	2	2	2
아시아	싱가포르	1,205	1,306	1,116
	한국	1,113	1,182	1,018
	일본	719	754	622
	태국	345	347	342
	중국	193	193	189
유럽	벨기에	1,094	1,105	1,090
	프랑스	665	699	616
	스페인	531	549	503
	독일	418	419	412
	영국	418	420	407

자료: UIA(2020), International Meeting Statistics Report, 61st edition

○ 국가별 현황

2019년 UIA 보고서를 기준으로 국가별 현황을 분석한 결과, 싱가포르(1,205건, 1위), 한국(1,113건, 2위), 벨기에(1,094건, 3위), 미국(750건, 4위), 일본(719건, 5위) 순으로 나타났다. 특히, 싱가포르, 한국, 벨기에는 전년도와 동일한 순위를 기록했다.

〈표 1-4〉 국가별 현황

(단위: 건)

순위	국가	A+B Type	A+C Type	A Type
1	싱가포르	1,205	1,306	1,116
2	한국	1,113	1,183	1,018
3	벨기에	1,094	1,105	1,090
4	미국	750	752	718
5	일본	719	754	622
6	프랑스	665	699	616
7	스페인	531	549	503
8	독일	418	419	412
9	영국	418	420	407
10	오스트리아	417	435	386

자료: UIA(2020), International Meeting Statistics Report, 61st edition

최근 5년간 증감률 평균을 살펴보면, 마이너스 증감률을 기록한 미국(-1.1%), 오스트리아(-9.4%)를 제외한 상위 10개 국가는 모두 증가세를 보이며, 이 중 한국(15.2%)의 증가율이 가장 두드러진다.

〈표 1-5〉 연도별, 국가별 국제회의개최 현황

(A+B Type 기준)   (상위 10위, 단위: 건, %)

순위	국가	2019 건수	2018 건수	2017 건수	2016 건수	2015 건수	5년 증감율
1	싱가포르	1,205	1,238	877	888	736	8.9
2	한국	1,113	890	1,297	997	891	15.2
3	벨기에	1,094	857	810	953	737	6.9
4	미국	750	616	575	702	930	-1.1
5	일본	719	597	523	523	634	4.7
6	프랑스	665	488	591	404	383	9.7
7	스페인	531	465	422	523	590	0.2
8	독일	418	456	440	423	480	5.3
9	영국	418	333	307	266	354	4.8
10	오스트리아	417	305	374	390	472	-9.4

자료: 한국관광공사(2020), 2019년 국제회의 개최현황(UIA)

○ 도시별 현황

2019년 UIA 보고서를 기준으로 도시별 순위를 살펴보면 싱가포르(1,205건, 1위), 브뤼셀(963건, 2위), 서울(609건, 3위) 순으로 나타났다.

〈표 1-6〉 도시별 컨벤션 개최순위

순위	도시	A+B Type	A+C Type	A Type
1	싱가포르(싱가포르)	1,205	1,306	1,116
2	브뤼셀(벨기에)	963	971	961
3	서울(한국)	609	639	579
4	파리(프랑스)	405	434	375
5	비엔나(오스트리아)	325	337	306
6	도쿄(일본)	305	311	288
7	방콕(태국)	293	294	290
8	런던(영국)	217	219	207
9	마드리드(스페인)	215	224	200
10	리스본(포르투칼)	204	205	199

자료: UIA(2020), International Meeting Statistics Report, 61st edition

〈표 1-7〉 연도별 도시별 컨벤션개최현황

(A+B Type 기준)   (상위 10위, 단위: 건, %)

순위	도시별	2019 건수	2018 건수	2017 건수	2016 건수	2015 건수	5년 증감율
1	싱가포르(싱가포르)	1,205	1,238	877	888	736	8.9
2	브뤼셀(벨기에)	963	734	763	906	665	6.5
3	**서울(한국)**	609	439	688	526	494	27.6
4	파리(프랑스)	405	260	268	342	362	7.4
5	비엔나(오스트리아)	325	404	515	304	308	0.9
6	도쿄(일본)	305	325	269	225	249	6.8
7	방콕(태국)	293	121	232	211	242	23.9
8	런던(영국)	217	186	166	98	126	15.3
9	마드리드(스페인)	215	201	159	159	140	3.4
10	리스본(포르투칼)	204	146	135	142	147	15.6

자료: 한국관광공사(2020), 2019년 국제회의 개최현황(UIA)

○ 아시아 지역 현황

2019년 기준 아시아 지역 국가별 현황분석 결과, 싱가포르(1,205건, 1위), 한국(1,113건, 2위), 일본(719건, 3위), 태국(345건, 4위), 중국(193건, 5위) 순으로 나타났다. 아시아 지역의 컨벤션 도시 순위를 살펴보면, 싱가포르(1,205건, 1위), 서울(609건, 2위), 도쿄(305건, 3위), 방콕(293건, 4위), 부산(160건, 5위) 순이다. 특히 아시아 상위 10개 도시 중 한국은 4개 도시(서울, 부산, 제주, 인천)를 순위에 올리면서 컨벤션산업의 발전을 보여주고 있다.

〈표 1-8〉 아시아 지역 국가별 현황
(상위 10위, 단위: 건)

순위	국가	A+B Type	A+C Type	A Type
1	싱가포르	1205	1306	1116
2	한국	1113	1182	1018
3	일본	719	754	622
4	태국	345	347	342
5	중국	193	193	189
6	UAE	180	191	167
7	인도네시아	104	104	104
8	인도	87	87	87
9	말레이시아	86	87	85
10	필리핀	64	64	63

〈표 1-9〉 아시아 지역 도시별 현황
(상위 10위, 단위: 건)

순위	도시	A+B Type	A+C Type	A Type
1	싱가포르(싱가포르)	1,205	1,306	1,116
2	서울(한국)	609	639	579
3	도쿄(일본)	305	311	288
4	방콕(태국)	293	294	290
5	부산(한국)	160	182	138
6	제주(한국)	96	98	85
7	아부다비(UAE)	92	98	88
8	두바이(UAE)	84	89	75
9	교토(일본)	81	91	67
10	인천(한국)	56	57	50

자료: UIA(2020), International Meeting Statistics Report, 61st edition

2) 국제컨벤션협회(ICCA)

(1) 국제회의 인정기준

ICCA(International Congress and Convention Association)는 1963년에 네덜란드 암스테르담에서 설립된 국제컨벤션협회로 국제회의 개최와 연관된 사업체, 행사목적지 등 100개국 1,100여 개 기관이 회원으로 활동하고 있다(ICCA, 2023). ICCA는 회원사 간 정보 교류를 활성화하여 국제회의 및 비즈니스 기회를 창출하고 확대하며, 주요 국제회의를 기록하고 관리하기 위한 목적으로 운영되고 있다. 주요 사업으로는 회원사 대상 워크숍 및 세미나 개최, 국제행사 통계발표 등이 있다.

ICCA에서 정의하는 국제회의는 협회 회의(International associations meetings)와 정부 간 회의(Governmental meetings)이며, 국제회의의 인정기준은 다음과 같다.

자료: ICCA 홈페이지

(2) 국제회의 개최 변화추이

ICCA 보고서 기준으로 2012년부터 2017년까지, 국제회의 개최 건수는 지속적으로 증가하였으나 2018년을 기점으로 하여 다소 감소세로 전환되었으며, 코로나19 팬데믹의 영향으로 2020년 국제회의 개최 건수는 3,415건으로 2019년 13,254건 개최 건수 대비 74.3% 감소하였다. 사회적 거리 두기가 완화되면서 2021년 국제회의 개최 건수는 2020년 대비 5,311건으로 55.7% 상승한 것으로 나타났다.

〈표 1-10〉 ICCA 국제회의 개최건수(2012-2021)

연도	건수(건)	증감율(%)
2012	12,045	-10.8
2013	12,638	4.7
2014	13,225	-1.5
2015	13,820	5.0
2016	13,975	1.3
2017	14,068	2.7
2018	13,891	3.6
2019	13,254	1.7
2020	3,412	-74.3
2021	5,311	55.7

자료: ICCA Annual Statistics Study 2020

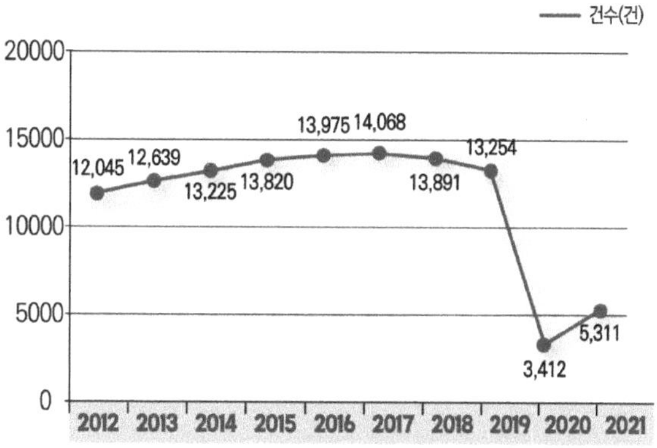

[그림 1-2] ICCA 국제회의 개최건수 변화추이

○ 대륙별 현황

2019년 ICCA 보고서 기준, 국제회의 개최 건수 중 유럽에서 가장 많은 국제행사가 개최되었으며(7,033건, 53.1%), 다음으로 아시아에서 2,672건(20.2%), 북아메리카에서 1,472건(11.1%), 라틴 아메리카 1,160건(8.8%)이 개최되었다. 참가자 수를 비교해 보면, 유럽에서 개최된 국제 행사에서 참가자 수가 월등히 많은 것으로 나타났으며(260만 명, 51.9%), 이어 아시아(98만 명 남짓, 19.6%), 북아메리카 (60만 명 남짓, 12.1%), 라인 아메리카(43만 명, 8.6%) 순으로 나타났다. 개최 건수당 평균 참가자 수를 기준으로는 중동이 547.8명으로 가장 높았고, 이어 오세아니아 (458명), 북아메리카(412.4명) 순으로 나타났다. 이와 같이 유럽이 컨벤션행사 개최 건수 및 참가자 규모에서 월등한 결과를 보이는 이유는 국제회의 및 행사를 주최하는 기구 및 기관의 본부와 사무국이 유럽에 집중되어 있는 점, 행사 참가를 위한 접근성이 높다는 점 등을 주요 요인으로 들 수 있다.

다음으로 아시아 지역이 유럽 다음으로 많은 국제 행사와 참가자 수를 보이고 있다. 이것은 아시아 지역의 경제성장이 가속화되고 경제 규모가 확장되며 시장이 활성화됨에 따라 관련 국제회의 개최가 증가한 결과라고 할 수 있다. 세계 각국에서 컨벤션산업의 중요성을 인식하고, 산업 발전을 위한 시설건립과 전문가 양성 등 다양한 정책과 활동을 추진하고 있으며, 특히 아시아 지역에서는 컨벤션산업을 국가산업으로 지정하여 육성함으로써 컨벤션 행사 유치 및 참가자 증대를 위한 적극적인 마케팅과 홍보 활동을 펼친 결과라고 할 수 있다.

〈표 1-11〉 대륙별 국제회의 개최현황

(단위: 건, %, 천명)

대륙	건수(a)	비율	참가자 수(b)	비율	개최건수 당 평균 참가자 수(b/a)
유럽	7,033	53.1	2,600	51.9	369.7
아시아	2,672	20.2	982	19.6	367.5
북 아메리카	1,472	11.1	607	12.1	412.4
라틴 아메리카	1,160	8.8	430	8.6	370.7
아프리카	415	3.1	146	2.9	351.8
오세아니아	345	2.6	158	3.2	458
중동	157	1.2	86	1.7	547.8
전체	13,254	100	5,008	100	377.8

자료: 한국관광공사(2020), 2019년 국제회의 개최현황(ICCA)

연도별, 대륙별 통계를 살펴보면, 2019년 기준 전년 대비 개최 건수가 감소하였고, 특히 아프리카와 라틴아메리카의 감소 비율이 높다는 것을 알 수 있다. 참가자 수를 살펴보면 2019년 기준 전년 대비 오세아니아가 11.3% 증가하였고, 북아메리카가 -11.8%로 가장 큰 감소세를 보였다. 2015년부터 2019년까지 5년간 국제행사 개최 건수의 평균 증감률을 살펴보면, 아시아 지역이 1.9% 증가로 가장 큰 증가율을 보였으며, 참가자 수 증감률에서 중동 지역이 5.8% 증가율을 보여 가장 큰 증가율을 보였다.

〈표 1-12〉 연도별, 대륙별 개최 건수 및 참가자 수

(단위: 건, 천명, %)

대륙	2019		2018		2017		2016		2015		5년 증감율	
	건수	참가자수	건수	참가자수	건수	참가자수	건수	참가자수	건수	참가자수	건수	참가자수
유럽	7,033	2,600	7,304	2,581	7,466	2,534	7,366	2,465	7,281	2,443	0	1.7
아시아	2,672	982	2,796	989	2,700	956	2,729	1,112	2,593	983	1.9	1.5
북아메리카	1,472	607	1,553	688	1,711	755	1,648	680	1,683	714	-0.8	-1.7
라틴 아메리카	1,160	430	1,269	475	1,264	467	1,300	512	1,351	541	-2.2	-1.8
아프리카	415	146	455	157	426	176	422	171	404	158	1.6	0.6
오세아니아	345	158	356	142	353	136	329	125	337	118	-0.1	-0.1
중동	157	86	158	81	148	61	181	71	171	69	1.6	5.8

자료: 한국관광공사(2020), 2019년 국제회의 개최현황(ICCA)

○ 국가별 현황

2019년 ICCA 보고서 기준 국가별 국제회의 개최결과를 살펴보면, 미국(934건, 1위), 독일(714건, 2위), 프랑스(595건, 3위), 스페인(578건, 4위), 영국(567건, 5위) 등 서구권 국가의 순위가 상대적으로 높다. ICCA는 정부 및 협회가 주최하고, 참가자 50명 이상, 정기적으로 개최하며, 3개국 이상 순환하는 회의를 기준으로 통계를 작성하는데, 이는 UIA와 다른 국제회의 통계 기준이다. 이러한 이유로 UIA에서 세계 1위의 컨벤션 도시인 싱가포르는 ICCA 국제회의 통계순위에서 상위권에 찾아볼 수 없다. 또한 중국의 경우, ICCA 순위에서 10위권 안에 위치하지만, UIA 기준에서는 상위권에서 찾아볼 수 없다. 따라서 컨벤션 관련 통계를 살펴볼 때, 통계의 기준을 확인하는 것이 중요하다. ICCA 통계 기준으로 우리나라는 세계 13위(248건)로 나타났다. 개최 건수당 평균 참가자 수를 살펴보면, 스페인(603.8명), 캐나다(500명), 호주(489명), 한국(439.5명) 순으로 나타났다.

〈표 1-13〉 국가별 현황

(단위: 건, %, 명)

순위	국가	건수(a)	비율	참가자수(b)	비율	개최 건수 당 평균 참가자 수(b/a)
1	미국	934	7.0	357,000	7.1	382.2
2	독일	714	5.4	253,000	5.1	354.3
3	프랑스	595	4.5	251,000	5.0	421.8
4	스페인	578	4.4	349,000	7.0	603.8
5	영국	567	4.3	216,000	4.3	381.0
6	이탈리아	550	4.1	218,000	4.4	396.4
7	중국	539	4.1	170,000	3.4	315.4
8	일본	527	4.0	176,000	3.5	334.0
9	네덜란드	356	2.7	152,000	3.0	427.0
10	포르투칼	342	2.6	130,000	2.6	380.1
11	캐나다	336	2.5	168,000	3.4	500.0
12	호주	272	2.1	133,000	2.7	489.0
13	한국	248	1.9	109,000	2.2	439.5
14	벨기에	237	1.8	58,310	1.2	246.0
14	스웨덴	237	1.8	86,039	1.7	363.0

* 국가별 국제회의 건수 및 참가자 수 비율은 2019년 ICCA 행사 건수(13,254건)와 참가자 수(5,008,000명)를 기준으로 산출
자료: 한국관광공사(2020), 2019년 국제회의 개최현황

○ **도시별 현황**

2019년 ICCA의 국제회의 도시별 개최현황을 살펴보면, 파리가 237건으로 세계 1위 국제회의 도시로 선정되었고, 리스본(190건), 베를린(176건), 바르셀로나(156건), 마드리드(154건) 순으로 나타난다. 서울은 세계 15위로 114건의 행사를 개최하였고, 전년 대비 순위는 동일하지만 개최 건수는 8건 감소한 것으로 나타난다. 개최 건수당 평균 참가자 수는 바르셀로나가 1,006.4명으로 가장 높고, 마드리드(597.4명), 비엔나(597.3명) 순으로 나타났다.

〈표 1-14〉 도시별 현황

(단위: 건, %, 명)

순위	국가	도시	건수(a)	비율	참가자수(b)	비율	개최건수당 평균 참가자 수(b/a)
1	프랑스	파리	237	1.8	124,000	2.5	523.2
2	포르투갈	리스본	190	1.4	91,000	1.8	478.9
3	독일	베를린	176	1.3	85,000	1.7	483.0
4	스페인	바르셀로나	156	1.2	157,000	3.1	1,006.4
5	스페인	마드리드	154	1.2	92,000	1.8	597.4
6	오스트리아	비엔나	149	1.1	89,000	1.8	597.3
7	싱가포르	싱가포르	148	1.1	61,000	1.2	412.2
8	영국	런던	143	1.1	76,000	1.5	531.5
9	체코	프라하	138	1.0	45,000	0.9	236.1
10	일본	도쿄	131	1.0	37,000	0.7	282.4
11	아르헨티나	부에노스	127	1.0	53,000	1.1	417.3
12	덴마크	코펜하겐	125	0.9	69,000	1.4	552.0
13	태국	방콕	124	0.9	57,000	1.1	459.7
14	네덜란드	암스테르담	120	0.9	68,000	1.4	566.7
15	한국	서울	114	0.9	50,000	1.0	438.6

자료: 한국관광공사(2020), 2019년 국제회의 개최현황(ICCA)

○ **아시아 및 오세아니아 지역 현황**

2019년 ICCA의 아시아 지역 국가별 국제회의 개최순위를 살펴보면, 중국이 539건의 국제행사개최로 1위, 일본은 527건으로 2위, 그 뒤를 호주와 한국이 잇고 있다. 개최 건수당 평균 참가자 수는 호주가 488.8명으로 가장 많았고, 그 다음은 태국과 인도 순으로 나타났다.

〈표 1-15〉 아시아 및 오세아니아 지역 국가별 현황

(단위: 건, %, 명)

순위	국가	건수(a)	비율	참가자수(b)	비율	개최건수 당 평균 참가자 수(b/a)
1	중국	539	17.9	170,000	14.9	315.5
2	일본	527	17.5	176,000	15.4	333.9
3	호주	272	9.0	133,000	11.7	488.8
4	한국	248	8.2	109,000	9.6	439.8
5	대만	163	5.4	52,000	4.6	320.3
6	태국	162	5.4	75,000	6.6	460.5
7	인도	158	5.2	71,000	6.2	450.4
8	싱가포르	149	4.9	61,000	5.4	411.8
9	말레이시아	137	4.5	54,000	4.7	392.5
10	인도네시아	95	3.1	38,000	3.3	398.7

*비율은 2019년 아시아 및 오세아니아 ICCA 건수 3,017건과 참가자수 1,140,000명을 기준으로 함
자료: 한국관광공사(2020), 2019년 국제회의 개최현황

〈표 1-16〉의 아시아 오세아니아 지역 도시별 순위를 살펴보면, 싱가포르는 도시국가이기 때문에 도시별 국제회의 개최 건수에서 1위를 차지하였고, 일본, 태국, 한국이 차례로 이름을 올렸다. 개최 건수당 평균 참가자 수를 살펴보면 베이징이 482.4명, 방콕 462.1명, 서울 438명 순으로 나타났다. 서울은 아시아 지역에서 네 번째로 행사개최가 많은 도시로 이름을 올렸고, 행사 별 평균 참가인원도 세 번째 많은 도시로 선정되었다.

〈표 1-16〉 아시아 오세아니아 지역 도시별 현황

(단위: 건, %, 명)

순위	도시	건수(a)	비율	참가자수(b)	비율	개최건 수 당 평균 참가자 수(b/a)
1	싱가포르(싱가포르)	148	4.9	61,000	5.4	413.5
2	도쿄(일본)	131	4.3	37,000	3.2	280.9
3	방콕(태국)	124	4.1	57,000	5.0	462.1
4	서울(한국)	114	3.8	50,000	4.4	438.6
5	타이베이(대만)	101	3.3	38,000	3.3	379.2
6	시드니(호주)	93	3.1	37,000	3.2	398.9
7	베이징(중국)	91	3.0	44,000	3.9	482.4
8	홍콩(홍콩)	91	3.0	39,000	3.4	428.6
9	쿠알라룸푸르(말레이시아)	91	3.0	39,000	3.4	426.4
10	상하이(중국)	87	2.9	30,000	2.6	348.3

자료: 한국관광공사(2020), 2019년 국제회의 개최현황(ICCA)

2. 한국 컨벤션산업 동향

2019년 기준 우리나라의 국제회의 행사개최 건수는 UIA 기준 1,113건, ICCA 기준 248건으로 나타났다. UIA의 통계자료에 따르면, 한국의 국제행사 개최 추이는 2019년까지 전반적으로 성장세를 보였으며, 특히 2016년(997건)과 2017년(1,297건)에는 연속으로 세계 1위의 국제회의 개최국으로 선정되었다. ICCA 기준으로 한국의 최근 8년간 국제행사 개최 추세를 살펴보면, 2015년(267건)부터 2017년(279건)까지 세계 13위, 2018년 세계 12위를 기록하고 있다. 전반적으로 ICCA 통계 기준에 부합하는 국제회의 개최 건수는 크게 변동이 없으며, 이는 ICCA 기준의 국제행사를 주최하는 주최자의 수가 크게 변동이 없었음을 예측할 수 있다.

〈표 1-17〉 한국 컨벤션산업 동향 (2012-2019)

UIA 통계		연도	ICCA 통계	
국제행사건수	세계순위		국제행사건수	세계순위
563	5	2012	229	16
635	3	2013	260	12
636	4	2014	222	17
891	2	2015	267	13
997	1	2016	267	13
1,297	1	2017	279	13
890	2	2018	273	12
1,113	2	2019	248	13

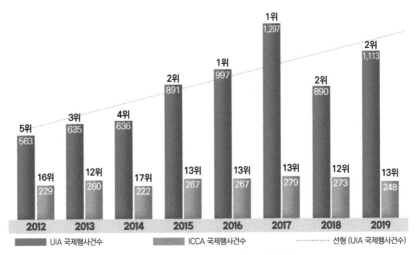

[그림 1-3] 한국 컨벤션산업 발전 추이

자료: UIA, ICCA, 2012-2020 통계자료

2019년 기준으로 우리나라에서 개최되는 국제회의의 목적지별 통계를 살펴보면, 49.1%(UIA 통계 기준)와 46%(ICCA 통계 기준)의 행사가 서울에서 개최되고 있으며, 다음으로 부산이 11.3%(UIA 통계 기준), 12.5%(ICCA 통계 기준)의 행사를, 제주는 7%(UIA 통계 기준)와 9.7%(ICCA 통계 기준)의 행사를 개최하고 있다. 서울, 부산, 제주에서 개최되는 국제행사를 합치면 우리나라에서 개최되는 국제행사의 약 70%를 차지하며, 한국을 대표하는 글로벌 컨벤션 도시로서의 발전 가능성을 보여주고 있다.

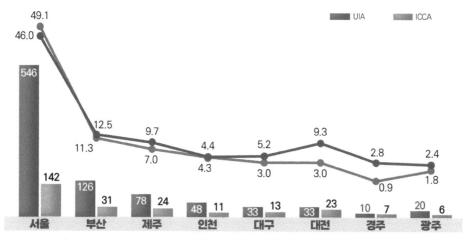

[그림 1-4] 우리나라 도시별 국제행사 개최 현황(2019)_UIA, ICCA 통계 기준

※ UIA 실적 인정기준: A 타입(국제기구의 주최나 후원 및 참가자 50인 이상) + B 타입(규모 기준: 참가자 300명 이상, 외국인이 40% 이상, 참가국 5개국 이상, 회의 기간 3일 이상)으로 발표
※ ICCA 실적인정기준: 50명 이상 참가하는 회의로 3개국 이상 돌아가며 정기적으로 개최하는 회의

2021년 UIA는 20년간(2001~2020) 국제회의 목적지로 선호하는 장소(most popular meeting destinations)를 국가별, 도시별, 대륙별로 정리한 보고서를 발표했다. 국가 기준으로 우리나라는 세계 8위 (행사 건수 9,151건, 세계 시장 점유율 3.7%), 도시 기준으로 서울은 세계 5위(행사 건수 4,848건, 세계 시장 점유율 2.0%), 부산은 세계 30위(행사 건수 1,323건, 세계 시장 점유율 0.5%)를 기록하였다.

아시아 지역의 국제회의 목적지 선호도에서 싱가포르가 국가별(11,179건, 세계 시장점유율 8.1%) 및 도시별(11,179건, 세계 시장 점유율 16.3%)로 1위를 차지하였고, 우리나라는 아시아 국가에서 2위(9,151건, 세계 시장 점유율 6.6%)를 차지하였고, 아시아 도시에서는 서울이 2위(4,848건, 세계 시장 점유율 7.1%)를 기록하고 있다.

Most Type A meetings in 2001-2020

	Country	Meetings 2001-2020	Gobal %		City	Meetings 2001-2020	Gobal %
1	USA	22,887	9.3	1	Singapore, Singapore	11,179	4.6
2	France	12,882	5.2	2	Brussels, Belgium	10,264	4.2
3	Belgium	12,347	5.0	3	Paris, France	6,260	2.6
4	Singapore	11,179	4.5	4	Vienna, Austria	5,980	2.5
5	Germany	10,813	4.4	5	Seoul, Korea Rep	4,848	2.0
6	UK	9,387	3.8	6	Geneva, Switzerland	3,872	1.6
7	Italy	9,187	3.7	7	London, UK	3,471	1.4
8	Korea Rep	9,151	3.7	8	Tokyo, Japan	3,290	1.4
9	Spain	9,096	3.7	9	Berlin, Germany	3,054	1.3
10	Japan	8,123	3.3	10	Barcelona, Spain	3,048	1.3

Most Type A meetings by continent in 2001-2020(ASIA)

	Country	Meetings 2001-2020	Gobal %		City	Meetings 2001-2020	Gobal %
1	Singapore	11,179	8.1	1	singapore, Singapore	11,179	16.3
2	Korea Rep	9,151	6.6	2	Seoul, Korea Rep	4,848	7.1
3	Japan	8,123	5.9	3	Tokyo, Japan	3,290	4.8
4	China	4,245	3.1	4	Bangkok, Thailand	2,430	3.5
5	Thailand	3,401	2.5	5	Beijing, China	1,662	2.4

[그림 1-5] 컨벤션 목적지로서 한국의 위상

자료: UIA(2021), International Meetings Statistics Report - 62nd edition

제2절 전시산업의 국내외 동향

전시컨벤션산업론

1. 세계 전시산업 동향

세계화 및 정보화 사회로 변화되면서 지식의 흐름을 원활하게 하고, 최신의 핵심정보를 공유하는 전시산업에 대한 필요성과 요구가 세계적으로 증가하고 있다. UFI(2020) 통계자료에 따르면, 세계적으로 전시개최 건수는 2017년에서 2018년 약간의 정체기를 제외하고는 지속적인 증가세를 보이고 있다.

전시는 기업이 선택할 수 있는 다양한 마케팅 수단 중에서 상품과 서비스를 최소비용으로 집중적으로 홍보할 수 있는 중요한 마케팅의 장으로 인식된다. 기업은 전시에서 마케팅과 광고, 홍보 활동을 통해 구매자의 반응을 확인하고 제품과 서비스에 반영할 수 있는 피드백을 얻어 최신의 상품과 서비스를 선보이는 기회로 적극적으로 활용하고 있다. 전시는 관련 산업의 정보를 공유하고 최신 산업 동향을 파악하여 거래를 촉진하는 역할과 더불어 동종업계와 유사업종 간의 네트워크를 확대하는 역할을 한다. 이러한 전시는 직접 판매와 광고의 혼합된 형태로 판매와 구매를 중심으로 하는 시장(market place)의 성격이 강했지만, 점차 전시현장에서의 상품을 직접 판매하기보다는 홍보마케팅을 통해 세일즈 리드(sales lead)를 효과적으로 창출하는 정보와 지식의 교류 및 네트워크 확대를 위한 지식플랫폼으로 그 특징이 진화되고 있다.

세계 전시산업과 관련된 다양한 주제의 데이터 및 보고서를 발간하고 있는 국제전시협회(UFI: Union des Foires Internationales or Union of International Fairs)[1]는 세계 전시산업에서 회원사와 전시 전문가들 간 대화의 장을 형성하여 전시업계 내에서 정보와 지식을 공유하고, 고효율의 마케팅 전략을 통해 전시회를 알리는 역할을 수행할 뿐만 아니라 매년 세계 전시산업에 대해 높은 수준의 세미나, 교육프로그램 및 다양한 주제의 데이터, 연구. 조사 정보[2]등을 제공하고 있다. UFI는 1925년에 창설되

---

[1] 1925년 이탈리아 밀라노에서 창립된 UFI는 비정치적 국제협회로서, 1901년 프랑스 법률에 따라 설립. 초기에는 "Union des Foires Internationales"로 알려져 있었으며, 2003년 이집트 카이로(Cairo) 총회에서 "UFI, The Global Association of the Exhibition Industry"로 명칭변경. UFI는 유럽 전시발전을 위한 기구에서 세계전시발전을 위한 국제협회로 진화함.

었으며, 전시방문객, 전시컨벤션센터, 전문 전시협회 및 파트너사들이 소속되어 있는 협회로 2023년 기준 전 세계 87개국의 840개 기관 및 기업이 회원으로 활동하고 있다.

전시산업의 세계적인 경제효과에 대한 연구(Oxford Economics & UFI, 2023)에 따르면, 2019년 전 세계 180개국 이상에서 약 3억 5,300만 명의 방문객과 약 500만 명의 전시 참가자가 전시산업과 직접적인 연관성을 가지는 것으로 나타났다. 전시를 통한 세계적인 직간접 비즈니스 매출은 약 2,990억 유로 (한화 430조 5천억 상당, 2023년 12월 환율 기준)이며, 전 세계적으로 340만 개의 일자리를 창출하여 1,790억 유로 (한화 257조 7천억 원 상당, 2023년 12월 환율 기준) 라는 세계 55번째로 큰 경제 규모로서, 이는 헝가리, 쿠웨이트, 스리랑카, 그리스, 에콰도르와 같은 나라의 GDP보다 큰 규모이다. 이와 같은 이유로 세계 각국은 전시산업을 육성하기 위한 전문시설 건립, 국제 전시 유치를 위한 지원, 전시 주최자 및 기획사 육성에 노력하고 있다.

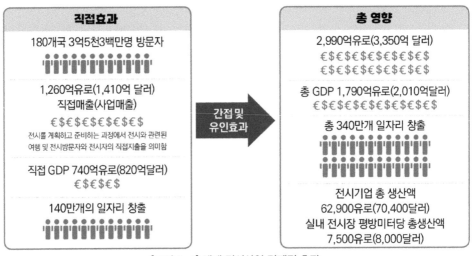

[그림 1-6] 세계 전시산업 경제적 효과

자료: Oxford Economics & UFI (2022)

---

2) UFI 보고서
* 글로벌 보고서(Global Reports): Global Barometer (연 2회 발간되는 전시산업 발전 동향보고서), World Map of Venues (전시장 산업 현황 보고서), Economic Impact Study (전시산업의 경제효과 보고서), United Nations Sustainable Development Goals (전시산업의 경제적, 문화적, 환경적 영향에 관한 보고서), Status of Sustainability (전시산업의 지속가능성 현황보고서)
* 지역별 보고서(Regional Reports): Euro Fair Statistics(유럽지역 국가별 승인된 데이터 연간보고서), The Trade Fair Industry in Asia(아시아·태평양 지역 전시시장 분석보고서), The Exhibition Industry in Latin America (라틴아메리카 전시산업 분석보고서), The Exhibition Industry in MEA(중동, 아프리카 지역 전시분석보고서)
* 주제별 보고서(Topical Reports): Global Visitor and Exhibitor Insights(글로벌 전시 참가사 및 방문객 동향 분석보고서) 등

세계 각국은 전시장을 건설하고 확장하면서 국제 전시행사를 개최해 자국의 산업 발전을 극대화하려는 노력을 지속하고 있다. 전시장은 MICE 행사를 개최할 수 있는 전문 시설이며, 사람들이 모여서 지식과 정보를 공유하고, 네트워크를 형성하는 장으로서 산업 발전의 기반 시설로 인식되고 있다. 국내외 전시행사개최는 지역경제 활성화에 기여할 뿐만 아니라 정치, 사회, 문화적 교류의 중심역할을 하는 등 그 중요성이 점점 커지고 있다. 이에 따라 전 세계적으로 새로운 전시장이 건설되거나 기존 시설이 확장되는 추세이다. 2023년 UFI(The Global Association of the Exhibition Industry)의 발표에 따르면, 전 세계 실내 전시 면적 5,000㎡ 이상인 전시장은 1,425개, 총면적은 4,210만 ㎡ 에 달한다. 또한, 100,000㎡가 넘는 대규모 전시장은 세계적으로 81개로 조사되었다.

대륙별 전시장 면적을 살펴보면, 유럽이 전 세계적으로 가장 넓은 전시 면적을 가지고 있으며(1,570만 ㎡, 37.2%), 그 다음으로 아시아·태평양 지역(1,540만 ㎡, 36.6%), 북미(850만 ㎡, 17.9%) 순이다. 전시장 수를 기준을 보았을 때도 유럽이 역시 가장 많은 전시장을 가지고 있으며(497개), 그 다음으로 아시아(404개), 북미(352개) 순이다. 아시아 지역이 세계에서 두 번째로 넓은 전시 면적을 가진 이유는 아시아 지역 국가들의 전시산업 육성 정책에 따라 대규모 전시장이 신축되거나 기존 전시장의 증축이 적극적으로 진행된 것에 기인한다. 특히, 중국의 공격적인 대규모 전시장 건설의 영향이 크다. 중국은 세계에서 가장 큰 전시장 규모를 자랑하던 독일의 메쎄 하노버 전시장(Messe Hannover, 392,453 ㎡)을 제치고 광저우에 50만 평방미터 규모인 파조우컴플렉스(Pazhou Complex, 504,000㎡)를 건립했으며, 세계 2위 규모의 상하이 전시컨벤션센터 (NECC, 470,000㎡), 세계 3위 선전 월드 전시컨벤션 센터(Shenzhen World Exhibition & Convention Center, 400,000㎡)를 완공하여 아시아 지역 전시장 규모 확장에 견인 역할을 하고 있다.

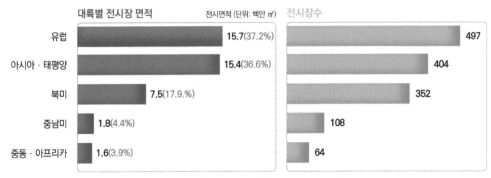

[그림 1-7] 대륙별 전시장 수 및 면적 현황

자료: UFI (2023) World map of exhibition venues

　2023년 UFI 보고서에 따르면, 세계 전시장의 규모는 다음과 같다. 843개의 전시장이 소규모로 분류되는 5,000~20,000㎡ 미만 사이에 해당하며, 이는 전체 전시장의 59%를 차지한다. 다음으로 중간 규모인 20,000~100,000㎡ 미만의 전시장이 500개로, 전 세계 전시장의 35%를 차지하고 있다. 대규모 전시 면적으로 분류되는 100,000㎡ 이상의 전시장은 세계적으로 81개이며, 2022년 73개에서 1년 사이 8개가 증가했으며, 세계 전시장 면적의 6%를 차지하고 있다.

　100,000㎡ 이상의 대규모 전시장의 분포를 살펴보면, 독일, 이탈리아, 프랑스 등 유럽 지역이 여전히 가장 많은 대규모 전시장이 위치하고 있으며(40개), 아시아·태평양 지역이 두 번째로 많은 35개의 대규모 전시장을 보유하고 있다. 대륙별 평균 전시장 면적을 살펴보면, 아시아·태평양 지역이 전시장 별 평균 38,206㎡로 가장 크며, 유럽 (31,545㎡), 중동 및 아프리카(25,611㎡), 북미(21,428㎡) 순으로 나타났다.

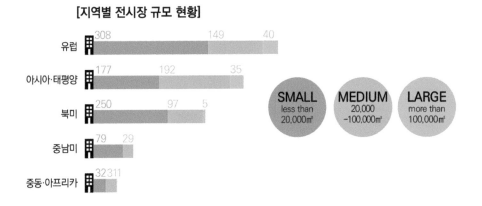

[지역별 전시장 규모 현황]

[지역별 평균 전시장 면적]

[그림 1-8] 대륙별 전시장 규모 비교

자료: UFI (2023) World map of exhibition venues

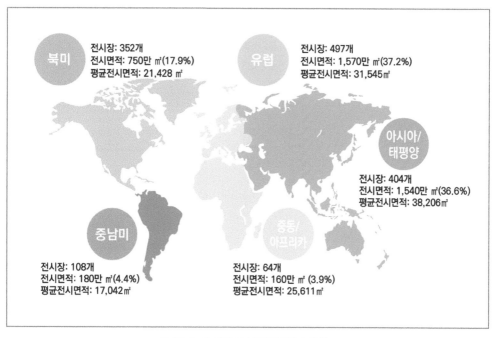

[그림 1-9] 세계 전시컨벤션센터 현황

2023년 국가별 전시 면적 순위를 살펴보면, 중국이 288개 전시장에서 세계 전시장 면적의 29.3%를 차지하여 1위를 기록했다. 그 다음으로 미국(283개, 14.9%), 독일(51개, 7.5%), 이탈리아(48개, 5.8%), 프랑스(84개, 4.9%) 순으로 나타났다. 이 5개국은 전 세계 전시장 면적의 62% 이상을 차지한다. 한국은 세계 20위로, 전시장 13개에서 세계 전시장 면적의 0.7%를 차지하고 있다.

〈표 1-18〉 국가별 전시 면적 순위

순위	국가	전시장 면적(㎡)	전시장 수(개)	세계 전시장 면적 기준 대비 비율(%)
1	중국	12,354,706	288	29.3
2	미국	6,260,874	283	14.9
3	독일	3,142,694	51	7.5
4	이태리	2,430,390	48	5.8
5	프랑스	2,066,657	84	4.9
6	스페인	1,664,387	54	4.0
7	브라질	1,055,115	51	2.5
8	러시아	999,124	32	2.4
9	캐나다	760,913	32	1.8
10	터키	711,752	27	1.7
11	네덜란드	698,396	38	1.7
12	영국	604,059	31	1.4
13	인도	584,328	16	1.4
14	멕시코	520,736	37	1.2
15	스위스	457,000	13	1.1
16	일본	446,695	13	1.1
17	폴란드	410,321	15	1.0
18	벨기에	369,879	15	0.9
19	오스트리아	321,092	11	0.8
20	**대한민국**	**306,759**	**13**	**0.7**
21	아랍에밀레이트	301,006	7	0.7

〈표 1-19〉 아시아 국가별 전시 면적 순위

순위	국가	전시장 면적(㎡)	전시장 수(개)	아시아 전시장 면적 기준 대비 비율(%)
1	중국	12,354,706	288	80
2	인도	584,328	14	3.8
3	일본	446,695	13	2.9
4	대한민국	306,759	13	2
5	태국	279,292	9	1.8
6	싱가포르	219,970	4	1.4
7	호주	201,027	10	1.3
8	대만	194,943	10	1.3
9	러시아(아시안 지역)	184,918	2	1.2
10	홍콩	149,820	8	1

※ 아시아 지역을 중심으로 살펴보면, 중국(288개, 아시아 전시 면적의 80%), 인도(14개, 아시아 전시면적의 3.8%), 일본(13개, 아시아 전시 면적의 2.9%), 한국(13개, 아시아 전시 면적의 2.4%) 순으로 나타난다.

자료: UFI (2023) World map of exhibition venue

(1) 국가별 전시 시장 규모

세계 전시 시장에서 전시를 통한 비즈니스 창출 면에서 미국은 가장 큰 전시 시장이며, 중국, 독일 순으로 전시산업 선도국가의 순위를 매길 수 있다. AMR International[3]의 분석에 따르면, 전시산업의 발달 정도에 따라 성숙시장, 신흥시장으로 구분할 수 있으며, 성숙시장으로 정의되는 프랑스, 걸프협력회의[4], 독일, 홍콩, 이탈리아, 마카오, 싱가포르, 영국, 미국 등이 있으며, 신흥 전시국으로는 브라질, 중국, 인도, 인도네시아, 말레이시아, 멕시코, 필리핀, 러시아, 태국, 터키, 베트남 등이 있다. 성숙시장은 2018년보다 완만한 성장세를 보이며, 미국은 영업이익 기준으로 총 글로벌 시장 규모 344억 달러의 43%(148억 달러)를 차지하면서 세계 최대 전시 시장으로 자리를 유지했다. 신흥시장은 성숙시장보다 약 3배 빠른 속도로 성장하고 있으며, 중국의 경우 2019년 7%의 시장 성장률을 기록했다. 인도(9.9%), 인도네시아(7.7%), 러시아(8.1%) 등도 전시산업의 빠른 성장세를 보여주고 있다.

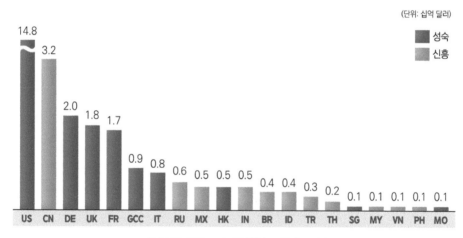

[그림 1-10] 2019년 국가별 전시 시장 규모

자료: 전시저널(2021)

---

3) 1991년 설립된 AMR International은 글로벌 비즈니스 정보 및 컨설팅 서비스 회사이며, 2022년 전략컨설팅 회사 Stax와 인수합병됨

4) 걸프 협력 회의(Gulf Cooperation Council, GCC)는 걸프 아랍 국가의 국제 경제 협력체이다. 정식 명칭은 걸프 아랍국 협력 회의(Cooperation Council for the Arab States of the Persian Gulf, CCASG)이며, 걸프협력국가들(Gulf Cooperative Countries)로 불리기도 한다.

(2) 세계 전시산업 시장 전망

○ 2020년도 코로나19 팬데믹 영향

코로나19 이후로 중단된 각종 무역 전시(Trade show)들로 인해 전시산업의 불황은 계속되었다. 2020년 전 세계 전시산업 평균 매출은 2019년 매출의 28%에 불과하다. 또한, 전시산업의 관계자 52%가 막대한 금전적 손실을 본 것으로 나타났다. 대륙별 적자 비율을 살펴보면, 아시아·태평양 47%, 유럽과 북미 50%, 중동 및 아프리카 58%, 중남미 64% 순으로 나타났다. 이러한 불황 속에서 전시 업계는 코로나19 팬데믹 동안 디지털 채널에 투자하여 새로운 사업 분야를 개척하는 등 다양한 노력을 기울였으나, 전시 현장에서의 네트워크 확대, 브랜드 노출, 잠재 고객 창출 등 직접적인 만남과 소통을 통해서 창출될 수 있는 가치를 전시 참가자에게 제공하는데 한계가 있었다. 온라인 참석자를 대상으로 한 설문에서 66% 응답자가 네트워크 기회가 줄었으며, 51%는 브랜드 홍보를 위한 효과가 부족하다고 답변했다. 또한, 44%의 응답자는 사업 관계를 만드는 데 어려움을 겪었다고 토로했다.

[그림 1-11] 코로나19로 대면 행사가 취소되면서 생긴 온라인 전시의 과제

자료:UFI Global Recovery Insights (2021)

○ 2023년 코로나19 엔데믹 전환과 뉴 노멀(New Normal) 시대 전시산업 전망

세계보건기구(WHO: World Health Organization)가 2023년 5월 5일 코로나19에 대한 '국제적 공중보건 비상사태 선언'을 해제함으로써, 전시산업은 신속하게 코로나19 이전 대면 중심의 전시형태로 완전히 복귀하는 모양새이다. UFI Global Barometer(2023) 보고서에 따르면, 설문대상자 91%가 코로나19로 대면 행사의 가치를 실감했다고 응답했다. 그럼에도 불구하고 지난 3년 동안 사람들은 디지털 기술을 기반으로 하는 전시를 경험하였고, 56%의 응답자가 향후 하이브리드 행사가 증가하고, 전시에 디지털 요소가 더 많아질 것으로 전망하고 있다. 이러한 트렌드 변화에 따라 전시산업도 관련 이슈에 대한 대응의 필요성을 인식하고 있다. UFI Global Exhibition Barometer(2023)에 따르면, 전시 주최자 및 전시 서비스 제공업체의 64%가 전시 행사에 디지털 활동을 결합하고 있으며, 디지털화의 영향과 기타 미디어와의 경쟁이 새로운 도전과제로 인식되고 있다.

UFI Global Exhibition Barometer(2023)에 따르면, 향후 5년간 전시산업은 코로나19로 변화된 산업 환경에 대응하기 위하여 다음 요건에 대한 준비가 필요하다고 제기하였다. 첫째, 전시 참가자 및 방문객은 전시 참가를 통해 새로운 경험과 체험을 통해 최신의 정보와 지식뿐만 아니라 즐거움을 기대하며, 관련 분야의 전문가 및 관계자와 연결의 기회, 즉 네트워킹의 플랫폼으로서 전시의 역할을 기대한다. 둘째, 코로나19로 산업의 생태계가 거의 정지하는 상태에 이르렀던 결과, 많은 종사자가 안정적인 일자리를 찾아 이직했으며, 이로 인하여 전시 분야의 경험과 전문성을 가진 적절한 인재 확보가 중요한 이슈로 떠오르고 있다. 셋째, 전시에서 디지털 기술을 적극 도입하여 대면 행사와 온라인 행사가 결합된 하이브리드 행사 구성이 필요하며, 대면 행사에서도 참가자의 편의를 위한 테크놀로지 활용이 필수가 되고 있다. 넷째, 기후변화에 대응하는 전시 행사 가이드라인이 필요하며, 이를 적극적으로 실천하는 것은 선택이 아니라 필수 요소가 되고 있다. 지속가능한 전시 행사가 되기 위해서는 다양성(diversity), 공정성(equity), 포용성(inclusion) 등의 요소도 고려하여 행사를 기획하고 운영할 필요가 있다. AMEX Global Business Travel이 발표한 2023 Global Meetings and Event Forecast에 따르면, 응답자 5명 중 4명은 행사를 기획할 때 지속 가능성을 고려하며, 76%의 기관은 지속 가능한 프로그램 전략을 보유하고 있다고 응답했다. 이러한 변화 요소가 향후 전시산업

발전에 큰 영향을 미칠 것으로 예상된다.

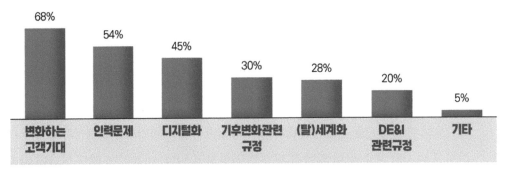

[그림 1-12] 향후 5년간 전시사업개발에 미치는 예상요소

자료: UFI Global Exhibition Barometer(2023)

2. 우리나라 전시산업 동향

한국은 1996년 12월 「국제회의산업육성에 관한 법률」을 제정하여 컨벤션산업의 발전을 도모하였고, 2000년 1월 「무역거래기반조성에 관한 법률」과 2008년 3월 「전시산업발전법」을 제정하여 전시산업 발전을 위한 기반을 다졌다. 또한, 문화체육관광부는 2005년 국제회의 도시 지정을 시작으로 2018년에는 국제회의 복합지구를 지정하고, 산업통상자원부는 전국 주요 거점별 전시컨벤션센터 건립 등 MICE 산업 인프라를 체계적으로 육성하고 있다.

위와 같은 국가의 육성 정책에 따라 서울 COEX를 시작으로 2001년 대구 EXCO, 부산 BEXCO 등 한국 주요 도시를 중심으로 전문 전시컨벤션센터가 건립되었다. 최근에는 국제회의 도시로 지정된 지역뿐만 아니라 기초 지방자치단체까지 전시컨벤션시설 건립을 계획하며, MICE 산업육성을 통한 지역발전을 도모하고 있다. 2021년 4월 울산전시컨벤션센터(UECO) 개관으로 현재 국내에는 총 16개의 컨벤션센터가 설립·운영되고 있다. 충북(청주), 강원, 충남(천안) 등 적어도 3개 이상의 전시컨벤션센터가 향후 건립 추진 중에 있으며, 기존 컨벤션센터 또한 증축·확장을 계획하고 있다.

○ 연도별 전시회 개최 동향

2000년 이후 국내 신규 전시장 건립 및 전시시설 확장 등으로 전시장 가용면적이 증가함에 따라 신규 전시회 및 유사 전시회 개최가 가속화되면서 전시행사 개최 건수는 지속적으로 증가하고 있으나, 성장 속도가 둔화되어 2014년 이후로는 570건 내외를 기록하고 있다. 2000년 132건의 전시회가 2019년 650건으로 392% 성장하였고, 2019년 개최현황을 기준으로 일반전시회(299건), 무역전시회(120건), 혼합전시회 (231건) 순으로 개최되었다.

〈표 1-20〉 2000~2019년 우리나라 전시회 개최 현황

연도	2000	2002	2004	2006	2008	2010	2012	2014	2016	2018	2019
개최건수(건)	132	248	300	353	409	479	560	570	568	615	650
전년 대비 증감율(%)	-	87.9	21.0	17.7	15.9	17.1	16.9	1.8	-0.4	8.3	5.7

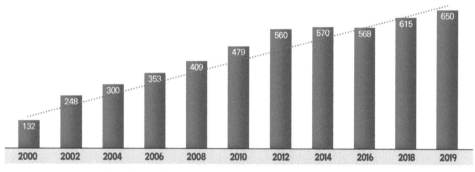

[그림 1-13] 2000~2019년 우리나라 전시회 개최 변화추이

자료: 한국전시산업진흥회(2020), 2019 국내전시산업통계조사 결과 비교

2019년 기준, 전시 면적 총계는 632만 167㎡로 전년 대비 약 4.3% 성장하였다. 순 전시 면적 평균은 3,772㎡로 2016년 대비 10% 증가하였고 총 전시 면적 대비 순 전시 면적 비율은 39.3%로 질적 수준 역시 향상되었다.

전시 참가업체 수는 총 106,479개사로 전년 95,459개사에 비하여 11% 증가하였고, 전시 참관객 수는 총 8,072,546명으로 조사되어 전시회 1건당 참관객 수 평균은 12,419명으로 나타났다.

향후, 국내 전시시설 신규 건립 및 확충5)사업이 계획되어 있어서 공급이 수요를 창출하는 전시컨벤션의 특성상 전시개최 건수 증가에 따라 향후 전시산업의 지속 성장이

전망된다.

○ 전시회 유형별 개최 건수

전시회는 유형별로 관련 분야의 산업 관련자만 참석할 수 있는 비즈니스 중심의 무역전시회(B2B: Business to business), 일반 대중에게 개방되는 일반 전시회(Public show), 무역전시회와 일반전시회가 혼합된 형태의 혼합 전시회(Mixed/combined show)로 나눌 수 있다.

〈표 1-21〉 전시회 유형

무역전시회 (Trade Show)	참가업체는 관련 산업 또는 보완적인 상품의 제조업체, 유통업자이며 관람은 초청에 의한 참여가 일반적이다. 참가자격은 구매자로 제한한다.
일반전시회 (Public Show)	일반 대중에게 개방되는 전시회로 소매점이나 최종 소비자를 직접 만나려고 하는 제조업체가 참가한다. 참가기업은 새로운 상품을 위한 시험장이자 홍보를 확대하기 위한 장으로 활용된다.
혼합전시회 (Mixed or Combined Show)	무역전시회와 일반전시회를 혼합한 형태로 바이어와 일반 대중의 참관일에 차등을 두어 개방한다.

〈표 1-22〉를 살펴보면, 무역 전시 개최 건수가 증가하지 않고 감소한 것으로 나타났다. 무역 전시는 특정 분야의 산업 및 관련자들을 위한 비즈니스 중심의 전시로서, 전시산업에서 국가 및 지역의 경제 활성화에 큰 영향을 미치는 행사로 인식된다. 특히, 무역전시는 국제 규모의 행사가 많기 때문에 개최에 따른 파급효과가 크다고 할 수 있다. 혼합 전시와 일반 전시 개최 건수는 꾸준히 증가하고 있으며, 일반 전시의 경우, 2018년 대비 31.7%(72건) 증가한 것으로 나타났다.

〈표 1-22〉 2014~2019년 전시회 유형별 개최현황

(단위: 건, %)

구분	2015		2016		2017		2018		2019		'15-'19 연평균 증감률
	건수	비중	건수	비중	건수	비중	건수	비중	건수	비중	
무역	130	22.9	120	21.1	125	21.2	129	21.0	120	18.5	-2.0
혼합	177	31.2	191	33.6	254	43.1	259	42.1	231	35.5	6.9
일반	260	45.9	257	45.2	211	35.8	227	36.9	299	46.0	3.6
합계	567	100	568	100	590	100	615	100	650	100	3.5

자료: 한국전시산업진흥회(2019)

---

5) 2022년 예정으로 킨텍스 증축(+70,000㎡), ICC JEJU 증축(+5,000㎡), 충북청주전시장 증축(+10,368㎡), 글로벌 비즈니스 센터(GBC)건립(15,000㎡)/ 전시산업진흥회 (2019) 참고

○ 산업 부분별 전시 개최 건수

5년간(2015-2019년) 산업별 전시 개최 건수를 살펴보면, 농수축산/식음료 분야가 가장 많은 전시회를 개최하고 있으며, 섬유/의류/주얼리 분야가 가장 적은 행사 건수를 보인다. 레저/관광/스포츠 분야는 개최 건수 연평균 17.2% 증가로 가장 큰 성장률을 보인다. 교육 분야의 전시 개최 건수는 연평균 -21.7% 로 가장 큰 감소세를 보인다. 웨딩 분야 전시는 2015년~2019년 5년간 -9.6%, 2017년~2019년 2년간 -12.9% 증감률을 보였다. 웨딩 분야 전시 개최 수의 감소는 다양한 이유가 있겠지만, 현재 우리나라의 1인 가구가 빠르게 증가하는 현상과 연관된 것으로 볼 수 있으며, 이와 같이 전시컨벤션산업은 사회문화적 환경의 변화에 민감한 분야라고 할 수 있다.

〈표 1-23〉 2015~2019년 산업별 개최 건수 비교

(단위: 건)

구분	2015	2016	2017	2018	2019	연평균 증감률(%)	
						'15~'19	'17~'19
농수축산/식음료	66	56	69	68	79	4.6	7.0
에너지/환경	26	19	19	24	24	-2.0	12.4
섬유/의류/쥬얼리	11	7	9	8	5	-17.9	-25.5
금속/기계/장비	39	28	21	26	37	-1.3	32.7
전기/전자/정보통신/방송	45	42	38	40	49	2.2	3.6
보건/의료/광학/정밀	30	33	32	37	33	2.4	1.6
건설/건축/인테리어	38	30	36	38	46	4.9	13.0
운송장비/서비스	10	17	20	18	12	4.7	-22.5
가정용품/선물용품	31	55	50	44	55	15.4	4.9
뷰티/화장품	9	14	15	15	13	9.6	-6.9
금융/부동산/전문서비스	33	55	49	46	55	13.6	5.9
공공/국방	37	14	11	15	23	-11.2	44.6
교육	24	18	13	11	9	-21.7	-16.8
임식/출산/육아	55	55	56	65	59	1.8	2.6
웨딩	33	34	29	26	22	-9.6	-12.9
문화/예술	35	35	43	43	44	5.9	1.2
레저/관광/스포츠	45	56	80	91	85	17.2	3.1
총계	567	568	590	615	650	3.5	5.0

자료: 한국전시산업진흥회(2019)

○ 우리나라 지역별, 전시컨벤션센터별 전시 개최 현황

2015~2019년 기간 동안 지역별 전시회 개최 연평균 증감률을 살펴보면, 서울(aT Center, COEX, SETEC)은 매년 3.1% 증가, 경기도(KINTEX, SCC)는 매년 5.4% 증가 추세를 보인다. 2019년 전시 개최 건수를 기준으로 살펴보면, 650개의 전시 중 398건의 전시가 수도권(서울, 경기, 인천)에 집중되어 있는데, 인천 및 경기 지역을 제외하더라도 서울에서만 개최된 전시가 총 240건으로 나타났다. 서울에서 개최된 총 전시회 수와 서울을 제외한 다른 지역의 총 전시회 개최 건수 245건의 차이는 불과 5건이었다. 2018년 수도권에서 개최된 전시는 전체 전시회의 59%였고, 2019년에는 61%의 전시가 수도권에서 개최되어 수도권 집중 현상이 심화되고 있다.

최근 5년간 전시 개최 건수의 변화율에서 가장 큰 증감률은 경상북도(+37.7%)이며, 변화가 가장 적은 곳은 경상남도(+0.9%)이다.

〈표 1-24〉 2015~2019년 지역별 센터별 전시 개최 건수

| 구분 | | 2015 | 2016 | 2017 | 2018 | 2019 | 증감률(%) | |
지역	시설명						'15~'19	'17~'19
수도권	aT Center	39	40	52	48	51	6.9	-1.0
서울특별시	Coex	131	136	135	140	143	2.2	2.9
	SETEC	42	43	43	46	46	2.3	2.2
	소계	212	219	219	240	240	3.1	1.9
경기도	KINTEX	107	104	104	107	107	0	0.5
	SCC	-	-	-	25	25	-	-
	소계	107	104	106	106	132	5.4	11.6
인천광역시	ConvensiA	16	18	21	26	26	12.9	11.3
수도권계		335	341	358	367	398	4.4	5.4
기타권역 부산광역시	BEXCO	73	75	80	77	77	1.3	-1.9
경상남도	CECO	27	29	24	28	28	0.9	8.0
대구광역시	EXCO	45	46	41	48	50	2.7	10.4
경상북도	GUMICO	5	4	4	9	10	18.9	58.1
	HICO	5	2	6	8	8	12.5	15.5
	소계	5	6	10	17	18	37.7	34.2
대전광역시	DDC	7	5	5	5	13	16.7	61.2
	KOTREX	12	10	13	17	-	-	-
	소계	10	10	18	22	-	-	-
광주광역시	KDJ Center	33	15	38	36	36	2.2	-2.7
전락북도	GSCO	5	39	3	5	8	12.5	63.3
제주도	ICC Jeju	8	8	13	10	15	17.0	7.4
기타권역 소계		215	221	227	243	245	3.3	3.9
기타시설		12	6	5	5	7	-12.6	18.3
총계		567	568	590	615	650	3.5	5.0

자료: 한국전시산업진흥회(2019)

제3절 ## 코로나19 이후 컨벤션과 전시의 변화

1. 컨벤션과 전시산업에서 미팅 테크놀로지의 역할

코로나19 확산으로 세계의 국경이 닫히고, 이동 제한, 공공시설 운영 중단 등의 조치가 장기화되며 비대면 트렌드가 확산되면서 많은 인파와 세계 각국의 물류가 집중되는 대면 행사가 취소되거나 연기되었다. Forbes에 따르면, 전 세계적으로 컨퍼런스, 회의, 전시, 기타 행사가 취소되면서 오프라인 무역박람회, 컨벤션을 전문적으로 기획하고 운영하는 업체들의 수익이 43% 감소했고, 사람들의 집합 및 대규모 모임이 제한되면서 온라인 플랫폼이 참가자, 참가업체, 바이어를 이어주는 유일한 수단이 되었다. 이에 따라 온라인 플랫폼 관련 산업이 빠르게 성장하고 있다. 일부 행사 주최자는 온라인 플랫폼을 통해 지속적인 소통 서비스를 제공하고, 줌(Zoom), 웨비나(Webinar) 등 온라인 행사를 통해 대면 행사를 대신하였다.

예를 들어, 2020년 라스베이거스에서 개최되는 세계 최대 규모의 ICT 융합 전시회 CES(Consumer Electronic Show)[6]와 패션 어패럴 쇼인 Magic[7]과 Bronner Bros[8]는 예정되었던 대면 행사를 취소하고 온라인 쇼케이스와 컨퍼런스로 대체하였다. 또한 폭스바겐(Volkswagen)은 인터랙티브 디지털 방식을 구현한 가상 모터쇼 (Virtual Motor Show)를 운영하였고, 미디어 산업 컨퍼런스 플랫폼인 SXSW[9]도 오프라인 행사를 취소하고 아마존 웹서비스를 통해 출품 작품을 공개하였다.

이와 같은 온라인 가상 컨벤션과 전시는 공간과 인력, 각종 기자재와 시연 제품을

---

6) CES는 '소비자 전자 제품 전시회'의 약어로, 미국 라스베가스에서 매년 개최되는 세계 최대의 소비자 전자 제품 및 기술 전시회

7) MAGIC는 미국 라스베가스, 마이애미, 뉴욕 등을 중심으로 젊은 세대를 위한 의류, 신발 및 액세서리를 선보이는 대규모 패션 이벤트로, 다양한 제품과 소매업체, 인플루언서, 미디어 및 산업 전문가들이 참석함

8) 브로너 브라더스(Bronner Bros)는 미국 조지아주에 본사를 둔 헤어케어 및 뷰티 제품을 전문으로 하는 회사로 1947년에 설립됨. 브로너 브라더스는 헤어케어 제품뿐만 아니라 뷰티 산업에서의 교육 및 이벤트도 주최하며, 특히 미용사 및 헤어 아티스트를 대상으로 한 트레이드 쇼인 '브로너 브라더스 국제 뷰티 쇼'는 매년개최됨

9) SXSW는 "South by Southwest"의 약자로, 미국 텍사스 주 오스틴에서 매년 개최되는 국제적인 음악, 영화, 대화, 인터랙티브 미디어 축제임

필요로 하지 않기 때문에 전시자와 참관객 양측 모두 저렴한 비용으로 박람회에 참가할 수 있다. Oxford Economics에 따르면, 온라인 컨퍼런스 참가자의 평균 지출은 $1,294로, 일반적인 대면 행사 참가자 비용인 $ 4,000~6,000에 비해 비용적인 측면에서는 훨씬 저렴하다. 하지만 온라인 가상 플랫폼으로의 급격한 전환으로 공통된 규격이나 포맷이 없이 진행됨에 따라 참가자에게 혼란을 야기할 수 있을 뿐만 아니라 주최자에게는 플랫폼 조성을 위한 투자비용이 추가로 요구된다. 예를 들어, Magic과 Bronner Bros는 같은 패션 미용 박람회이지만 가상플랫폼을 구현하는 방법과 기술이 달랐다. 또한, 행사 주최자, 컨벤션, 전시 참가자, 관람객이 가상 플랫폼에 접속하기 위한 환경, 예를 들어 지역별 온라인 기술 보급의 차이, 장비의 차이 등으로 인한 어려움을 경험했다. 그러나 온라인 가상 플랫폼 행사를 진행했을 때 경험한 기술적 어려움보다 더 근본적인 문제는 바로 직접적인 만남을 통한 제품 사용, 기술 시연, 우연성 등을 경험하기 어렵고, 물리적 상호작용을 통하여 획득할 수 있는 수많은 암묵적 지식을 교류하거나 네트워크를 확대할 수 있는 소통이 부족한 환경이기 때문에 온라인 가상 행사 참석자의 만족도가 낮다는 것이다.

코로나19 이전에도 온라인 플랫폼을 사용하여 전시컨벤션 행사를 개최한 적은 있었지만, 대면 행사에 대한 선호도가 높아 많은 관심을 받지 못했다. 사람은 직접적인 소통과 경험을 선호하며, 대면 상호작용을 통해서 말이나 글로는 전달할 수 없는 수많은 가치 있는 정보를 담고 있는 암묵지를 획득한다. 이러한 이유로 사회적 거리두기가 완화되자, 온라인 가상 행사로 전환되었던 대부분의 행사가 대면 행사와 온라인 행사를 함께 개최하는 하이브리드형 (hybrid) 컨벤션과 전시 행사로 전환되었다. CES가 이러한 변화를 잘 보여주고 있다. 2021년까지 온라인 가상 행사로 진행되던 CES는 2022년부터 대면 행사와 온라인 가상 행사를 결합한 하이브리드 행사로 전환하여 전시 참가자 및 관람객의 직접 소통, 시연, 네트워크 발굴이 가능한 환경으로 전환하였다. 이러한 변화는 사회화를 통한 지식 교류와 네트워크 확장이라는 지식플랫폼으로서 컨벤션과 전시의 역할을 확인하는 사례가 되고 있다.

향후 컨벤션과 전시는 미팅 테크놀로지가 접목된 다양한 형태로 구현될 것이고, 이러한 기술이 면대면 만남과 소통을 통해 정보와 지식을 공유하고 확산하는 전시컨벤션의 본질적인 기능을 강화하는 형태로 나아갈 것으로 예측된다. 예를 들어 신체적, 물리적,

비용적 측면에서 전시컨벤션 현장행사 참석이 쉽지 않은 수많은 잠재 고객에게 디지털 플랫폼을 통하여 행사에 참여할 기회를 제공할 수 있고, 다양한 의견과 정보를 공유하면서 행사 참가자로서 소속감을 느낄 수 있어 미팅 테크놀로지는 다양성, 공정성, 수용성 (DE&I: Diversity, Equity and Inclusion)을 구현하는데 역할을 한다.

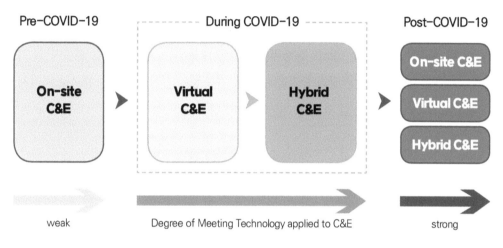

[그림 1-14] 컨벤션 개최 유형의 변화예측

자료: Jung and Lee(2022),
Current and future influences of COVID-19 on the knowledge management function of conventions and exhibitions

2. ESG 경영과 컨벤션과 전시산업

1) ESG 경영

최근 산업 전반에 걸쳐 'ESG 경영'이 크게 관심을 끌고 있다. ESG는 환경(Environment), 사회적 기여(Social), 그리고 투명한 지배 구조(Governance)의 조합으로, 전통적으로 강조해 왔던 기업의 재무적 요소와 함께 비재무적 요소인 ESG를 고려한 책임투자를 강조하는 경영을 의미한다. ESG의 시작은 2003년 UN의 유엔환경계획금융 이니셔티브(UNEPFI: United Nations Environment Programme Finance Initiative)에서 기업에 대한 투자 결정 시 이해관계자들이 재무성과 이외에 고려해야 할 비재무적 성과로 제안하였고, 2005년 유엔 글로벌콤팩트(UNGC)에서 사회적 책임투자에 대한 글로벌 이니셔티브의 설립을 결의하고, 2006년 유엔책임투자원칙 (UN PRI:

Principles for Responsible Investment)으로 발전하면서 ESG는 기업의 지속 가능 경영 수준을 평가하여 사회책임투자 의사결정 평가 도구로 활용되고 있다. ESG에 관한 논의가 더욱 확산된 배경에는 2015년 파리기후변화협약과 2019년 말에 시작된 코로나 팬데믹이 계기가 되었다. 기후변화, 팬데믹 등의 위기는 글로벌 경제 생태계 전반에 영향을 미치고 있으며, 로컬 기반의 중소기업이라 하더라도 이러한 변화에서 완전히 자유롭기는 어렵다는 인식이 확산 중이다. 글로벌 산업 생태계에 밀접한 연관을 가진 컨벤션과 전시산업에서 ESG 경영의 필요성이 대두되는 것은 당연한 결과이다. 이미 전시컨벤션산업에서 환경에 중점을 둔 지속 가능성은 기업의 의무사항으로 여겨지고 있으며, 더 나아가 ESG 경영에 대한 요구가 증가하는 실정이다.

〈표 1-25〉 ESG 요소 예시

환경(Environment)	사회적 기여(Socal)	투명한 지배 구조(Governance)
• 기후변화(climate change) • 자연자원고갈 　(resource depletion) • 폐기물(waste) • 오염(pollution) • 산림파괴(deforestation)	• 인권(human rights) • 강제노동(modern slavery) • 어린이 노동(child labour) • 근로조건 　(working conditions) • 근로자 간 관계 　(employee relations)	• 뇌물과 부패 　(bribery and corruption) • 경영진 보수(executive pay) • 이사회 다양성 및 구조 　(board diversity and structure) • 정치 로비 및 기부 　(political lobbying and donations) • 세무전략(tax strategy)

자료: UN PRI brochure(2021)

특히, 컨벤션과 전시산업이 ESG 경영을 실천해야만 하는 이유는 행사유치를 위한 전략의 일환으로서 필요성이 대두되고 있다. 전시컨벤션행사 주최자인 협회, 학회, 정부, 기업, 비영리 단체 등은 전시컨벤션 행사를 개최하기 위한 목적지와 대행사를 선정할 때 ESG 경영 실천 및 노력을 요구하는 등 전시컨벤션 시장에서도 ESG 경영에 대한 요구가 증가하고 있다. 컨벤션과 전시 행사를 유치하려는 국가 또는 도시에서는 지역의 ESG 경영 실천에 대한 소개와 더불어 행사 유치 및 실행 과정에 참여하는 다양한 서비스 공급자의 ESG 경영 참여 및 실천에 대한 정보를 공개하고 평가를 통해 행사 개최지로 선택된다. 컨벤션과 전시 유치경쟁이 치열한 상황에서 행사 목적지로서 성공하기 위해서는 ESG 경영에 대한 인식과 실천이 요구되고 있다.

2) 컨벤션과 전시산업에서 ESG 경영 핵심요소

2022년 한국관광공사가 발행한 ESG 가이드북에 따르면, 컨벤션과 전시산업에서 ESG 경영은 기업이 '지속 가능한 전시컨벤션'을 달성하기 위한 핵심요소로, 전시컨벤션산업의 중장기 핵심가치에 막대한 영향을 주는 비재무적 지표로 정의하고 있다. 환경(Environment)은 기후변화와 탄소 배출 관련 이슈가 크며, 전시컨벤션행사에서 탄소 배출을 줄이는 행사 기획과 실행이 요구되며, 한발 더 나아가 탄소 중립 또는 탄소 제로 행사 추구를 설명하고 있다. 사회 기여(Social)부문은 행사 개최를 통한 사회 공헌, 일자리 창출, 지역 관광 활성화 등 지역 사회 발전을 위한 내용과 인권의 향상, 참가자의 개인 정보 보호, 사회적 약자 및 문화적 다양성을 고려한 행사를 기획하고 실행하는 방향으로 설명된다. 마지막으로 투명한 지배 구조(Governance)는 환경과 사회 기여 활동을 기업이 실현할 수 있도록 뒷받침하는 부분으로 전담조직을 구성하고 투명하고 신뢰도 높은 행사 운영과 연관될 수 있다.

〈표 1-26〉 전시컨벤션산업의 ESG 핵심요소

환경(Environment)	사회기여(Social)	투명한 지배 구조(Governance)
• 온실가스 및 에너지	• 사회공헌	• 담당자
• 자원 및 폐기물 관리	• 동반성장	• 역량 강화
• 친환경 교통	• 지역사회 발전	• 정책 및 목표 수립
• 친환경 숙소	• 지역사회 관계, 일자리 창출	• 행사 기획
• 지역 음식 및 친환경 식자재	• 공급망 관리	• ESG 평가 및 확산
• 책임 있는 구매 및 조달	• 지역관광 활성화	• 모니터링 및 정보제공

자료: 한국관광공사 ESG 가이드북

3) 컨벤션과 전시산업에서 지속가능성을 위한 ESG 경영 전망

지속 가능한 MICE는 "효율적인 자원관리와 이해관계자 참여를 통해 환경적, 사회적, 경제적 측면에서의 지속 가능성을 이뤄나가야 하는 개념"으로 정의할 수 있으며, 지속가능한 마이스에서 ESG란 "MICE 개최 시 발생 가능한 환경, 사회, 지배 구조의 비재무적 요소에 대한 리스크와 중대성을 평가하고 MICE 행사에 적용하여 실행하는 도구"라고 정의한다(한국관광공사, 2023).

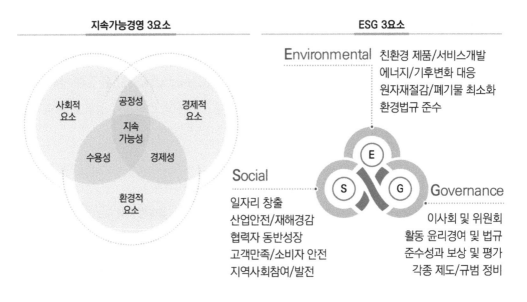

[그림 1-15] 지속 가능 경영과 ESG

한국관광공사가 2022년 발행한 ESG 운영 가이드에 따르면, MICE 핵심 주체인 컨벤션뷰로, 주최자, 컨벤션센터, 참가자 4개 부분으로 나누어 가이드를 제공하여 주요 ESG 요소를 이해하고 실행력을 높일 수 있도록 안내하고 있다. 예를 들면, 컨벤션뷰로는 관할 지역의 마이스 산업 전반을 담당하기 때문에 일반적인 경영 시스템 측면에서의 사항을 중심으로 구성하였고, 주최자는 마이스 행사 개최 시 우선적으로 고려해야 할 ESG 핵심 항목을 중심으로 가이드를 마련하고 개별 행사 단위로 사용할 수 있도록 하였고, 컨벤션센터는 전반적인 운영 시스템과 함께 개별 행사별로도 사용할 수 있도록 가이드를 제공하고 있다.

마이스 산업의 선진국이라고 할 수 있는 싱가포르는 이미 2013년 마이스 산업 지속가능성을 관리하기 위하여 싱가포르관광청(STB: Singapore Tourism Board)을 중심으로 국제 이벤트 지속가능성 관리 표준(ISO 20121) 및 이벤트 환경 지속가능성 표준(APEX-ASTM)을 기반으로 하는 7개 마이스 산업 범주[10]에 대한 지속가능성 지침을 발표하였다. 그뿐만 아니라 선도적인 지속 가능한 목적지(destination)를 만들기 위하여 GDS-Index(Global Destination Sustainability Movement) 평가에 참여하였고, 싱가포르 호텔의 지속가능성을 위한 로드맵을 2022년 발표하여 호텔의 배출량 측정, 2030년까지 배출량을 줄이고 2050년까지 배출량 제로 달성을 목표로 하고 있다[11]. 비단 싱가포르뿐만 아니라, 독일의 컨벤션뷰로(GCB:German Convention Bureau)의 발표에 따르면(Meeting & Event Barometer, 2019/2020) 독일 이벤트 장소 중 45% 이상이 이미 지속 가능한 경영(sustainability)시스템을 도입한 상태이며, 도쿄 컨벤션뷰로는 "도쿄 MICE 행사에 대한 지속 가능성 지침"을 발간하는 등 마이스 산업을 육성하는 대부분의 국가에서 마이스 경쟁력을 제고하기 위한 지속 가능 경영, ESG 경영을 위한 정책과 가이드라인을 발표하고 있다. 이러한 활동은 마이스 산업으로 인한 환경 영향을 최소화하고, 지역사회 및 국제사회의 발전과 인류 공존에 기여할 수 있는 상생의 산업으로서 전시컨벤션의 진화를 보여주고 있다.

10) APEX-ASTM의 마이스 산업 범주 7가지
❶ 행사기획사(Event organizer), ❷ 숙박(Accommodation), ❸ 행사장소(Venue), ❹ 목적지(Destination), ❺ 식음료(Food & Beverage), ❻ 음향장비 및 기타(Audio-Visual and Production), ❼ 전시(Exhibition)
11) 지속가능한 이벤트를 위한 싱가포르의 그린베뉴(특수목적 마이스 장소)는 ❶ ArtScience Museum, Parkroyal ❷ Collection Marina Bay, ❸ Resort World Sentosa Convention Centre, ❹ S.E.A Aquarium, ❺ Sands Expo and Convention Centre, ❻ Shangri-la Rasa Sentosa, ❼ Singapore Expo Convention&Exhibition Centre and MAX Atria 등이 있다.

제2장

컨벤션산업 개요

제2장
컨벤션산업 개요

제1절 **컨벤션 개념정의 및 분류**

전시컨벤션산업론

컨벤션(Convention)은 컨퍼런스(conference), 콩그레스(congress), 회의(meeting), MICE 등 다양한 용어와 혼용되어 사용되고 있다. 그 이유는 국가에 따라 컨벤션에 쓰이는 용어가 조금씩 다르기 때문이다. 예를 들어 유럽에서는 컨퍼런스, 미국에서는 컨벤션 또는 미팅, 아시아·태평양지역에서는 컨벤션 또는 MICE라는 용어를 선호한다 (McCabe et al., 2000; Roger, 2008).

컨벤션은 그 개최 목적과 분야에 따라 다양한 개최 방식과 형태를 가진다. 회의 개최 목적에 따라 '문제 해결 회의' 또는 '이해 조정 회의', '정보 전달 회의', '운영 회의', '판매 회의', '친목 회의' 등으로 구분하거나, 분야별로 '정부 회의', '협회 회의', '기업회의', '개인 회의' 등으로 구분할 수 있다. 개최 규모에 따라 '대규모 회의', '중규모 회의', '소규모 회의', 개최 기간에 따라 '장기 회의', '단기 회의' 등으로 구분되며, 개최 형태도 '컨벤션', '컨퍼런스', '포럼', '심포지엄', '세미나' 등으로, 개최방식도 '회의 중심', '전시회 동반', '이벤트 중심', '관광 중심' 등으로 다양하다(서승진·윤은주, 2007). 컨벤션을 지칭하는 명칭 및 용어는 국가별로, 분야별로, 전문가 관점별로 다양하다. 현재 국내에서는 국제회의 개념을 MICE란 용어에 적용하여 지칭하는 경우가 일반적이며 정책의 범위에서도 MICE를 포괄한 정책을 추진하고 있다(문화체육관광부, 2019). 본 책에서는 '컨벤션', '컨벤션과 전시' 또는 '전시컨벤션'이라는 용어로 산업을 설명한다.

컨벤션은 관련 분야의 사람들이 모여 다양한 이슈에 대한 논의와 협의를 통해 문제를 해결하고 결정하기 위하여 시작되었다. 산업화, 국제화, 세계화가 진행되면서 세계 이슈에 대해 논의하고 협의하는 장이 확대되면서 관련 상품과 서비스를 볼 수 있는 전시도 동반하게 되어 컨벤션산업은 국제논의, 협의 과정에서 수반되는 모든 활동과 연관되어 있다고 볼 수 있다. 반대로 전시 중심의 산업에서도 관련 분야의 상품과 서비스를 전시하면서 그 분야의 전문가와 이해관계자들이 모이면서 논의의 장이 필요함에 따라 회의가 전시와 결합하게 되었다. 이와 같이 컨벤션은 다양한 분야의 지식과 정보의 교환, 새로운 상품 홍보, 마케팅, 정치, 경제, 문화 교류 등 다양한 목적으로 개최된다. 2019년 말에 시작된 코로나19 팬데믹 전까지 컨벤션산업은 양적 성장을 지속했다. 코로나19로 한동안 대면 행사는 전면 취소되거나 연기되는 상황도 있었지만, 사회적 거리 두기가 완화되면서 온라인과 오프라인 행사를 겸하는 하이브리드 행사가 진행되었고, 코로나 대유행의 종식으로 컨벤션행사는 대면 행사로 전환되었다. 코로나 대유행에도 사람들은 직접적인 만남을 통해 정보와 지식을 공유하고 네트워크를 확대할 수 있는 컨벤션에 참석하기를 선호하였고, 차츰 대면 행사와 온라인 행사를 병행하는 하이브리드 개최 방식의 컨벤션 유형이 중요한 축으로 성장하고 있다. 코로나19 이후에도 온라인 플랫폼와 대면 개최방식을 혼합하여 정보와 지식의 창출을 확대하고, 네트워크를 확장하는 컨벤션 플랫폼으로 성장할 것으로 예상된다.

다음으로 컨벤션, 국제회의, 마이스(MICE) 등으로 혼용되고 있는 컨벤션 용어에 관한 정의를 살펴본 후 컨벤션산업이 성장하게 된 역사적 배경과 특징을 살펴본다.

1. 컨벤션 개념

컨벤션(Convention)의 어원을 살펴보면, 'con'은 라틴어 'cum'(=together, 함께)이며, 'vene'은 라틴어의 'venire'(=to come)의 합성어로서, 'convention'이란 회의나 모임을 위해 함께 와서 모이고 참석한다는 의미로 설명된다. 컨벤션에 대한 개념은 사전적, 제도적, 법률적으로 구분되어 정의되기도 한다.

1) 컨벤션의 사전적 정의

(1) 사전적 정의

캠브리지 사전(Cambridge Dictionary)에 따르면, 컨벤션은 첫째, '회의 분야(meeting)'에서는 특정 직무를 수행하거나 비슷한 관심사를 가진 사람들의 대규모 공식 회의 또는 정당을 위한 대규모 회의라고 정의된다. 둘째, '관습 분야(custom)'에서는 일반적으로 받아들여지는 행동 방식, 특히 사회적 상황에서 종종 특정 사회에서 오래된 사고방식이나 관습을 따르는 것으로 정의된다. 셋째, '합의(agreement)'와 관련된 정의에서 국가지도자, 정치인, 그리고 국가 간 공식적인 합의로 정의된다.

초기의 컨벤션은 국가 간의 약속, 즉 국제적 합의에 붙여진 명칭으로, 일반적으로 '조약' 또는 '협약'으로 번역되는 경우가 많았다. 양국 조약이 아닌, 국제(외교)회의에서 성립하는 다수 국가의 조약에 사용되었으며, 조약 내용도 새로운 규칙의 작성이 아니라, 이미 국제 관습법으로서 확립되어 있는 내용을 조약의 형식으로 작성하는 법전화 조약인 경우에 사용되었다. 일례로 헤이그 평화회의(1899, 1907년)[12]에서 성립된 전쟁에 관한 여러 조약은 1915년의 국제연맹, 1945년의 국제연합과 같이 국제기구가 주최하는 컨벤션이라 일컬어진 국제회의에서 성립한 조약에 공통적으로 사용되었다.

(2) 컨벤션의 제도적 정의

컨벤션의 제도적 정의란 컨벤션과 관련된 각국의 관광담당 기관이나 국제협회에서 내리는 정의이다. 이때 주로 사용되는 용어는 국제회의(International Meeting)이다.

○ ICCA(International Congress and Convention Association)

비정부기구(협회)에서 주최하는 회의로 일회성이 아닌 정기적으로 개최되며, 개최지는 3개국 이상 순회하고, 회의 참가자 수가 50명 이상의 회의를 국제회의로 정의한다.

---

12) 헤이그 만국평화회의 (Hague Convention of 1899/Hague Convention of 1907): 군비축소, 전쟁에 관한 규칙, 평화 유지 방안을 논의했던 국제회의

○ UIA(Union of International Associations)

국제기구(정부 기구 및 비정부 기구 모두 포함)가 주최하고 후원하는 회의 또는 국내 단체가 주최하는 회의 가운데 전체 참가자 수 300명 이상, 참가자 중 외국인 40% 이상, 참가국 수 5개국 이상이 참가하는 회의로, 그 기간이 3일 이상인 회의라고 정의하고 있다. 단, 순수 내국인 회의 및 종교적, 교육적, 정치적, 상업적, 스포츠 성격의 회의와 위원회, 전문가 단체 등과 같이 회의 참가자가 엄격히 제한되는 정부 단위의 회의로서 대규모 범정부간 국제기구 본부가 소재한 뉴욕, 제네바, 로마, 브뤼셀, 비엔나 등에서 개최되는 회의와 기업회의 및 인센티브 회의 등은 제외하고 있다.

〈표 2-1〉 UIA와 ICCA의 컨벤션 정의

UIA: 국제협회연합 (Union of International Associations)	ICCA: 국제컨벤션협회 (International Congress & Convention Association)
• 1907년 설립, 벨기에 브뤼셀 소재 • 참가국 수 5개국 이상 • 전체 참가자 수 300명 이상 • 전체 참가자 중 외국인 비율 40% 이상 • 회의 기간 3일 이상	• 1963년 설립, 네덜란드 암스테르담 소재 • 3개국 이상 순회하며 정기적으로 개최하는 회의 • 50명 이상 참여

○ BTA(British Tourist Authority)

1984년 BTA는 컨벤션을 컨퍼런스 (conference)와 미팅(meeting)으로 구분하였다. 컨퍼런스는 정해진 주제에 15명 이상이 참석하여 최소한 2일 이상 계속해서 회합, 세미나, 교육 프로그램 등을 실시하는 것을 의미하며, 미팅은 정해진 주제에 15명 이상의 인원이 최소한 6시간 이상의 세미나와 교육 프로그램을 포함하는 모임으로 2일 이하의 기간에 걸쳐 실시하되 숙박 서비스는 포함되지 않는다고 하였다. 영국 관광공사는 컨벤션보다는 국제회의의 개념에 초점을 맞추며, 그 내용도 회의의 목적보다는 회의의 구성요소인 장소, 시간, 참가자의 수 등에 중점을 두고 있다.

○ Asia Association of Convention and Visitor Bureau(AACVB)

2개 대륙 이상에서 참가하는 회의를 국제회의(International meetings)로, 동일 대륙 2개국 이상의 국가가 참가하는 회의를 지역회의(Regional meetings)로 규정하고 있다.

○ **한국관광공사(KTO)**

국제회의란 국내에서 개최되는 국제행사로, 외국인 참가자가 10명 이상이고 4시간 이상 개최되는 회의를 의미한다 (2009년부터 참가국 수 제한 폐지). 국내 회의도 본 기준을 충족하면 국제회의로 포함된다. 컨벤션은 외국인 참가자 10명 이상이면서 전체 참가자가 250명 이상인 정부, 공공, 협회, 학회, 기업회의로, 4시간 이상 개최되는 회의로 정의한다.

(3) 컨벤션의 법률적 정의

○ **관광진흥법**

국제회의를 "대규모 관광수요를 유발하는 국제회의(업)(세미나, 토론회 전시 등을 포함)를 개최할 수 있는 시설을 설치, 운영하거나 국제회의의 계획, 준비, 진행 등의 업무를 위탁받아 대행하는 업"이라고 정의한다.

○ **국제회의산업 육성에 관한 법률**

국제회의산업 육성에 관한 법률 제2조에 의거, 국제회의란 "상당수의 외국인이 참가하는 회의(세미나, 토론회, 전시회 등을 포함)로서 대통령령이 정하는 종류와 규모에 해당하는 것"이라고 정의한다. 또한 "국제회의 산업은 국제회의 유치 및 개최에 필요한 국제회의 시설, 서비스 등과 관련된 산업을 말한다"고 정의하고 있다.

국제회의산업 육성에 관한 법률 시행령 제2조에 의거(2022년 개정), 국제회의는 국제기구, 기관 또는 법인. 단체가 개최하는 회의로 다음의 세 가지 요건을 모두 갖춘 회의를 말한다. 첫째, 3개국 이상의 외국인이 참가하고, 둘째, 회의 참가자가 100명 이상이며 그중 외국인이 50명 이상, 셋째, 2일 이상 진행되는 회의로 정의하고 있다.

(4) 컨벤션의 학문적 정의

컨벤션(convention)은 콩그레스(congress), 컨퍼런스(conference) 등 유사한 개념이 혼용되고 있어 그 구분이 명확하지 않지만, 일반적으로 회의와 이에 수반되는 전시 및 각종 행사를 매개체로 하여 상품과 서비스를 경험하고, 관련 분야의 전문가 및 이해관계자와 만남을 통해 지식을 공유하고 확산하며 새로운 지식을 창출하는 지식 창출의 장이다. 연구자에 따라 컨벤션의 정의도 다양하지만, 공통적으로 컨벤션은 회의, 전시, 이벤트를 포괄하는 개념으로 정의되고 있다.

○ Berman(1984)

특별한 목적달성을 위한 사회단체나 정당 간 회의, 사업 혹은 무역 회의, 정부나 정치인 간 회의로 일반적으로 3개국 이상에서 공인 단체 대표가 참가하는 정기적 혹은 비정기적 회의이다.

○ Weirich(1992)

컨벤션은 사업적 모임과 참가자들 간의 사교적 상호작용이라는 두 가지 목적을 모두 포괄하고 있으며 보통 해마다 개최된다. 두 가지 목적을 모두 수행하기 위해서는 반드시 광범위한 사교 프로그램이 조직되어야 하므로, 다른 형태의 회의에 비해 더 집중적인 기획이 필요하다. 회의 참가자들이 직접 참여할 수 있는 각종 스포츠 행사, 칵테일 파티, 테마가 있는 만찬 파티, 관광 및 동반자를 위한 다양한 오락적 요소를 고려하기 때문에, 컨벤션을 기획하는 과정은 더욱 세분화되고 복잡해지고 있다.

○ 최승담(1995)

국내외 특정 다수인이 특정 목적이나 가치를 중심으로 모여 관련된 문제를 심의, 토의, 결정할 목적으로 사전에 결정된 일정에 따라 진행되는 공식적인 회의, 전시, 이벤트 등을 수반하는 일련의 집회이다.

○ **박기홍(2000)**

특정 목적을 달성하기 위하여 국내외 특정 다수인이 참가하여 사전에 계획된 일정에 따라 진행되는 회의나 전시, 이벤트 등 일련의 집회를 총칭한다.

○ **여호근(2003)**

각종 대회, 학회, 집회, 박람회, 전시회, 각종 행사 등 광의의 개념으로 정의한다.

○ **Torre and Rallet(2005)**

전시컨벤션은 지리적으로 기술적으로 멀리 떨어져 있는 사람들이 정보와 지식을 얻을 수 있도록 일시적으로 함께 모이는 곳이다.

○ **Maskell 외 학자들(2006)**

컨벤션은 집적 형태의 상호 작용을 통하여 학습 및 지식 효과를 나타내는 지식 교환 메커니즘을 보여주며, 일시적 클러스터(temporary cluster)로 정의된다.

○ **신왕근(2007)**

컨벤션은 상품, 정보, 서비스의 교환을 통해 컨벤션 주관사와 컨벤션 참가자들의 이익을 추구하는 회의, 전시, 이벤트 등을 통칭하는 일련의 집회다.

○ **서승진 · 윤은주(2007)**

모든 회의와 이에 수반되는 전시 및 각종 행사를 매개체로 하여 사람과 물건의 만남을 창출하는 시스템이다. 따라서 컨벤션은 화상회의나 뉴미디어가 전달할 수 없는 생생한 정보를 직접 체험할 수 있고 사람과 사람의 인간적인 만남이 이루어지며, 매우 집적도가 높은 정보 공간에서 함께 모여 목적이 합치된 정보를 즐거움 속에서 효율적으로 수집할 수 있다는 점에서 지식 정보화 시대에 "제3의 커뮤니케이션 미디어"로 규정할 수 있다.

○ **Rogers(2008)**

비즈니스 관광(Business Tourism)을 구성하는 요소로 회의(meeting), 컨퍼런스(conference), 인센티브 여행(Incentive travel), 전시(exhibition), 기업행사(corporate events) 분야로 나누어 정의한다. 행사 주최로서 기업, 국내 협회, 국제협회, 공공 부문 및 정부라는 4가지 주최 기관별 특징을 이해하고 행사 유치에 필요한 각 분야의 특성을 정의하는 MICE Matrix를 제안하였다.

○ Rinallo and Golfetto(2011)

전시컨벤션은 지리적으로 떨어져 있는 참가자들이 일시적으로 모여 지식을 공유하고 새로운 지식을 획득하는 지식 공간이다.

○ Henn and Bathelt(2015)

컨벤션은 일시적인 클러스터를 형성하여 산업 간 또는 특정 분야의 지식공동체를 모으고 다양한 지식 교환의 기회를 창출한다.

○ 정숙화·이재우(2016; 2018)

지식과 정보의 전이, 교류, 확산이라는 전시컨벤션의 비즈니스 본질을 중심으로 전시컨벤션을 '지식 산업'으로, 전시컨벤션 공간을 '지식 장터'로 정의한다. 전시컨벤션 산업은 특정 분야의 기관 및 기업이 공간적인 집적을 통해 면대면 상호작용을 통하여 암묵지 공유가 가능한 클러스터의 특성을 가진다.

○ 정숙화(2019)

전시컨벤션은 시공간을 기반으로 함께 하지 않으면 얻을 수 없는 암묵지의 가치를 중심으로 연관 분야의 전문적인 정보와 지식을 공유하고 확산하며, 네트워크를 확장하는 장으로 새로운 지식과 비즈니스를 창출하는 지식플랫폼이다.

2. 컨벤션 분류

1) 컨벤션 분류 방식

컨벤션을 분류하는 방법은 개최되는 성격, 형태, 규모 및 회의 진행 방식에 따라 다양하다. 첫째, 회의 내용 면에서는 교섭 회의, 학술회의, 친선회의, 기획 회의, 정기회의 등이 있으며, 둘째, 주최 기구에 따라 기업회의, 협회 회의, 비영리단체 회의, 정부 주관 회의로 구분된다. 컨벤션산업에서 기업, 협회, 비영리단체, 정부는 중요한 소비자, 즉 행사 주최자로 인식된다. 셋째, 지역적 특성에 따라 지역회의(regional meeting), 지구회의(global meeting), 국가회의(inter-government meeting), 국제회의(international meeting)로 구분된다. 지역회의란 대륙별(아메리카, 유럽, 아시아, 오세아니아, 아프리카) 참가자로 한정되는 행사이며, 지구회의는 전 세계를 아우르는 이슈에 대하여 논의하는 행사이다. 국가회의는 특정 국가 간의 회의로 정부 간의 정치, 경제 등의 이슈에 대해 논의한다. 국제회의는 국가를 중심으로 정부 간 논의뿐만 아니라 민간 부분의 다양한 이슈에 대해 논의하는 행사이다. 지구회의와 국제회의에 대한 개념 이해를 돕기 위해 아래의 표로 국제화와 지구화를 간략하게 설명하였다. 지구(global)와 국제(international)의 차이는 다중심 세계이냐 아니면 국가 중심의 세계이냐에 따라 달라지며, 이를 통해 지구회의와 국제회의의 구분을 보다 명확하게 이해할 수 있다.

〈표 2-2〉 지구화 vs 국제화

국제화 (Internationalization)	1780년 철학자 벤담이 만든 용어	국가 중심 세계 • 국가 • 국제기구 • 국제법	영토패러다임 구심력 – 수직관계 International
지구화 (Globalization)	1980년대 등장한 용어	다중심 세계 • 시장(기업) • 사회(NGO-개인) • 도시-지역	네트워크 패러다임 원심력-수평관계 Transnational (post international)

자료: 부산대 동북아지역발전연구원(2010)

넷째, 회의 개최주기에 따라 정기회의, 비정기회의로 구분하며, 다섯째, 회의 개최 시간에 따라 주간회의, 야간회의로 구분된다. 여섯째, 공개 여부에 따라 공개회의, 비공개회의로 구분하며, 일곱째, 회의 참가자의 지위에 따라 정상회의, 실무회의 등으로 구분할 수 있다. 여덟째, 회의 운영방식에 따라 강연회(lecture), 심포지움 (symposium), 포럼(forum), 세미나(seminar), 워크숍(workshop), 클리닉(Clinic) 등으로 구분된다.

〈표 2-3〉 국제회의 분류

구분	내용
회의내용	교섭회의, 학술회의, 친선회의, 기획 회의, 정기회의
주최기구	기업회의, 협회 회의, 비영리 단체 회의, 정부 주관 회의
지역적 특성	지역회의, 지구회의, 국가회의, 국제회의
회의 개최 주기	정기회의, 비정기회의
회의 개최 시간	주간회의, 야간회의
공개 여부	공개회의, 비공개회의
참가자 지위	정상회의, 실무회의
운영방식	강연회, 심포지움, 포럼, 세미나, 워크샵, 클리닉 등

2) 컨벤션 운영방식에 따른 분류

컨벤션 운영방식에 따라 다음과 같이 분류할 수 있다.

○ 회의(Meeting)

모든 종류의 회의를 일컫는 포괄적이고 보편적인 용어이다. 한국관광공사(2015)의 정의에 의하면, 회의는 전체 참가자 10명 이상인 정부, 공공기관, 협회, 기업회의로 전문 회의시설, 준회의시설 등에서 4시간 이상 개최하는 회의이다.

○ 컨벤션(Convention)

컨벤션은 규모가 큰 회의로 전시를 아우르는 용어로 사용되며, 정보전달을 주 목적으로 하는 정기집회에 많이 사용된다. 공통된 관심사에 대한 정보와 지식을 교류하고, 이슈에 대한 결정을 목적으로 한다. 뿐만 아니라 네트워크를 확장하기 위한 장이며, 전시회를 수반하는 경우가 많다. 한국관광공사(2015)의 정의에 따르면, 외국인 참가자가 10명 이상이며 전체참가자 250명 이상인 정부, 공공, 협회, 학회, 기업회의로 4시간 이상 개최되는 회의이다.

○ **컨퍼런스(Conference)**

컨벤션과 거의 유사한 의미로 사용되는 용어로, 특정 문제에 관한 토론과 문제 해결방법을 모색하기 위해 개최된다. 회의 진행상 토론회가 많이 열리고 회의 참가자들에게 토론회 참여기회도 많이 주어진다.

○ **강연회(Lecture)**

연사가 청중에게 정보를 제공하면서 교육을 목적으로 한다. 대규모이고 공식적인 회의 행사 때 많이 사용되는 형태이다. 청중의 참여 및 질의응답은 가능하지만 제한적이다.

○ **심포지움(Symposium)**

특정 분야 전문가들의 모임으로 여러 명의 전문가가 청중에게 발표와 토론을 통해 관련 문제에 대한 해결책을 모색한다. 강연회와 같이 대규모 회의에서 운영되는 경우가 많아서 청중의 참여기회가 제한적이다.

○ **포럼(Forum)**

동일주제에 다른 견해를 가진 전문가가 패널로 참여하는 공개토론방식으로 사회자는 쌍방의 견해를 요약해주고 토론을 이끌어가는 역할을 한다. 청중의 참여가 자유롭다.

○ **워크숍(Workshop)**

소그룹형태의 모임으로 특정 과제나 문제 등을 집중적으로 논의하여 해결방안을 모색하는 회의로 단기에 빠르게 새로운 지식을 습득하기 위해 운영된다.

○ **세미나(Seminar)**

전문가의 지도하에 특정 분야에 대하여 참가자 간 강의와 의견을 교환하거나, 서로 다른 기술을 가진 전문가들이 공통된 주제를 가지고 교육이나 훈련을 목적으로 개최된다. 규모는 대개 10명~50명 정도이다.

○ 클리닉(Clinic)

소규모 모임으로 지식, 기술 학습, 문제 해결을 위한 모임으로 워크숍과 유사하지만, 소그룹으로만 가능하다.

○ 전시(Exhibition)

무역, 산업, 교육 분야 또는 상품과 서비스 판매업자들이 판매, 홍보, 마케팅 활동을 목적으로 개최되는 행사로 회의를 수반하는 경우도 있다. 전시산업발전법에 따라 전시회는 1일 이상 개최되며, 개최 목적에 따라 상거래와 무역을 목적으로 하는 무역전시회(trade show), 일반인을 대상으로 하는 제품의 소개 및 홍보 활동 위주의 일반전시(public show), 무역 전시와 일반 전시가 혼합된 혼합 전시(mixed show)로 구분된다.

3) MICE 개념

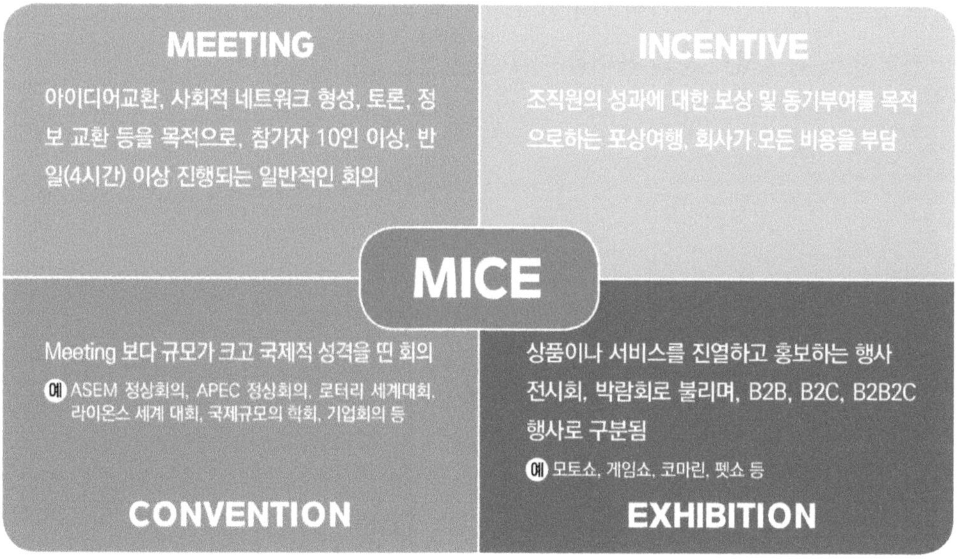

MEETING	INCENTIVE
아이디어교환, 사회적 네트워크 형성, 토론, 정보 교환 등을 목적으로, 참가자 10인 이상, 반일(4시간) 이상 진행되는 일반적인 회의	조직원의 성과에 대한 보상 및 동기부여를 목적으로하는 포상여행, 회사가 모든 비용을 부담

MICE

CONVENTION	EXHIBITION
Meeting 보다 규모가 크고 국제적 성격을 띤 회의 예 ASEM 정상회의, APEC 정상회의, 로터리 세계대회, 라이온스 세계 대회, 국제규모의 학회, 기업회의 등	상품이나 서비스를 진열하고 홍보하는 행사 전시회, 박람회로 불리며, B2B, B2C, B2B2C 행사로 구분됨 예 모토쇼, 게임쇼, 코마린, 펫쇼 등

[그림 2-1] MICE 정의

MICE는 Meeting(회의), Incentive(포상 여행), Convention(컨벤션), Exhibition (전시) 또는 Event(이벤트)의 앞글자로 만들어진 산업 용어이다. MICE는 회의, 포상 여행, 컨벤션, 전시, 이벤트 등의 행사를 유치하여 서비스를 제공하는 과정과 관련 시설을 포괄적으로 지칭하는 개념으로, '컨벤션'과 혼용하여 사용되기도 한다. 미팅과 컨벤션은 회의 행사로 그 특성이 유사하지만, 미팅과 컨벤션의 차이점은 규모, 행사 기간, 전시 유무에 따라 다르다. 컨벤션은 미팅보다 규모가 상대적으로 크고, 행사 기간이 길며, 전시를 동반한다.

MICE라는 용어는 1990년대 홍콩, 싱가포르, 말레이시아 등 동남아 지역의 국가가 컨벤션산업 육성을 통해 경제도약의 전기를 맞이하면서 등장한 용어이다. 우리나라에 MICE라는 용어가 처음 소개된 것은 2009년 정부가 컨벤션산업을 국가 신성장 동력산업으로 지정하면서 널리 사용되었다. MICE는 UNWTO(유엔국제관광기구) 등 국제기구에서도 널리 통용되고 있으나, 그 개념에 대한 정의는 국가 및 국제기관마다 통일되지 못하고 있다. 캐나다는 MC&IT(Meeting, Convention and Incentive Travel), 싱가포르는 BTMICE(Business Travel & MICE), 호주는 회의산업이 Business Tourism에 포함되어 있다. 태국은 국제 기업회의를 Meeting으로 분류하고 나머지를 Convention으로 분류하고 있다. 따라서 컨벤션, 마이스, 국제회의가 혼용되어 사용되고 있음을 다시 한번 상기하고자 한다. 이러한 이유로 이 책에서는 컨벤션을 마이스, 컨퍼런스, 콩그레스 등의 용어를 아우르는 개념으로 사용한다.

제2절 컨벤션산업의 역사적 배경 및 특성

1. 컨벤션산업의 역사

컨벤션이라는 용어의 의미를 중심으로 살펴볼 때, 인류의 역사가 시작될 때부터 사람들은 함께 모여 논의하고 문제를 해결하려고 했기 때문에 많은 서적에서 '인간이 존재하는 순간부터 회의는 있었다'라고 정의한다. 실제로 문명이 발달한 지역에서는 교통요충지를 중심으로 사람과 상품이 모이고 다양한 행사와 여론이 형성되는 등 지식과 정보교류의 장으로 기능을 하였다.

컨벤션이 가장 먼저 발달한 유럽과 미국의 경우를 살펴보면, 유럽은 국제기구에 의한 공식 회의와 전시 위주로 발전했으며, 미국은 기업, 정당, 협회의 집회나 연차 총회를 중심으로 발전하였다. 유럽과 미국을 중심으로 컨벤션산업이 발전할 수 있었던 이유는 첫째, 국제 행사를 개최할 수 있는 호텔, 컨벤션센터, 도로, 공항 등 사회간접자본시설 등 인프라 구축이 잘 되어 있고, 둘째, 국제협회나 정부 간 기구의 본부가 유럽과 미국에 대다수 위치하기 때문에 관련 국제행사의 개최가 용이하며, 셋째, 컨벤션산업과 관련된 정보가 유럽과 미국 등 선진국에서 체계적으로 관리되면서 정보 접근성이 뛰어났기 때문이다. 따라서 유럽과 미국을 중심으로 컨벤션산업의 발전과정을 살펴보겠다.

컨벤션과 회의는 상품정보를 공유하고 확산하는 혁명적인 방법이다.

Conventions and meetings represented a revolution in the way product information was created and distributed (Ford and Peeper, 2007)

1) 유럽

유럽은 역사적으로 국제분쟁을 해결하여 평화를 유지하기 위한 국제회의 및 기구 모임이 활발했다. 1648년 최초의 국제 전쟁인 독일의 30년 전쟁을 종결시키기 위한 베스트팔렌조약(Peace of Westphalia)을 시작으로, 1814~1815년 나폴레옹 전쟁의 혼란을 수습하고 유럽의 상태를 전쟁 이전으로 돌리기 위한 빈 회의(Congress of Vienna)가 대표적인 예다. 빈회의는 1814년 9월부터 1815년 6월까지 약 10개월간 진행된 국제 회의로, 그 시대 강대국(러시아, 프로이센, 오스트리아, 영국 등)뿐만 아니라 나폴레옹 전쟁과 관련된 국가들이 대거 참석한 행사이다. 행사 개최지인 오스트리아는 각국 정상과 수많은 수행원들을 위한 숙박 시설, 사교 행사, 관광, 수송 및 다양한 회의 시설을 제공했고, 참석한 각국 정상들은 회의 과정에서 자국에게 유리한 협상 분위기를 유도하기 위해 혹은 자국의 위상을 보여주기 위해 날마다 사교 행사를 개최하고 나라를 대표하는 음식을 대접하는 등 (일명 춤추는 회의로 일컬어짐) 엄청난 돈을 사용함으로써 오스트리아 빈은 컨벤션 개최를 통한 다양한 경제적, 사회·문화적, 정치적 파급 효과를 누렸을 것으로 예상이 된다. 이러한 빈 회의는 국가의 대표들이 모여 국제적 문제를 논의했던 첫 번째 대규모 회의로 국가 간 협상과 협력이 국제정세에 영향을 미치는 중요한 사건이라는 점에서 현대 국제회의의 시초라고 일컬어진다.

이후 제1차, 제2차 세계대전을 거치는 동안 국제연맹(League of Nations), 국제연합(UN: United Nations) 등 국제 조직이 설립되면서 유럽의 국제 회의 및 컨벤션 행사 개최가 더욱 활발하게 진행되었으며, 컨벤션 분야가 세계 평화를 위한 정치적 목적뿐만 아니라 경제, 사회, 문화, 학술, 과학, 스포츠, 관광 등 전 분야로 확대되었다.

[그림 2-2] 춤추는 회의- 비엔나회의를 풍자하는 그림

자료: CONGRESS OF VIENNA 1815 / Pictorial Press Ltd / Alamy Stock Photo

2) 미국

산업혁명으로 기술이 발전하고, 제조업의 대량생산이 가능해지면서 상품을 홍보하고 소비할 수 있는 시장을 찾는 방법이 필요했다. 철도와 같은 교통수단이 발전하면서 도시가 성장하자, 사람들이 모이는 도시가 정보와 지식을 공유하고 논의하며 상품을 소개하는 장으로서 인식되었고, 도시를 중심으로 사람들이 모여 관련 정보와 지식을 공유하고 논의하며 상품을 소개하는 장으로서 컨벤션이 산업으로 성장하였다(Ford and Peeper, 2007). 특히 기술이 획기적으로 발전하고, 철도가 정비됨에 따라 사람들의 이동이 자유로워지면서 철도업계, 전문가, 친목, 종교 단체의 모임이 활발하게 일어나면서 협회를 중심으로 회의 및 컨벤션이 활성화되었다.

미국에서 컨벤션 산업이 본격적으로 발전한 계기는 미시간주에 위치한 디트로이트(Detroit)시가 도시 마케팅을 전담하는 컨벤션 서비스팀을 운영하면서부터다. 1893년 대공황으로 지역 경제를 살리는 방안을 모색하던 디트로이트시는 1893년 시카고에서 개최된 세계 엑스포(Chicago World Fair)의 성공적인 결과를 보면서 지역마케팅에 관심을 가지게 되었다. 즉, 사람을 초대해서 도시, 지역의 우수성을 보여주는 것은 지역 경제 회복과 발전의 전략으로 적합하며, 도시와 지역 홍보(boosterims)를 통해 기업 하기 좋은 도시 이미지를 부각하고, 기업을 지역에 유치하기 위한 노력이 필요하다는 것을 확인한 디트로이트시는 1896년 세계 최초로 지역 마케팅을 담당하는 컨벤션 뷰로(CB: Convention Bureau)를 설립하고 지역 홍보에 박차를 가했다. 이러한 활동으로 자동차 산업을 지역에 유치하는 계기가 되었으며, 미국 자동차 산업의 중심지로 발돋움하는 계기가 되었다. 아래 내용은 디트로이트시가 사람들의 도시방문을 홍보하는 신문 일부를 발췌한 것이다.

when you hear of any concern that thinks of moving, start out to do just one thing -get them to visit Detroit. In that way, Detroit can get plenty of good factories.... Make them come, even if you have to go after them (quoted in Detroit Newspaper, 1896)

어떤 기업이 이전을 고려하고 있다면, 여러분이 할 일은 단 한가지, 그들이 디트로이트를 방문하도록 만드세요. 그러면 디트로이트는 많은 우수한 공장을 얻을 수 있습니다..... 그들이 오게 만드세요, 그들을 찾아가야 할지라도 (1896년 디트로이트 신문 인용)

디트로이트시는 성공적인 지역 홍보 마케팅 성과를 보여주며 컨벤션 도시(Convention City)로 불렸으며, 이러한 도시 마케팅의 성공은 미국 전역에 컨벤션 뷰로(CB)가 설립되는 계기를 마련했다. 이후 1915년 미국의 각 도시가 설립한 컨벤션 뷰로가 매년 함께 모여 컨벤션 관련 정보를 교환하기로 약속하고 '컨벤션 사무국 협회(ACS: Association of Convention Secretaries)를 설립하였다. 이후 미국과 인접한 캐나다가 1920년에 회원으로 가입하면서 명실상부한 국제기구로 발돋움하게 되었다. 이때부터 협회의 명칭이 국제 컨벤션 뷰로 협회 (IACB: International Association of Convention Bureau)로 변경되면서 매년 회의를 개최하고 관련 조례를 만들게 되었다. 이후 지역 마케팅에서 컨벤션 유치뿐만 아니라 관광객 유치의 중요성을 인식하여 1974년에 협회 명칭에 관광객(Visitor)을 추가하여 국제 관광 컨벤션 뷰로 협회 (IACVB: International Association of Convention Visitors Bureau)로 변경되었다(Ford and Peeper, 2007). 이후 컨벤션 산업의 전 세계적인 성장으로 지역 마케팅의 범위와 역할이 확대됨에 따라 2005년에 국제 목적지 마케팅 협회 (DMAI: Destination Marketing Association International)로 변경되었고, 2017년 이후부터는 국제 목적지 기구 (DI: Destination International)로 변경되었다.

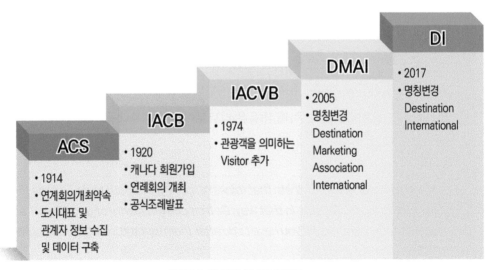

[그림 2-3] 컨벤션뷰로 변천사

3) 한국의 컨벤션산업 발전 과정

우리나라의 관광산업에 대한 인식이 새로워지고 제도적으로 발전하게 된 계기는 1965년 서울에서 개최된 제14차 아시아·태평양 관광협회(PATA: Pacific-Asia Travel Association) 총회부터이다. 이후 1979년 PATA 총회를 다시 개최하면서 한국관광공사에 국제 회의부(구 컨벤션 뷰로, 현 코리아 마이스 뷰로)가 설치되는 계기가 되었다. 이후 1982년 제8차 아시아·태평양 국제 잼버리대회, 1983년 미국 관광업자협회 총회, IPU 총회, 1985년 IBRD/IMF 총회 등이 개최되면서 우리나라에서도 국제회의 산업 육성에 대한 본격적인 노력이 시작되었다.

메가 이벤트인 1986년 아시안게임과 1988년 서울올림픽의 성공을 계기로 국제회의 산업은 새로운 전기를 맞이하게 되었으며, 1996년 아시아·유럽 정상회의(ASEM)유치를 계기로 최초의 컨벤션 전문시설인 코엑스의 시설 확충이 있었다. 이후 2000년 10월 제3차 ASEM 서울 대회를 개최함으로써, 우리나라 컨벤션산업은 본격적인 산업화 단계로 진입하게 되었다. 2000년 이후 지자체의 전시컨벤션센터 건립 및 운영이 본격화되면서 컨벤션산업의 발전도 가속화되었다. 국제협회연합(UIA) 기준, 우리나라는 2016년~2017년 연속으로 국제회의 개최 세계 1위 국가로 이름을 올리며 컨벤션산업의 발전을 확인하였다.

<표 2-4> 1960년~2000년대 국내 개최 컨벤션 현황

시기	내용
1960년대	• 국제 회의의 모양을 갖추었으나 개최 건수가 상당히 적고 개최 장소는 호텔에 집중 • 개최 기간이 1~2일로 짧고, 대부분의 회의가 가을과 봄에 집중 • 주제별 국제회의 현황 • 경제 관련 회의: 15.63%(1962년 경제개발계획) • 국제 관계 관련 회의: 12.5%(한·미·일 간의 국제관계를 통한 경제 원조와 기술 협력) • 농림수산업 관련 회의: 7.81%
1970년대	• 개최 건수가 많이 증가하였으며 대부분의 회의가 서울 지역의 호텔에서 개최 • 개최 기간은 3일이 가장 많으며 개최 시기는 9월과 10월에 집중 • 국제 관계 관련 회의가 14.08%, 경제 관련 회의가 그 다음을 차지함 (박정희 정부의 주요 정책과 연관)
1980년대	• 산업 관련 분야의 회의가 전체 10.6%를 차지하였으며, 스포츠, 사회, 복지, 경제 관련 회의가 그 뒤를 이음 • 산업 분야는 농림수산업에서 중화학공업과 첨단 기술산업 관련 분야 회의가 증가 • 스포츠 관련 회의는 1986년 아시안게임, 1988년 서울 올림픽 등 행사와 연관행사개최 증가 • 사회·복지 분야 회의는 전두환 정부의 정책과 연관
1990년대	• 컴퓨터와 전자통신 등 최첨단 기술의 발달로 과학, 기술 관련 분야 국제 회의가 15.39% 차지 • 환경 이슈와 관련된 회의 증가 및 통신, 전자, 항공우주, 해운, 해양 개발 주제 회의 대두 • 1993년 대전 엑스포 개최 • 1996년 국제회의산업 육성에 관한 법률 제정: 컨벤션산업 발전의 법, 제도적 기반 구축
2000년대	• 2003~2005년까지 과학 기술 분야의 행사가 많이 개최되었고, 참가자 수 또한 증가함 • 2005년부터는 경제, 금융 관련 회의와 의학 회의, 관광, 교통 관련 회의 증가 • 2000년 제3차 아시아·유럽정상회의(ASEM) • 2009년 17대 신성장 동력 산업으로 MICE 선정
2010년대	• 우리나라 컨벤션산업의 눈부신 성장으로 UIA 기준 국제 회의 개최 국가 세계 1위 (2016-2017) • 2010년 서울 G20 정상회의 • 2012년 핵안보정상회의, 여수 엑스포 • 2014년 인천 아시안 게임 • 2018년 평창 동계 올림픽

자료: 이자형(2000) 자료 참고 및 재작성

2. 컨벤션산업의 특성

컨벤션산업은 특정 시간, 특정 공간에서 관련 분야의 사람들이 모여서 이슈에 대하여 논의하고 협의하여 문제를 해결하고 발전 방향을 모색하는 지식 플랫폼이라고 할 수 있다. 이러한 지식 창출의 기능이 효과적으로 이루어지기 위해서는 전문 컨벤션시설, 서비스, 교통, 숙박 시설, 행사기획 및 운영이 원활하게 이루어져야 한다. 따라서 컨벤션 은 주최자, 컨벤션기획사, 참가자 간의 커뮤니케이션이 매우 중요하며, 세밀하고 전문 화된 기획력과 컨벤션 서비스가 요구된다. 뿐만 아니라 다양한 산업이 컨벤션산업과 연관되어 컨벤션 개최로 인한 경제적 파급 효과가 크다. 이러한 특성을 가진 컨벤션산업 은 무형성, 비분리성, 이질성, 소멸성 등의 서비스 산업이 가지는 속성도 내포하고 있다.

[그림 2-4] 컨벤션산업의 특성

(1) 관련 산업의 다양성과 상호의존성(Diversity and Interdependence)

컨벤션 개최 시 공공부문의 서비스부터 교통, 숙박, 외식, 광고 홍보, 회의기자재, 영상, 꽃장식 등 민간 부문이 제공하는 서비스에 이르기까지 다양한 종류와 수준의 서비스가 필요하다. 따라서 컨벤션산업을 구성하는 이질적 업종들은 긴밀한 네트워크 체계를 갖추게 되고, 컨벤션 기획, 준비, 개최, 운영, 관리, 평가 등의 일련의 과정 속에서 협업 체계에 필요한 노하우와 조직 체계를 갖추게 된다.

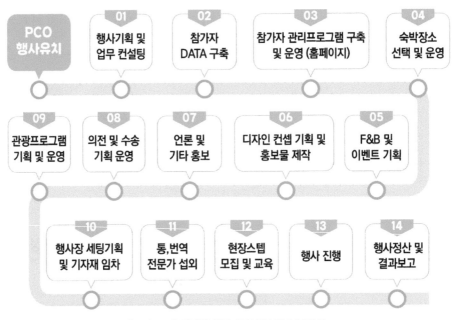

[그림 2-5] 컨벤션 행사 프로세스와 연관산업

자료: 정숙화, 이재우(2014), 부산의 컨벤션산업과 특화도 분석

(2) 공공성(Public Benefit)

컨벤션이 추구하는 이념은 국제 간의 협력을 통한 인류 삶의 질적 향상과 발전 방안의 모색에 있으며 국제 간의 문화 교류를 통한 지역의 세계화에 기여한다. 뿐만 아니라 컨벤션 개최를 통한 경제적, 사회·문화적, 정치적 파급효과로 인해 공공성이 크다.

(3) 전문성(Specialty)

컨벤션산업은 국제회의 유치 기획, 경쟁 프리젠테이션, 행사 기획, 운영, 사후관리 등 다양한 단계로 구성되며, 각 단계별 성공을 위해 섬세하고 꼼꼼한 고도의 전문성이 요구된다. 또한, 원활한 커뮤니케이션을 위해 외국어 수준도 상당해야 하며, 참가자의 문화적 이질감 극복과 식습관을 만족시킬 수 있는 전문성이 필요하다.

(4) 무형성(Intangibility)

컨벤션 서비스는 물리적 실체를 가시화할 수 없고 만질 수 없다는 무형적 특성이 있다. 따라서 무형적 경험의 질이 서비스 평가 과정에서 차지하는 비중이 높아, 구매에 따른 위험요소가 크다. 컨벤션 현장에서 구매를 경험하기 전에는 서비스에 관한 체계적인 평가를 하기 어렵다.

(5) 비분리성

컨벤션 서비스는 생산과 소비를 분리할 수 없다. 즉, 생산과 소비가 동시에 일어난다.

(6) 이질성 (Heterogeneity)

서비스의 구매자와 공급자 모두 사람이고, 이들이 서로 상호 작용하기 때문에 같은 회사나 같은 사람에 의해 서비스가 제공되더라도 매번 달라지고 예측할 수 없다. 즉, 생산 프로세스에서 투입 대비 산출물이 똑같지 않다. 이는 똑같은 서비스에 대해서도 고객의 기대수준이 다르기도 하고, 제공되는 서비스도 100% 같을 수 없기 때문이다. 그러므로 컨벤션 서비스를 제공하는 공급자는 고객의 니즈를 파악하고 서비스 표준화를 통해 효과적인 서비스를 창출하는 것이 필요하다.

(7) 소멸성 (Perishability)

컨벤션 서비스는 제공과 동시에 소멸되기 때문에 재고로 보관하거나 이동할 수 없다. 컨벤션 서비스에 대한 수요의 크기가 서비스를 제공할 수 있는 컨벤션 업체의 가용 능력을 초과하면 고객에게 양질의 서비스를 제공하기 어려워져 결국에는 서비스 불만 족을 야기하고, 반대로 수요가 발생하지 않는다면 그 제공력과 수용력이 상실되고 낭비 되어 수익구조에도 커다란 비용부담을 발생시키게 된다. 따라서 서비스 공급능력에 맞는 정교한 수요 대응 전략 개발이 필요하다.

(8) 관광 효과성(Impact to tourism industry)

컨벤션은 행사 주제를 논의하기 위한 회의 참석이 목적이지만, 행사 개최지의 관광 목적지로서의 매력에 따라 참석자 수에 영향을 미친다. 따라서 컨벤션을 비즈니스 관광 (Business Tourism) 분야로 분류하기도 한다. 컨벤션산업은 관광 비수기를 타개할 수 있는 분야로 인식되며, 호텔, 외식산업, 쇼핑업 등과 복합적인 연관성을 가진다.

제3절 전시컨벤션 개최 효과

전시컨벤션은 정치, 경제, 사회, 문화 등 다양한 분야에서 국제교류와 비즈니스를 창출하는 지식 플랫폼으로 인식되고 있다. 특정 분야에 종사하는 각국의 관련자들이 시간과 공간을 공유하며 함께 모여서, 정해진 주제를 논의하거나, 문제 해결 방안을 제시하며, 관련 분야의 발전을 도모하고 나아가 참석자 간 네트워크를 심화하는 역할을 한다.

컨벤션과 전시 산업은 회의 및 전시시설, 숙박, 교통, 식음료, 문화, 영상, 음향기기, 인쇄 등 행사 기획 및 운영에 필요한 연관 산업이 포함되어 있어 경제적 중요성이 높으며, 컨벤션과 전시개최를 통해 개최지역의 국제적 수준이 높아지고, 도시 브랜드가 상승하는 등 정치, 사회, 문화적 파급 효과가 광범위하게 나타난다.

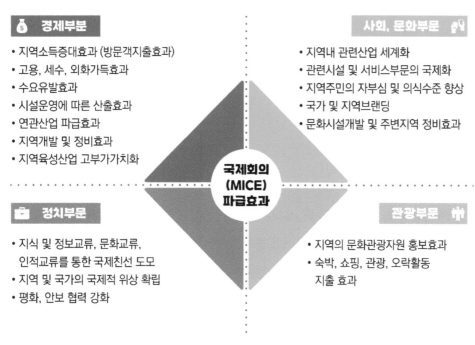

[그림 2-6] 컨벤션(MICE)산업 파급효과

1. 경제적 측면

전시컨벤션은 특정 장소에 일정 기간 사람들이 모여 연관 분야의 다양한 정보, 지식, 네트워크를 공유하고 확대하는 기회를 제공한다. 이러한 활동을 가능케 하는 구성요소들은 교통, 숙박, 전문 전시컨벤션 시설, 쇼핑몰, 식음료 등 다양한 서비스 산업과 연결되어 있으며, 이를 위한 인력의 수요로 인해 고용 창출의 효과를 낸다. 또한, 이러한 서비스를 소비하는 행사 참가자들은 단순 관광목적으로 방문한 외래 관광객들의 평균 소비보다 약 두 배 더 지출하는 것으로 조사되었다.

2018년 한국관광공사는 국내 MICE 산업의 경제적 파급효과를 생산 유발 효과 약 21조 2,431억 원, 부가가치 유발 효과 약 9조 5,637억원, 취업 유발 효과 195,870명, 고용 유발 효과 124,039명으로 분석하였다.

〈표 2-5〉 국내 MICE 산업의 경제적 파급효과

(단위: 백만원, 명)

	생산유발효과	부가가치유발효과	취업유발효과	고용유발효과
Meeting	12,303,517	5,494,300	111,771	70,732
Incentive (tour)	1,272,670	602,373	13,300	8,274
Convention	6,006,144	2,727,035	54,528	34,968
Exhibition	1,660,807	740,000	16,271	10,065
Total	21,243,138	9,563,708	195,870	124,039

자료: 한국관광공사(2018)

2. 사회문화적 측면

사람들을 집으로 초대할 때, 우리는 대청소를 하고 깔끔하고 정돈된 상태에서 손님을 맞이한다. 집을 방문한 손님들에게 좋은 이미지를 제공하고, 사회적 관계를 원활하게 하기 위해서다. 이를 컨벤션산업에 적용한다면, 개최국 또는 개최도시에서 행사개최를 위한 준비 과정과 행사 후의 사회문화적 효과를 쉽게 이해할 수 있다.

회의, 전시, 컨퍼런스 등 각종 국제행사의 개최 건수가 증가함에 따라 국제행사를 개최하기 위한 전문전시컨벤션시설 건립, 시설물 정비, 교통망 확충, 항공 항만 시설 확충 등 컨벤션 개최를 위한 국제수준의 환경이 조성되고 있다. 사회 인프라 시설 구축 등 물리적인 발전뿐만 아니라 국제적 수준의 시민 의식도 컨벤션개최를 통해 향상된다. 컨벤션은 외국과의 직접적인 교류를 통해 정보와 지식의 공유와 확산의 기회가 되며, 해외 참가자와 직접적인 접촉의 기회가 많아지면서 국제 교류의 장이 되기도 한다. 참가자는 컨벤션 개최지의 문화를 접하고 체험하는 기회가 되며, 개최지는 지역의 고유 문화를 소개하는 기회의 장이 되어 지역 문화 발전과 사회·문화적 교류와 확산 효과를 기대할 수 있다. 대표적인 예로는 1814~1815년까지 개최된 빈 회의(Congress of Vienna)에서는 와인, 디저트 등 각국을 대표하는 음식이 소개되고 세계적으로 알려지는 계기가 되었다. 오스트리아 자허 토르테(Sachertorte), 프랑스와인 샤또 오브리옹(Chateau Haut Brion), 브리 치즈(Brie), 에끌레르(Éclair) 등이 세계적인 명물로 떠오르는 계기가 되었다.

3. 정치적 측면

컨벤션은 세계 분쟁을 해결하기 위한 논의의 장으로서 오랫동안 역할을 해왔다. 최초의 세계 전쟁이었던 30년 전쟁을 종결하기 위한 1648년 베스트팔렌 조약(Peace of Westphalia)도 국제 회의를 통해서 해결되었고, 1815년 나폴레옹 몰락 이후 유럽의 사태를 해결하기 위한 빈 회의(Congress of Vienna) 역시 세계 평화와 안정을 위하여 주권 국가 간 논의를 통해 합의하는 방식을 최초로 도입한 현대 국제회의의 시초로서 인식되고 있다. 이후 1~2차 세계 대전을 마무리하기 위해 수많은 국제 회의를 통해 국제 평화를 도모하였다.

개최국의 입장에서는 국제회의 개최를 통해 수교국과는 더욱 친밀한 관계를 유지하고 협력 방안을 확대할 수 있으며, 미수교국과는 교류 기반을 조성할 수 있다. 특히 국제회의 참석자는 대부분 해당 분야의 결정권자이거나 영향력이 큰 인사들로, 민간 외교 차원에서도 파급효과가 크다. 예를 들어 우리나라는 1986년 아시안게임과 1988년 서울올림픽이라는 국제 행사를 개최하면서 냉전 시대 미수교국과의 교류에 물꼬를 트는 계기가 되었으며, 6.25 전쟁으로 폐허가 된 한국의 국제적 이미지를 쇄신하고, 발전된 국가 이미지를 제고하여 국제적 위상을 높이는 계기가 되었다.

4. 관광산업 측면

컨벤션, 전시 등의 국제 행사를 개최할 경우, 대규모 국내외 참석자를 기대할 수 있으며, 따라서 관광은 컨벤션 행사와 밀접한 연관 산업으로 인식된다. 행사 개최지 관광을 통해 지역의 역사, 문화를 직접보고 체험할 수 있어 개최지에 대한 이미지와 선호도에 영향을 미치며, 지역에 관한 관심이 입소문 홍보 마케팅의 효과를 내기도 한다.

컨벤션 행사는 공식 관광프로그램, 참가자 선택 관광(FIT: Free Independent Travel), 행사전·후 관광(pre & post tour) 등 다양한 관광프로그램을 수반한다. 학회, 협회, 정부, 비영리단체 등 행사 주최자의 특성에 따라 관광 비수기에도 행사가 개최되기 때문에 관광 비수기를 줄일 수 있으며, 컨벤션 참가자는 일반 관광객 대비 평균 체류 기간이 길고 소비액도 약 2배 이상 높은 것으로 나타났다.

이와 같이 컨벤션 개최를 통한 국가 및 지역에 미치는 긍정적인 효과의 이면에는 행사 개최를 위한 투자 대비 수익이 낮아 재정 낭비의 가능성이 있고, 행사 개최로 인한 지역 내 교통 체증, 인구 밀집 현상과 소음, 쓰레기, 오염 등의 환경 문제를 야기할 수도 있다(대구경북개발연구원, 2002). 따라서 긍정 효과를 극대화하고, 부정 요소를 낮출 수 있는 컨벤션 기획과 운영이 요구된다.

제3장

컨벤션산업의
구성요소

제3장
컨벤션산업의 구성요소

제1절 컨벤션산업의 구조

1. 컨벤션산업의 수요와 공급

컨벤션산업은 크게 컨벤션 행사를 개최하고자 하는 수요자(협회, 정부, 기업, 개인)와 컨벤션 행사가 개최될 수 있도록 서비스를 제공하는 다양한 공급자로 구분할 수 있다.

2019년 문화체육관광부가 발표한 제4차 국제회의산업육성계획에 따르면, 컨벤션산업의 생태계를 협의와 광의의 범위로 구분하여 설명하고 있다. 협의의 컨벤션산업은 핵심 상품인 국제회의와 직접 연관이 되어 있는 공급자와 수요자로 구성된다. 직접 공급자는 국제회의를 기획·운영하는 기획업과 장소를 제공하는 시설업 등으로 구성된다. 기획업과 시설업은 「관광진흥법」상에 국제회의 기획업과 국제회의시설업으로 구분되어 있다. 그중 기획업은 국제회의기획업으로 등록한 업종(PCO)[13]으로서, 대규모 관광수요를 유발하는 국제회의(세미나, 토론회, 전시회 등을 포함)를 개최할 수 있는 시설을 설치, 운영하거나 국제회의를 계획, 준비, 진행하는 업무를 위탁받아 대행하는 역할을 한다. 즉, 주최자의 의뢰를 받아 국제회의를 성공적으로 개최될 수 있도록 기획, 운영을 담당한다. 국제회의 시설업은 국제회의를 성공적으로 개최하기 위해 적절한 장소를 제공하는 것으로, 전문컨벤션시설, 호텔이나 일정 수준의 대회의실이 갖추어진

---

13) PCO는 전문컨벤션기획사로 "Professional Convention/Congress Organizer"의 약어임. 국제회의 및 컨벤션 행사를 전문적으로 기획하고 운영하는 전문가 또는 기업을 의미함

준회의 시설 등이 있다. 직접 수요자는 핵심상품인 컨벤션 행사에 참여하여 관련 분야의 정보와 지식을 획득하고 네트워킹을 목적으로 참석하는 참가자로, 타 지역에서 행사에 참석하기 위해 방문하기도 하고, 해당 지역 내 주민들이 참석하기도 한다. 광의의 컨벤션 산업은 협의의 컨벤션산업을 포함하고, 정부 및 관련 기관, 간접공급자, 보완공급자를 포괄하는 넓은 개념으로 볼 수 있다. 정부 및 관련 기관으로는 문화체육관광부, 한국관광 공사, 한국마이스협회, 한국PCO, 지역 CVB 등으로 구성된다. 지역 관광공사 및 컨벤션 뷰로(CVB)는 각 지역에 국제회의를 유치하기 위한 목적지마케팅을 주도하며, 컨벤션 행사 주최자를 대상으로 개최비 지원, 행사 참석자 유치 홍보마케팅 지원 등 다양한 개최 지원서비스를 제공한다. 한국 MICE 협회 및 PCO 협회 등은 업계의 관계자를 대상으로 관련 산업의 최신의 정보를 제공하고 교육 서비스를 제공한다.

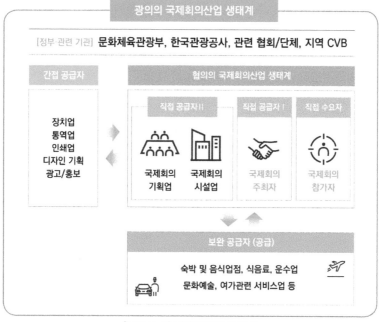

[그림 3-1] 컨벤션산업 생태계

자료: 문화체육관광부(2019), 제4차 국제회의산업육성계획

    간접 공급자는 직접 공급자에게 재화나 서비스를 제공하는 주체로서, 통역업, 장치 업, 인쇄업, 기념품 제작업 등 다양한 연관 산업이 있다. 국제회의 기획과 운영을 대행하 는 국제회의 기획업과, 장소를 제공하는 국제회의 시설업 두 업종 이외에도 현행 「관광 진흥법」상에는 없지만 국제회의의 원활한 개최를 위해 인쇄, 경호, 통번역, 회의 시설

장치, 조명 등 다양한 서비스를 제공하는 서비스업으로 구성된다. 보완 공급자는 국제회의와는 직접적으로 관련이 없으나 국제회의 참가자에게 다양한 서비스를 제공하는 공급자로 숙박 및 음식점업, 식음료업, 운수업, 문화 예술업, 여가 관련 서비스업 등이 있다.

2. 우리나라 컨벤션산업 주관부처

우리나라에서 컨벤션산업을 주관하는 부서는 두 곳이다. 컨벤션산업을 MICE 체계로 구분할 때, 미팅(Meeting), 컨벤션(Convention), 인센티브(Incentive)는 「국제회의산업 육성에 관한 법률」과 「관광진흥법」에 따라 문화체육관광부의 정책 영역에 포함되며, 전시(Exhibition)는 「전시산업발전법」에 따라 산업통상자원부의 정책 영역에 포함된다. 이벤트(Event)의 경우 문화체육관광부가 관련 대응과 사업을 진행하고 있지만 관련 법률이 현재 존재하지 않는 한계점을 지니고 있다. 국제회의산업의 주관 부처인 문화체육관광부의 예산은 관광진흥개발기금의 'MICE산업 육성지원' 계정을 통해 유치, 개최 및 홍보 활동을 지원하고, 인력 양성 등에 대해서 한국관광공사, 관련 협회, 지자체 등을 통해 집행되고 있다(한국문화관광연구원, 2020).

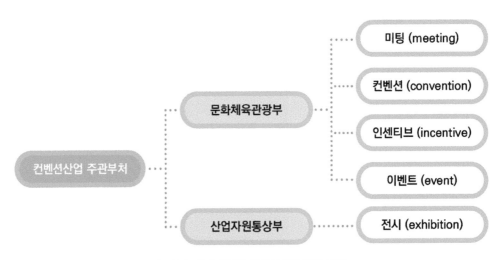

[그림 3-2] 우리나라 컨벤션산업 주관 부처

제2절 컨벤션 서비스 수요자

컨벤션을 주최하는 주최자는 크게 네 개 시장으로 구분할 수 있다. 첫째, 정부가 주최하는 행사로 국가를 대표하는 국제기구회의, 정상회의 등이 있다. 둘째, 다양한 분야의 이익을 대변하고 정책에 관한 의견을 제시하는 협회는 회원들의 의견을 조율하고, 관련 분야의 최신 정보와 지식을 공유하기 위하여 국제회의에 대한 수요가 높은 편이다. 셋째, 영리를 추구하는 조직인 기업의 경우, 직원의 사기 진작과 역량 개발 등 다양한 목적으로 행사를 개최한다. 넷째, 친목, 사교 목적의 행사로 군대, 종교, 교육 분야 등의 종사자가 은퇴 후 모임을 만들어 개최하는 행사에서 시작된 소비 시장으로 일반적으로 스머프(SMERF) 시장이라고 불린다(SMERF: Social, Military, Educational, Religious, Fraternal).

〈표 3-1〉 컨벤션 주최자 별 특징

	기업	협회/학회	정부	스머프(SMERF)
빈도	분기별	매년	매년/2년에 한번	자주
기간	1~2일	2~4일	1~3일	주말, 비성수기
예산	상대적으로 높음	낮음	높음	가격에 민감
결정과정	짧음	2~3년	보안	간단함
	CEO	위원회	입찰방식	개인 또는 위원회
참석자	의무 참석 (인센티브행사 제외)	자발적 참석 (가족, 친구 동반가능)	정부 관계자, 관련 분야 전문가	자발적 참석 (가족, 친구 동반가능)
등록비	기업부담	참가자 부담	관련 부서별 분담	참가자 부담
개최지 선정	지정장소	유연함	보안 우선	유연함

1. 기업(corporate)

기업은 영리를 추구하는 조직으로 특별한 목적을 가지고 개최하며, 참가자는 대부분 기업의 직원들이나 관계자로 의무적인 참석이 요구된다. 기업이 회의를 개최하는 이유는 다양하지만, 직원 사기 진작, 지식 수준 향상을 위한 세미나 회의, 기업의 신상품을 소개하고 교육하는 회의 등 다양하다. 특히 직원 사기 진작 차원에서 성과가 높은 직원과 직원 가족에게 주는 포상 휴가와 기업에 충성심이 높은 고객을 초대하여 홍보 마케팅의 일환으로 진행되는 기업회의 및 여행 프로그램은 MICE 용어에서는 인센티브 / 인센티브 투어(Incentive / Incentive Tour)에 해당한다.

기업회의는 연간 판매 회의나 주주총회와 같이 정해진 시기에 일정대로 개최되는 경우도 있지만, 대개 기업 활동에 필요할 때마다 개최되는 경우가 더 많다. 기업회의를 개최하기 위한 예산과 집행은 기업이 스스로 진행하는 것이므로, 개최 장소가 계열사의 호텔이나 리조트 등에서 매년 열리는 경우가 많으며, 외부 시설에서 진행할 때도 지정하여 반복적으로 진행하는 경우가 많다. 협회 및 다른 행사 주최 측과 달리 외부 환경과 차단되고 비밀이 유지될 수 있는 장소를 선호하는 경향이 있다. 이는 기업의 기술, 상품, 영업 전략 등에 대한 보완을 위한 것이라 볼 수 있다.

〈표 3-2〉 기업회의 유형

유형	내용
판매 회의 Sales meeting	• 기업이 개최하는 회의 중 가장 일반적인 회의로, 주로 호텔에서 진행되는 가장 오래된 회의 • 연간 판매실적 회의나 신제품 소개, 새로운 회사규칙, 판매기술 공유 • 협동심, 단결력 고양 등 다양한 목적으로 개최
경영자 회의 Management meeting	• 대개가 소규모의 회의로 정기적, 비정기적으로 다양한 목적으로 개최 • 개최일수는 2일이 가장 보편적이며, 개최 장소는 시내 중심지 호텔, 공항호텔, 리조트 등으로 다양함 • 최고의 시설과 최고의 서비스를 제공
교육 훈련 회의 Trainign meeting	• 교육의 필요성이 강조되면서 기업회의 시장 중 가장 큰 시장으로 부각 • 개최 규모가 30명 내외인 것이 가장 일반적이며, 평균 3일 정도 개최됨 • 개최 장소는 기업의 사무실, 제조시설에 인접한 도시 또는 교외 지역, 리조트, 호텔 등 다양함
주주 회의 Stockholders meeting	• 다른 기업회의와 비교하여 개최 여부가 경제 흐름에 매우 민감하며, 개최 기간은 보통 하루임 • 주로 기업이 위치한 도시에서 개최됨
신상품 설명회 New products introduction	• 개최 규모나 형태, 개최일수가 매우 다양하며, 신상품을 소개하기 위한 전시가 함께 개최되는 경우가 많음 • 상품의 홍보와 마케팅을 위해 최첨단의 기술을 이용하여 상품을 소개함 • 해당 기업에 충성도가 높은 VIP 초청 설명회가 있으며, 이러한 설명회를 위해 높은 예산을 측정하고 실행함
인센티브 회의 Incentive meeting or travel	• 기업회의 시장에서 인센티브 회의 또는 여행의 중요성이 높아지고 있음 • 기업 내에서 뛰어난 업적을 보상하기 위한 것으로 직원 사기 진작에 효과적임 • 프로그램에서 회의가 포함되기는 하지만 최소화되어 있고, 참석자들이 즐길 수 있는 다양한 프로그램이 제공됨 • 고급리조트, 호텔에서 개최되며, 휴양지 및 유명관광지를 선호함 • 럭셔리한 식사와 프로그램이 종종 구성됨
전문인력 회의 professional/ technical meeting	• 기술의 발달과 시대변화의 속도가 빨라짐에 따라 정보의 공유가 중요한 기업 활동이나 기업성과와 연관됨에 따라 개최 빈도가 증가함 • 세미나 또는 워크숍의 형태로 개최되며, 외부 인사 초청 및 강연도 함께 진행됨
유통업자 회의 Distributors and dealers meeting	• 기업회의 중에서 1인당 평균 지출이 가장 높은 회의 • 유통업자는 소매 판매망을 대표하는 것으로, 회의를 통해 마케팅 담당 부서는 개별 소매업자를 상대로 마케팅 프로그램과 정책을 테스트하고 피드백을 받을 수 있음
기타	• 지역별, 국가별로 모임을 갖는 지역회의(Regional/ local chapter meeting) • 기자회견(Press interview) • 조인식 (Signing ceremony) • 시무식, 종무식 등

2. 협회 및 학회(association/academy)

협회는 특정 업종 종사자들의 모임으로 협회 회원의 이익을 대변하여 연맹, 이익단체 등으로 불린다. 협회는 회원 간 또는 외부와의 분쟁을 조정하는 역할을 한다. 이와 같은 협회는 관련 분야의 최신 정보와 지식을 회원들에게 공유하고, 관련 분야를 발전시켜야 할 의무와 책임이 있어 협회를 중심으로 다양한 컨벤션 행사가 개최되며, 기업회의와 더불어 컨벤션 시장에서 가장 높은 비율을 차지한다. 기업회의와 달리 협회 행사 참가자는 자발적인 의사를 가지고 참석하기 때문에 회원들이 관심과 참가율을 높이기 위해 다양한 프로그램과 행사 개최지의 매력이 중요하다.

협회는 회원 회비로 운영되기 때문에 국제회의나 컨벤션을 개최할 경우, 행사 예산이 풍족하지 않을 수 있다. 이러한 재정적 부족을 보완하기 위하여 협회가 주최하는 대부분의 행사에서 참가등록비를 설정하고 있으며, 관련 분야의 기업 및 기관이 행사에 참여할 수 있도록 스폰서 프로그램(Sponsor Program)을 운영하기도 한다.

개최 장소는 매년 변경되는 경우가 많으며, 대륙별로 순회하거나 특정 지역을 지정하여 순회하는 경우도 있다. 개최지의 매력도가 참가율과 밀접하게 연관되어 있어 관광지로서 매력이 있고 레크리에이션 시설이 잘 갖춰진 곳이 선호된다. 개최 시기는 정기적이며, 행사 개최 준비를 위한 전문 대행사(AMC: Association Management Company) 또는 전문 기획사(PCO: Professional Convention Organizer/PEO :Professional Exhibition Organizer)에게 의뢰하는 경우가 많다.

학회도 관련 학문 분야의 사람들이 함께 모여 최신 연구 트렌드를 확인하고 새로운 정보와 지식을 공유하기 위해 컨퍼런스, 세미나 등을 개최한다. 학회는 협회와 마찬가지로 학회 회원들의 회비로 운영되기 때문에 행사 개최 시 참가 등록비를 받고 있으며, 역시 관련 분야의 기관과 기업으로부터 행사 후원을 유도하는 스폰서 프로그램(Sponsor Program)을 운영한다. 회원 참가율을 높이기 위하여 저명인사를 'keynote speaker'로 초청하거나, 관광 매력도가 높은 개최지를 선정하는 등 협회 행사의 특성과 유사하다. 학회 행사의 경우, 학술위원회에서 행사 준비를 전담하기도 하지만, 국제 행사로 규모가 커질 경우, 전문 기획사(PCO/PEO)를 선정하여 행사를 개최하기도 한다.

이와 같이, 기업회의 시장과 협회 및 학회 회의 시장은 몇 가지 점에서 뚜렷한 차이점이 있다. 참가자의 관점에서 보면, 기업회의는 의무적 참가인 반면, 협회 및 학회 회의는 참가자의 "자유의지"에 따라 달라진다. 또한 기업회의는 각 기업의 종사자나 주주 이외에는 쉽게 알려지지 않아서 시장 예측이 쉽지 않지만, 협회 및 학회 행사는 관련 정보가 체계적으로 공지되어 있어서 협회 및 학회 행사 주최자와 행사 기획사가 협력하여 행사 개최 목적지 마케팅을 효과적으로 할 수 있어 높은 참가율을 창출할 수 있다.

〈표 3-3〉 기업회의와 협회/학회 회의 차이점

구분	기업회의	협회/학회 회의
참가	의무적	자발적
의사결정	CEO	위원회
회의빈도	빈도는 많으나 참가인원이 적음	빈도는 많지 않으나 참가인원 많음
동일 개최지 선정 가능성	높음	낮음 (순환구조)
동반자	인센티브 행사를 제외하고 동반자 참석 안됨	동반자 참석이 자유로움
전시회	상품설명회를 제외하고 거의 없음	자주 개최됨
장소선정	편리하고 보완이 가능한 지역선호	관광 매력이 높은 곳을 선호
개최지 선정유형	정해진 유형없음	대륙별 또는 선정된 몇몇 곳을 기준으로 순회
준비 기간	1년 이내	2~5년
가격 민감도	거의 없음	민감함
CVB 개입 정도	대규모 인센티브 행사를 제외하고 거의 없음	CVB를 적극적으로 활용함

3. 정부(government)

정부 회의는 대부분 국제기구 본부와 해당 개최 국가가 주최자가 되며, 참가자 역시 정부나 정부 관련 기관, 학계 및 전문가 등의 대표자들로 이루어진다. 행사의 주제는 사전에 정해지며, 비공개로 개최되는 경우가 많다. 협상, 토론, 정보 교환, 현안 문제 해결 등 정치, 경제, 사회 분야의 이슈를 주로 다루며, 관련된 연사들도 주최 측의 초청으로 참가하는 형태가 많다.

참가자 대부분이 국가를 대표하는 수반이거나 결정권을 가진 고위급 참석자이므로, 의전이 특히 중요한 행사이다. 주최 측은 행사 준비를 위한 조직위원회와 준비위원회를 조직하여 운영하고, 공항 영접, 영송, 수송, 보도국 운영, 동시 통역 서비스 등 의전과 관련된 서비스에 중점을 둔다.

정부 행사의 진행 과정을 간략하게 살펴볼 수 있도록 지방 정부가 주최한 국제회의인 '기장포럼'의 사진을 다음과 같이 준비하였다. 2015년에 진행된 '제2회 기장포럼' 행사 사진으로 원전 소재 도시간의 국제협의체로 원자력발전소가 위치한 도시의 안전과 번영에 관한 폭넓은 논의가 진행되는 정부 회의이다. 첫 번째 사진은 회의장 세팅과 진행 모습, 오른쪽으로 두 번째 사진은 각 도시대표가 회의 결과를 발표하고 선언문을 낭독하는 모습, 왼쪽 아래 사진은 참석자 간 네트워킹을 하는 모습, 오른쪽 아래 사진은 주요 참석자가 언론사와 인터뷰 하는 사진이다.

[그림 3-3] 정부 행사 스케치

자료: 기장포럼 2015

4. SMERF

흔히 스머프로 불리는 SMERF는 Social, Military, Educational, Religious, Fraternal의 약자로, 사교 단체, 군인, 교사 모임, 종교 행사, 자선 단체 등이 지역을 넘어 비정부 국제기구로 활동하면서 개최하는 회의와 컨벤션 행사 등을 말한다. 비공식적인 활동으로 시작된 SMERF는 교통과 통신의 발달에 힘입어 지역을 넘어 글로벌 참여를 이끌어내며, 세계 대회를 개최할 때 대규모 참석 인원을 보여주고 있다. 이러한 이유로 SMERF 행사는 컨벤션 분야에서 떠오르는 시장으로 인식되고 있다.

SMERF 행사의 특징은 참가 대상이 회원뿐만 아니라 회원의 가족, 친구, 지인 등이 자유롭게 참가할 수 있다. 이로 인해 가족 단위의 참가가 많아져 국제 행사를 개최할 경우, 예상보다 훨씬 큰 규모의 참가가 이루어질 수 있다.

예를 들어 2012년 6월 23일부터 26일까지 우리나라 부산에서 개최된 '제95회 라이온스 부산 세계대회'를 살펴보자. 전 세계 207개국 5만 5천 명이 정치와 이념의 장벽을 넘어 평화를 구축하고 봉사와 협동 정신으로 세계 속 한 가족임을 확인하기 위해 부산에 모여들었다. 라이온스 세계대회 개최의 파급효과로 생산 유발 효과 1,746억 원, 취업 유발 효과 4,300명, 고용 유발 인원 2,036명으로 평가된다(부산시보, 제1527).

[그림 3-4] 제95회 라이온스 부산세계대회 거리행진 모습

자료: 연합뉴스(2012.6.23)

제3절 컨벤션 서비스 공급자

컨벤션 공급자는 기업, 협회 및 학회, 정부, SMERF 등의 행사가 성공적으로 개최되기 위해 필요한 모든 서비스와 관련된 분야를 포괄한다. 아래의 그림은 컨벤션기획사 (PCO)의 업무 프로세스를 나타낸 모형으로, 앞서 컨벤션산업의 특징 중 관련 산업의 다양성과 상호 의존성을 설명할 때 사용되었다. 이 그림을 통해 컨벤션 행사를 수행하기 위해 필요한 다양한 재화와 서비스 분야를 확인할 수 있으며, 행사 준비 과정에서 다양한 연관 산업이 결합하고 있음을 알 수 있다.

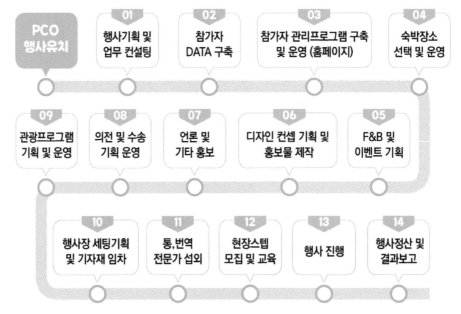

[그림 3-5] PCO 업무 프로세스

자료: 정숙화, 이재우(2014), 부산의 컨벤션산업과 특화도 분석

컨벤션기획사의 업무 프로세스를 기준으로 연관 산업을 살펴보면 다음과 같다. 첫째, 컨벤션기획사(PCO)는 컨벤션 행사의 기획과 운영을 위한 행사 대행 서비스를 제공한다. 둘째, 미디어 및 홍보 마케팅을 담당하는 업체는 참가자 관리를 위한 전반적인 작업을 진행하며, 데이터 생성 및 참가 신청을 독려하는 홍보와 마케팅을 진행한다.

셋째, 홈페이지와 등록시스템을 구축하는 업체가 연관되며, 온라인 플랫폼을 통해 행사에 대한 정보를 제공하고, 등록 및 결제를 진행할 수 있도록 한다. 넷째, 호텔, 리조트 등의 숙박업이 긴밀하게 연관되어 있다. 행사 개최 지역의 숙박 시설의 규모, 시설 수준 등도 국제행사를 유치하는데 중요한 요소이며, 컨벤션산업이 발전하면서 숙박 시설의 규모 및 시설 수준도 향상되고 있다. 다섯째, 식음료 산업은 컨벤션 행사에서 빼놓을 수 없는 중요한 산업이다. 참가자는 컨벤션 주최자가 제공하는 환영 리셉션, 환영 만찬, 환송 만찬, 후원 만찬 등 다양한 호스피텔러티 프로그램을 통해 행사 개최지의 식음료를 경험하게 된다. 뿐만 아니라 행사 공식 일정 외에도 참가자는 지역의 다양한 음식문화를 체험하게 된다. 여섯째, 행사 제작물을 담당하는 디자인업, 인쇄업, 출판업 등이 연관되어 있다. 일곱 번째, 행사의 위상에 따라 미디어 홍보의 범위가 다르지만, TV, 라디오, 온라인 홍보를 담당하는 미디어 홍보 마케팅 회사가 연관되며, 앞서 두 번째 연관 산업과 중복될 수 있다. 여덟 번째, 전세버스운송업, 의전 서비스업 등이 행사 의전과 수송을 담당한다. 아홉 번째, 여행사 및 DMC(Destination Management Company) 등 여행사 업 관련 업체가 컨벤션 행사의 관광 프로그램 기획과 운영에 연관되어 있다. 열 번째, 행사장을 극장식(theater type), 교실실 (classroom type) 또는 연회식(banquet type) 등으로 세팅하고 행사에 필요한 시청각 기자재, 동시 통역부스 및 리시버 렌탈 등을 담당하는 연관 산업이 있다. 열한 번째, 통역 및 번역업이 연관되어 행사를 진행한다. 열두 번째, 행사 개최를 위한 스텝모집 및 교육을 진행하는데, 잠재적 컨벤션 전문인력을 양성하는 대학교, 사설 아카데미 등도 연관이 된다.

이와 같이 컨벤션 행사의 기획과 운영을 위한 과정을 통해 컨벤션 공급자로서 컨벤션 기획사(PCO), 숙박 및 음식점업, 출판, 영상 방송통신 및 정보서비스업, 시각디자인업, 광고영화 및 비디오 제작업, 여행사업, 전세버스 운송업 등 다양한 산업이 컨벤션 기획과 운영에 연관되어 있음을 알 수 있다. 이러한 이유로 컨벤션 개최로 인한 경제적, 사회적 파급효과가 상당하며, 세계 각국에서 컨벤션산업을 육성하고자 하는 노력이 이어지고 있다. 다음은 컨벤션산업의 공급자로 역할을 하는 주요 컨벤션 관련 기관을 살펴보고자 한다.

1. 컨벤션 뷰로(CVB: Convention Visitors Bureau)

컨벤션뷰로(CVB)는 Convention Visitors Bureau의 약어로, 국제회의, 전시, 이벤트 등의 행사 및 관광 목적지로서 도시를 알리는 홍보 마케팅 전담조직이다. 컨벤션뷰로는 대외적으로는 국제행사 유치 활동, 관계기관의 국제회의 개최지원, 참가자 증대를 위한 해외 마케팅을 지원한다. 대내적으로는 국제회의 행사 관련 정보를 수집하여 데이터를 구축하고, 이러한 정보를 회원들에게 제공하며, 전시컨벤션 전문인력을 양성하기 위한 교육 프로그램을 운영할 뿐만 아니라, 전시컨벤션 업계 네트워킹 구축 활동 등을 전개함으로써, 산업의 지식플랫폼으로서 역할을 담당한다.

컨벤션뷰로는 'Convention and Visitor Bureaus', 'Travel Bureaus', 'Visitors' Bureaus', 'Welcome Centers', 'Tourism Bureaus', 'Travel and Tourism Bureaus', 'Information Centers' 등으로 불리며, 국내에서는 CVB라는 용어가 널리 사용되고 있다. CVB는 공공의 영역과 사적 영역의 협력체로 국제행사를 유치하기 위한 지역 홍보를 총괄하는 비영리조직이다. 따라서 지방 정부의 보조금, 멤버십 비용(회비), 마케팅 광고수익 등으로 재원을 조달한다. 컨벤션뷰로는 다양한 이해관계자들의 요구사항을 듣고 조율하면서 협력 방안을 모색한다. 이러한 바탕에서 지역 마케팅 활동이 이루어지며, 그 결과는 장기적인 관점에서 그 파급효과를 판단해야 한다.

본 책에서는 이미 "제2장 컨벤션산업의 역사적 배경-미국편 (p.67)"에서 CVB의 발 과정을 설명했으나, 간략하게 정리하면 다음과 같다. 최초의 CVB는 1896년 미국 디트로이트시(Detroit)에서 설립되었다. 산업화에 따라 호텔을 중심으로 비즈니스 여행객을 유치하는 공동 마케팅 활동이 이루어졌고, 컨벤션 시장의 잠재력에 주목하면서 디트로이트시는 컨벤션뷰로를 설립하여 전문적으로 비즈니스 회의 및 행사를 유치하기 시작했다. 디트로이트의 성공적인 컨벤션뷰로 활동은 미국 전역으로 확산되었고, 이후 캐나다를 시작으로 해외 지역에서도 컨벤션뷰로가 설립되어 국제협회를 구성하기에 이르렀다.

미국과 호주의 경우, 많은 CVB가 정부 기관으로 비영리 단체의 성격을 띠고 있으며, 지역 정부와 산업협회가 협력하는 기관으로서 정부지원금에 의존한다(Bauer, Lambert and Hutchison, 2001; Koutoulas, 2005; Litvin, Smith and Blackwell,

2012).

유럽에서는 CB(Convention Bureau)로 불리며, 공공체의 특성을 가지고 대개 관광
공사나 방문자 센터(visitor center)와는 별개로 운영된다. 그러나 이탈리아의 경우,
사적 영역에서 CB가 운영되기도 하며, 이익을 추구함에 따라 국가 지원금은 거의 없고,
숙박에 대한 세금은 마이스 산업 부흥과 거의 관련이 없다(CB Italia, 2016).

CVB의 진화된 조직인 목적지마케팅기구(DMO: Destination Marketing
Organization)는 전시컨벤션 산업에 국한되지 않고 지역의 발전과 관련된 다양한
업무를 수행한다. 예를 들어 지역 발전 전략, 관광 발전을 위한 법률, 사회 구조, 세금
정책 구현, 지역 주민을 위한 웰빙 정책, 위기 운영 방안 등을 포함한다(Spyriadis,
Fletcher and Fyall, 2013).

[그림 3-6] 컨벤션뷰로 연관 분야

1) CVB의 역할

컨벤션뷰로는 컨벤션을 지역으로 유치하고 개최를 지원하는 기관으로, 지역을 소개하고 판매를 촉진하는 홍보 마케팅을 담당하는 실질적인 전담기구이다. 북미, 유럽 등 컨벤션산업의 선진국에서는 대부분의 도시 및 지역에 컨벤션뷰로가 설립되어 있으며, 컨벤션뷰로를 중심으로 중앙정부 및 유관 기관과 협력 체계를 구축하여 국제행사를 전략적으로 유치하는 데 효과적이다. 또한, 컨벤션뷰로는 개최지에 대한 다양한 정보를 제공하며, 행사 개최와 관련된 모든 연관 산업 및 기관이 컨벤션뷰로를 중심으로 활동하고 있다.

컨벤션뷰로의 역할과 기능에 관한 연구를 살펴보면, Wang(2008)은 컨벤션뷰로의 역할을 다음과 같이 정의하였다. ① 도시 정보 제공자(Information provider), ② 도시 브랜드 제조자(Brand Builder), ③ 행사 주최자(Convener), ④ 행사 개최 편의를 제공하는 촉진자(Facilitator), ⑤ 지역 산업에 대한 정보 제공 및 연결자(Liaison of community industry), ⑥ 지역 마케팅 기획자(Organizer of destination marketing campaigns), ⑦ 지역 공동 마케팅을 위한 자금 조성(Funding agent for collective marketing activities), ⑧ 네트워크 관리(Network management organization), ⑨지역 관광 상품 개발(Tourism product developer)로 설명하였다.

Aureli et al(2019)은 CVB의 역할을 첫째, 지역 서비스 이미지 향상, 기술 정보 구현, 행사 실행력에 대한 지역 홍보를 통해 국제 행사를 유치하는 것이고, 둘째, 관광산업 종사자와 공공 부분 간의 조율을 통한 지역 관광 활성화 및 지역 산업 종사자를 위한 교육이라고 하였다. CVB의 역할과 주요 활동을 살펴보면 다음과 같다.

(1) 대외적 역할

○ 도시 및 지역 정보 제공(Information Provider)

CVB는 각종 회의, 전시 등의 컨벤션 유치를 도모하며, 특히 도시 마케팅을 목적으로 관광 컨벤션 분야의 국제 행사에 참가해 잠재 고객을 발굴한다. 이후 이들을 직접 방문해 지역을 홍보하거나, 관련 인사를 지역으로 초청하여 컨벤션 관련 시설이나 서비스를 경험할 수 있도록 팸투어(FAM Tour: Familiarization Tour)를 기획하고 운영하기도 한다. 또한, 컨벤션 시설, 숙박 시설, 유니크 베뉴 등 다양한 기관과 공동 마케팅을 주도한다.

행사 주최자 또는 기획자가 호텔, 개최 시설, 컨벤션센터 또는 행사 개최를 위한 유니크 베뉴, 식음료 조달의 문제, 관광 프로그램 등 개최 지역에 대한 다양한 정보를 요청할 경우, CVB는 자료를 취합하여 제공함으로써 행사 장소 선정 및 행사 기획의 편의를 도모한다.

○ 도시홍보 및 브랜드 창출(Brand Builder)

컨벤션 도시로서 명성과 이미지는 컨벤션 행사유치에 크게 영향을 미친다. 따라서 CVB는 도시의 이미지를 개발하고 미디어를 활용한 홍보를 통해 잠재 고객에게 우호적인 이미지를 제공하며, 관광 및 컨벤션 개최 목적지로서의 경쟁력을 확보하도록 계획하고 실행한다. 도시 브랜드는 해당 도시의 이미지와 외부의 인지도를 모두 의미하며, 도시가 추구하는 경영 이념이나 도시 자원의 가치가 함축된 종합적인 상징체계로 그 의미를 해석할 수 있다. 도시 브랜드는 이미지 개선과 적극적인 홍보를 통해 도시의 상품 가치를 향상시키기 위한 것으로, 특정 지역 출신의 사람을 부르는 "뉴욕커(New Yorker)", "파리지앵(Parisien)", "서울라이트(Seoulite)", "도쿄안(Tokyoan)" 등은 도시 브랜드가 출신 도시에 대한 애착심과 자부심을 부여하는 사례이다.

뿐만 아니라, 글로벌 도시 마케팅의 수단으로 메가 이벤트와 컨벤션 개최가 도시의 매력을 시각적, 감각적인 방법으로 압축적으로 보여줄 수 있기 때문에, 대규모 행사 개최를 통한 도시 브랜드 창출 및 제고에 집중하고 있다. 2010년 서울에서 개최된 G20 정상회의[14]를 계기로 우리나라를 알게 됐다는 응답자가 3.6% 늘어났다고 한다. 국가

---

14) Group of 20: 세계 경제를 이끌던 G7과 유럽연합(EU) 의장국에 12개의 다른 국가를 더한 20 국가의 모임. 1999년 9월 IMF 연차 총회 당시 개최된 G7 재무장관회의에서 G7 국가와 주요 신흥시장국이 참여하는 G20 창설에 합의하고 1999년 12월 독일 베를린에서 처음으로 주요 선진국 및 신흥국의 재무장관 및 중앙은행 총재가 함께 모여 국제사회의

인지도를 1% 높이는데 5천억 원이 필요하다는 기준에 따르면, 서울 G20 정상회의로 인해 약 1조 8천억 원에 달하는 대한민국 홍보 효과가 발생한 셈이다. 뿐만 아니라 2010 년 38.7%에 불과했던 한국에 대한 호감도는 G20 정상회의 이후 55.3%로 높아졌고, 선진국이라고 생각하는 비율도 한 해 전보다 10% 이상 증가한 53.2%의 결과로 나타났다(삼성경제연구소, 2010).

온라인 기술의 발전으로 도시를 홍보하는 방법이 온 · 오프라인으로 병행되고 있다. 도시 홍보와 브랜딩 과정으로 슬로건을 개발하고, 관련 영상 및 광고를 제작하여 온라인 플랫폼을 통해 글로벌 시장을 대상으로 홍보가 진행된다.

[그림 3-7] 도시 이름을 이용한 도시 브랜딩 예시

네덜란드의 암스테르담과 덴마크 코펜하겐은 도시 명칭을 적극 활용하여 관광객을 확보하고 랜드마크로서 존재감을 발산하였다. 암스테르담은 2004년 'I Amsterdam' 이라는 로고를 제작해 조형물을 설치하고, 로고가 새겨진 시티 카드(city card)를 만드는 등 여행자의 편의를 더해주고 있다. 코펜하겐은 도시 명칭과 영어를 조합해 'C OPENHAGEN- open for you (the most open capital in the world)' 이라는 슬로 건을 내세우며 덴마크의 개방적인 마인드를 간결하면서도 확실하게 전달하는 로고를 제작하여 도시 이미지를 향상시켰다.

중요 경제, 금융 이슈를 폭 넓게 논의하는 G20 재무장관회의가 개최됨.

○ 행사 개최를 위한 서비스 제공(Facilitator)

컨벤션 행사 유치를 주목적으로 하는 컨벤션뷰로는 유치에 필요한 업무를 지원하며, 컨설팅을 진행하는 전담 조직이다. 컨벤션 유치 추진 절차에서부터 행사장 선정, 소요 예산 분석, 유치 제안서 작성, 현지 설명회 개최, 마케팅, 국제기구 임원을 대상으로 한 홍보 활동까지 모든 업무를 지원한다.

확정된 행사에 대해서는 사전 준비 단계에서부터 실제 행사까지 각종 서비스를 제공한다. 행사 전 현장 답사(FAM Tour) 지원, 컨벤션 행사 전후 관광 기획 및 지원, 시설 정보 제공, 행사 주최자 및 기획사를 위한 사무실 지원, 지역 관광 안내 책자, 지도 등 제공, 국제 행사 개최를 위한 재정 지원 등이다. 예를 들어, 유치 지원, 홍보 지원, 개최 지원의 3단계마다 정해진 기준에 따라 일정 금액을 지원해주는 제도가 있으며, 개최 행사의 규모와 지역 경제의 파급 효과에 따라 지원 금액이 달라진다.

○ 관광객 유치 및 관광 프로그램 개발(Convener / Tourism product developer)

CVB는 컨벤션 행사 유치와 운영 지원을 중점적으로 하지만, 관광객을 유치하는 것도 주요한 업무 중의 하나이다. 지역의 관광 사이트, 관광 프로그램, 유니크 베뉴(unique venue) 등을 홍보하고 방문자 유치에 적극적이다. 뿐만 아니라, 관광객 및 행사 참가자 수를 증진하기 위한 다양한 프로그램 개발도 진행한다.

(2) 대내적 역할

○ **지역 사회 홍보마케팅의 대표적 역할(Organizer of destination marketing campaigns)**

지역의 경제적, 사회적 파급 효과를 도모하고 새로운 세수 증대 및 일자리 창출을 위해 적극적으로 활동한다. 이를 위해 지역 이미지 제고를 위한 다양한 도시 브랜딩 활동을 추진하며, 지역 주민의 삶의 질 향상과 지역에 대한 자긍심을 고취하고, 지역 산업 발전을 도모하는 역할을 동시에 수행한다.

○ **국제회의 유치를 위한 데이터베이스 구축(Liaison of community industry)**

CVB는 세계적으로 개최 예정인 국제 행사에 대한 정보를 수집하고 데이터를 구축하여, 국제 행사를 유치하는 기반 정보를 마련한다. 또한, 지역 회원에게 정보를 공유하고 유치 계획에 대한 과정을 협력하여 진행하기도 한다. CVB의 국제 기구인 국제 컨벤션뷰로 협회(IACVB: International Association of Convention and Visitors Bureau)는 2017년 국제 목적지기구(Destination International:DI)로 기관 명칭이 변경되면서 그 역할을 확대하고 있다. DI는 회원들에게 컨벤션과 관련된 다양한 정보를 공유하는 플랫폼 역할을 하며, 150,000개의 회의 기록, 175,000명의 국제 기획사 정보, 160,000개의 기구 등을 MINT+(The Meetings Information Network) 플랫폼을 통해 공유하고 있다.

○ **교육 프로그램 운영(Training/Education)**

CVB는 컨벤션 연관 산업의 종사자를 대상으로 컨벤션 교육과 국제 매너 교육을 진행하여, 연관 산업 종사자의 전문성, 업무 효율성, 국제화를 제고한다.

○ **회원 관리(Network management organization)**

컨벤션 연관 산업은 CVB 회원이며, 이러한 회원 간 협력과 네트워크를 강화하기 위해 CVB는 정보 공유의 평등성과 투명성을 관리한다. 또한, 이해관계가 충돌하는 회원 간의 조율을 통해 국제 행사 유치의 시너지를 창출하고, 국제 행사 운영의 경쟁력을 높이는 역할을 한다.

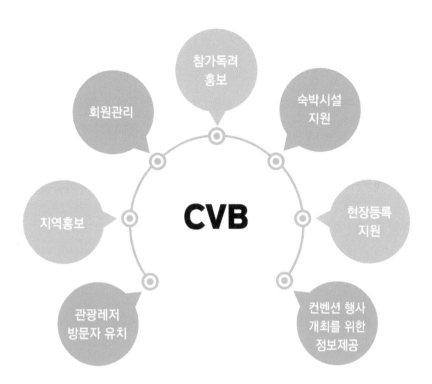

01   도시정보제공자(Information provider)

02   도시브랜드 제조자(Brand Builder)

03   행사 주최자(Convener)

04   행사개최 편의를 제공하는 촉진자(Facilitator)

05   지역산업에 대한 정보제공 및 연결자 (Liaison of community industry)

06   지역마케팅기획자 (Organizer of destination marketing campaigns)

07   지역공동마케팅을 위한 자금조성 (Funding agent for collective marketing activities)

08   네트워크 관리 (Network management organization)

09   지역관광상품 개발 (Tourism product developer)

10   전문가 양성을 위한 교육(Training/Education)

[그림 3-8] 컨벤션뷰로의 역할

(3) 컨벤션뷰로의 효과

○ 운영 효율적인 측면

컨벤션뷰로는 원스톱 서비스(One-stop Service) 체제를 구축하여 지역 컨벤션 상품을 소개하고 지역 정보를 제공한다. 또한, 컨벤션 주최자와 기획사에게 컨벤션 특별가격(Convention special rate)을 제공하기도 한다. 이러한 활동이 가능한 이유는 관련 기관 및 업계의 역량이 결집된 조직으로서, 컨벤션 행사 유치를 위한 홍보 마케팅 활동을 회원들을 대신하여 조직적으로 하며, 회원 및 관련 기관과의 조율이 가능하기 때문이다.

○ 관광 활성화 측면

지역 정보를 통합적으로 수집하고 관리하기 때문에 전략적인 홍보가 가능하며, 이를 통해 고부가가치의 관광시장을 창출할 수 있다.

○ 경제적 측면

지역 홍보와 관련된 다양한 기관의 활동이 CVB를 중심으로 일원화됨으로써 운영비 절감 효과 및 관련 운영비의 보조금이 유입되는 창구 역할을 하고 있다.

2) CVB 재원조달

CVB는 비영리 조직으로, 그 활동이 공적 목적을 위한 것이므로 지역 홍보 및 관련 행사 유치 등의 활동 결과를 평가하는데 어려움이 있다. 그럼에도 불구하고 각 지역 및 도시에서 CVB를 설립하고 운영하는 이유는, CVB가 도시와 지역의 정보를 통합하여 전달할 수 있는 플랫폼의 역할을 하기 때문이며, 정보가 필요한 주최자, 기획자, 관광객 등 지역에 관심을 가진 사람들이 지역 정보를 구하는 플랫폼으로 인식하기 때문이다.

CVB는 지역에 따라 재원 조달 방식에 차이가 있다. 북미지역의 CVB는 대다수의 재원을 숙박세(bed tax)에 의존하고 있으며, 실제 77%의 재원이 숙박세에 의존하고 있다. 유럽의 경우 지방정부와 중앙정부 차원에서 지원을 받고 있으며, 회원의 회비와 일부 자체 조달을 통해 운영되고 있다. 일본의 경우, 지자체 재원으로 75%가 충당되고, 상공회의소 등 민간 기업이 나머지를 충당하여 운영되고 있다. 우리나라도 지방정부 차원에서 직접 사업비 명목으로, 중앙정부 차원에서 국고보조금 형식으로 지원하고 있다(강원발전연구원, 2016).

3) CVB 조직 유형

CVB의 설립과 운영 방식은 해당 도시의 성격, 특성, 재원 규모에 따라 다양하다. 사업 추진 주체의 특성에 따라 행정 주체인 '관주도의 전담기관'과 지역 상공회의소, 관광협회 등 전문 단체 혹은 이익 단체 등으로 이루어진 '민간주도의 전담기구', 그리고 민간의 효율성과 행정의 공공성을 연결하여 정부나 지자체(제1섹터)와 민간(제2섹터)이 공동 출자하여 이루어진 제3섹터인 '반관반민의 전담기구'가 있다.

〈표 3-4〉 CVB의 형태 및 특징

구분	형태 및 특징	장점	단점
제1섹터/ 관주도형 (홍콩, 싱가포르 등 동남아)	• 정부 기관 소속 • 정부에서 재정 지원 및 세제 혜택 • 직원 수 10~12명	• 국가지원 • 재정지원확보 • 조직 및 인력관리 용이	• 환경변화 대응력 미약 • 창의적 책임경영 마인드 부족
제2섹터/ 민간주도형 (북미)	• 재단법인 형태 • 지방자치단체별로 지방 정부 및 민간 부분 합동으로 운영 • 직원 수 30~40명(파견 직이 약 70%)	• 정부의 지원확보 용이 • 민·관의 협력을 통한 시너지 효과	• 사업의 연속성 및 운영의 독립성 한계 • 조직 내 갈등요소 • 전문성 부족
제3섹터/ 반관·반민 형 (일본 및 우리나라 지방자치단체)	• 대부분 독립조직 • 일부는 자치단체 및 상공회의소의 하부기관	• 사업의 연속성, 전문성 높음 • 높은 운영 효율성 • 높은 환경변화 대응력	• 정부의 정책적 지원확보 곤란 • 재정이 상대적 불안정

자료: 오길창, 이은용, 이수범(2005), 컨벤션산업진흥을 위한 CVB활성화에 관한 연구

4) 우리나라 컨벤션뷰로

우리나라는 컨벤션산업이 발전하는 초기 단계에서 한국관광공사와 컨벤션센터가 각종 국제 행사 유치에 주도적인 역할을 해왔다. 이후 점차 지역 내 컨벤션뷰로(CVB)가 설립되면서 CVB가 주도적인 역할을 하는 구조로 변화되었다. 반면, 컨벤션산업의 선진국으로 인식되는 유럽과 미주 국가의 경우, 지역 홍보와 마케팅을 전담하는 컨벤션뷰로(CVB)가 먼저 만들어지고, 행사 유치가 빈번해지면서 컨벤션 행사를 개최할 수 있는 전문 시설인 전시컨벤션센터가 만들어지는 과정을 거쳤다. 즉, 컨벤션뷰로가 컨벤션

유치 및 마케팅의 노하우를 가진 전문기관이었고, 시설, 숙박, 및 기타 연관 산업은 협력자로서 산업 성장에 기여하면서 컨벤션산업이 발전하였다.

우리나라의 경우 1996년 '국제회의 산업 육성에 관한 법률'이 제정되면서 본격적으로 컨벤션산업이 육성되었다. 이때부터 주요 지자체에서 전문 전시컨벤션시설을 건설하기 시작하여 2000년대 들어 대구 엑스코(EXCO), 부산 벡스코(BEXCO), 제주국제컨벤션센터(ICC JEJU) 등의 시설이 완공되고 운영되면서 컨벤션산업이 활기를 띠기 시작했다. 따라서 컨벤션센터가 주도하여 국제 행사를 지역에 유치하는 역할을 전담하게 되었고, 컨벤션산업에 대한 지식을 축적하여 산업을 선도하는 전문기관이 되었다. 이후 전시컨벤션센터의 운영과 지역 마케팅을 분리하면서 CVB가 설립되고 지역 홍보 마케팅을 전담할 수 있는 전문 역량을 성장시켰다.

이와 같이, 국내 컨벤션산업의 역사를 알면 컨벤션산업에서 각 기관의 역할과 위상을 가늠할 수 있으며, 서구의 발전 과정과 국내 발전 과정의 차이로 인한 산업 구성 기관의 업무 특성과 관계를 이해할 수 있다.

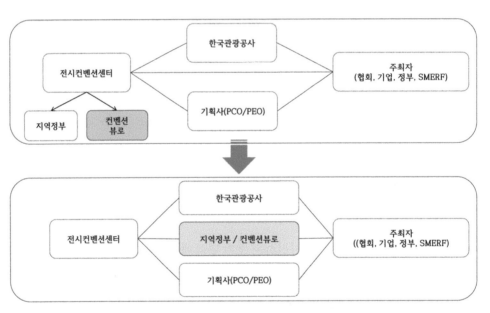

[그림 3-9] 우리나라 컨벤션뷰로(CVB) 역할 발전과정

우리나라 1호 컨벤션뷰로는 2003년 설립된 대구 컨벤션뷰로이다. 이후 2005년 서울, 부산, 강원, 제주, 2007년 광주, 2011년 경기도, 2012년 경남, 2013년 경주 등 많은 지자체에 설립되어 지역 마케팅을 전담하고 있으며, 다른 지역에서도 컨벤션뷰로의 설립은 지속될 것으로 예상된다. 대부분의 지역에서 컨벤션센터가 건립된 지역을 중심으로 컨벤션뷰로가 운영되고 있지만, 강원도는 예외이다. 강원도는 컨벤션센터가 없지만 지역의 관광과 컨벤션 유치홍보마케팅을 전담하는 전문 기구로서 컨벤션뷰로를 운영 중이다.

〈표 3-5〉 전국 컨벤션뷰로 현황

구분	설립연혁	최종설립형태	소관부서	조직	예산(억원)			국제회의지원	컨벤션센터
					15년	16년	17년		
서울관광마케팅 관광MICE 본부 서울컨벤션뷰로	2005년 사단법인 2008년 서울관광마케팅(주)로 편입 2018년 서울관광재단으로 개편	재단법인	관광체육국 관광정책과 MICE 산업팀	2본부1실11개팀 총 120명 대표이사, 전략경영본부, 관광MICE 본부, 감사실	69	69	82	유치: 최대 3천 만원 홍보: 최대 2천 만원 개최: 최대 1억원	COEX
부산관광공사 마케팅실 컨벤션뷰로	2005년 사단법인 2008년 부산관광 컨벤션뷰로 개편 2012년 부산관광공사와 부산관광컨벤션뷰로로 통합	지방공사	문화관광국 관광산업과 마이스산업팀	2실2사업단 7팀 총 123명 사장, 상임이사, 경영전략실, 마케팅실,	9	15	15	유치: 최대2천만원 홍보: 최대2천만원 개최: 최대 2천만원	BEXCO
대구컨벤션뷰로	2003년 사단법인 2014년(사)대구컨벤션관광뷰로 2016년 (사)대구컨벤션뷰로 변경	사단법인	국제협력관 마이스산업팀	3개팀 총 12명 대표이사, 사무국장, MICE 1팀~3팀	33	16	15	유치: 제한규정없음 홍보: 제한규정없음 개최: 최대 7천만원	EXCO
인천관광공사 MICE사업단 컨벤션뷰로	2015년 인천관광공사재설립후 MICE사업단으로 운영 ---〉 마케팅본부 컨벤션뷰로팀 분리	지방공사	문화관광체육국 마이스산업과	1실 1본부 2사업단 14팀 총 92명 (컨벤션뷰로팀 5명)	7	10	15	유치: 최대 3천만원 홍보: 최대 2천만원 개최: 최대 5천만원	송도 컨벤시아

구분	설립연혁	최종설립형태	소관부서	조직	예산(억원)			국제회의지원	컨벤션센터
					15년	16년	17년		
광주관광컨벤션뷰로	2007년 사단법인	사단법인	문화관광체육실 관광진흥과 관광산업담당	4개팀 총 18명 대표이사, 사무처장, 컨벤션마케팅팀, 브랜드 전략팀, 관광마케팅팀, MICE 경영팀	15	15	19	유치: 최대 15백만원 홍보: 최대 15백만원 개최: 최대 3천만원	KDJ Center
경기관광공사 경기MICE 뷰로	2011년 경기관광공사 경기컨벤뷰로 출범 경기MICE뷰로로 명칭변경	지방공사	문화체육 관광국 관광과 관광마케팅팀	1실1본부 총81명 사장, 감사, 경영기획실, 사업본부, 경기MICE뷰로	21	22	15	유치: 최대 3천만원 홍보: 최대 1천만원 개최: 최대 6천만원	KINTEX
강원컨벤션뷰로	2005년 (사)강원국제호의산업지원센터로 출범 2015년 (사)강원컨벤션뷰로로 명칭변경	사단법인	문화관광체육국 관광마케팅과 관광산업팀	2개팀 총6명 사무국장, 경영지원팀, 마케팅팀	6	8	9	개최: 최대 2천만원	
(재)경주화백컨벤션뷰로	2013년 사단법인 2015년 해산 2015년 경주화백컨벤션센터 통합	재단법인	문화관광실 관광컨벤션과	2본부 1실 5개팀 총 31명 사장, 감사, 뷰로본부, MICE사업본부, 경영지원실	22	7	5	유치: 최대 15백만원 홍보: 최대 15백만원 개최: 최대15백만원	HICO
경남컨벤션뷰로	2012년 사단법인 경남컨벤션뷰로출범	사단법인	경상도 문화체육관광국 관광진흥과 관광마케팅담당 창원시 경제국 미래산업과 MICE산업 담당	2팀 총7명 사무국장, 경영지원팀, 마케팅팀	49	45	54	총3단계(3억원) 유치/홍보: 필요시 경남도, 창원시 검토 개최: 임대료, 식음료, 셔틀 등	CECO
제주컨벤션뷰로	2005년 사단법인 출범	사단법인	관광국 관광정책과 마이스산업 담당	3개팀 총13명 사무국장, 협력관, 기획총무팀, 마케팅 1팀-2팀	17	35	24	유치: 최대 2천만원 홍보: 최대 1천만원 개최: 최대 5천만원	ICC JEJU

자료: 경상남도 마이스산업 5개년 종합계획(2018), 전북MICE산업 종합계획 수립연구 (2018) 재정리

2. 전시컨벤션 시설

전시컨벤션 개최시설에 대하여 우리나라의 기준을 살펴보면, 국제회의산업육성에 관한 법률시행령 제3조(국제회의시설의 종류·규모)에 따라 국제회의시설을 "전문회의 시설", "준회의시설", "전시시설" 및 "부대시설"로 구분하며, 각각의 요구조건이 충족 되어야 국제회의시설로 인정하고 있다.

"전문회의시설"은 2천 명 이상의 인원을 수용할 수 있는 대회의실이 필요하며, 30명 이상의 인원을 수용할 수 있는 중·소회의실이 10실 이상 구비되어야 하며, 옥내외 전시 면적을 합쳐서 2천 제곱미터 이상을 보유하는 시설을 말한다. 컨벤션센터(Convention center)와 컨퍼런스 센터(Conference center)가 전문회의시설에 부합하는 시설 이다.

"준회의시설"은 국제회의 개최에 필요한 회의실로 활용할 수 있는 호텔연회장, 공연 장, 체육관 등의 시설로서 200명 이상의 인원을 수용할 수 있는 대회의실과 30명 이상의 인원을 수용할 수 있는 중·소회의실이 3실 이상 구비되어야 준회의시설로 인정된다.

"전시시설"은 옥내와 옥외의 전시면적을 합쳐서 2천 제곱미터 이상을 확보해야 하며, 30명 이상의 인원을 수용할 수 있는 중·소회의실이 5실 이상 있어야 한다.

"부대시설"은 국제회의 개최와 전시의 편의를 위하여 전문회의 시설과 전시시설에 부속된 숙박 시설, 주차 시설, 음식점 시설, 휴식 시설, 판매 시설 등을 의미한다.

국제회의 육성에 관한 법률시행령에는 언급되어 있지 않지만, 실제 행사를 진행하면 서 주최자의 선호에 따라 대체 회의시설로 대학캠퍼스, 리조트, 쿠르즈(숙박시설 포함) 이나 박물관, 미술관, 유적지, 공원, 골프장 등의 독특한 장소(unique venue)를 선호하 는 경우도 있다.

<표 3-6> 국제회의 시설별 조건

시설구분	조건
전문회의시설	• 2천 명 이상의 인원을 수용할 수 있는 대회의실 보유 • 30명 이상의 인원을 수용할 수 있는 중소회의실이 10실 이상 보유 • 옥내와 옥외의 전시 면적을 합쳐서 2천 제곱미터 이상 확보
준회의시설	• 200명 이상의 인원을 수용할 수 있는 대회의실 보유 • 30명 이상의 인원을 수용할 수 있는 중소회의실이 3실 이상 보유
전시시설	• 옥내외 전시 면적 합계 2천 제곱미터 이상 확보 • 30명 이상 인원을 수용할 수 있는 중소회의실이 5실 이상 보유
부대시설	• 전문 회의시설과 전시 시설에 부속된 숙박 시설, 주차 시설, 음식점 시설, 휴식 시설, 판매 시설 등
대체시설	• 대학 캠퍼스, 리조트 • 유니크 베뉴: 쿠르즈, 박물관, 미술관, 유적지, 공원, 골프장 등

1) 전문 회의시설

(1) 전시컨벤션센터

전시컨벤션센터는 국제회의, 컨벤션, 전시 등 대규모 행사를 개최하기 위한 목적으로 설립되며, 최첨단의 회의, 전시 기술이 접목되어 행사가 원활하게 운영될 수 있도록 환경을 제공한다. 전시컨벤션센터는 한 건물에서 전시회 및 회의를 개최할 수 있도록 설계된 공공장소로 연회, 식음료 및 다양한 서비스를 제공하는 시설을 갖춘 곳으로 정의된다(Rutherford, 1990). 국제 행사 유치에서 행사 개최 시설의 규모 및 시설 수준은 행사 유치를 위한 필수조건이다. 따라서 세계 각국에서도 전시컨벤션센터 건립 및 시설 확충에 적극적이다.

전시컨벤션센터의 건립과 운영은 지역경제 활성화는 물론, 사회적, 문화적 측면에서도 지역에 미치는 영향이 매우 크다. 실제로 전시컨벤션센터에서는 전시회, 국제회의, 이벤트 및 문화 예술 행사를 유치하여 개최하고 있으며, 이러한 행사는 지역 경제 활성화 효과뿐만 아니라 국내외 산업과 문화 교류의 장으로서 역할을 한다.

○ 전시컨벤션센터 역할

전시컨벤션센터는 무역과 상거래, 지역 경제 활성화에 이바지하며, 다양한 정보와 지식이 교류되고 국제적 도시로 위상을 높이는데 기여한다. 최근에는 이벤트, 교육, 문화 활동을 통해 지역민들이 편리하게 사용할 수 있는 복합 문화 공간으로 역할을 확대하고 있다.

- **대규모 국제행사 전문 시설**

  전시컨벤션센터는 다양한 규모의 회의장, 전시장, 이벤트 시설 등 국내외 행사를 효과적으로 수용하는 전문 시설이며, 국제 행사 유치에 필수적인 요건으로 작용한다.

- **정보와 지식 플랫폼**

  전시컨벤션은 최신의 기술, 정보, 지식 등 세계 산업의 트렌드를 공유하며, 관련 분야의 전문가들이 대거 참석하여 의견을 교환하고 문제를 해결하며 새로운 정보를 창출하는 기회의 장이다. 이와 같은 정보와 지식이 공유되고 확산될 수 있는 장소로서 전시컨벤션센터는 국제적인 교류와 만남을 통해 정보와 지식을 공유하고 창출하는 플랫폼 역할을 한다.

- **지역사회의 커뮤니티 플랫폼**

  전시컨벤션시설은 국제 행사 개최를 위한 시설로 사용될 뿐만 아니라 지역 사회와 지역민의 연결성을 제고하는 지역 커뮤니티의 구심점으로 역할을 하고 있다. 각종 학술, 문화 행사 개최를 통해 지역민의 도시에 대한 자긍심과 문화 수준을 향상시키고, 여가를 풍요롭게 보낼 수 있는 시간적, 공간적 환경을 제공한다.

- **지역의 랜드마크(Landmark)**

  아름답고 독특한 외관으로 설계된 전시컨벤션센터는 지역 및 도시의 랜드마크로서 지역 이미지를 제고하는 역할을 한다. 또한, 전시컨벤션센터의 행사 운영 수준, 행사 운영 관리, 시설 및 서비스의 질 등이 국가 및 지역의 위상을 대변하는 역할을 한다.

싱가포르 마리나베이샌즈(Singapore Marina Bay Sands)

캐나다 벤쿠버 컨벤션센터(Vancouver Convention Center)

우리나라 벡스코, 코엑스, 제주컨벤션센터(BEXCO, COEX, ICC JEJU)

[그림 3-10] 지역의 랜드마크로서 전시컨벤션센터

자료: 각 컨벤션센터 웹사이트

○ 전시컨벤션센터에서 개최되는 행사 유형 및 특성

전시컨벤션센터에서는 컨벤션과 전시, 회의 등이 주로 개최되지만, 패션쇼, 스포츠, 지역 축제, 콘서트 등 대중적 행사인 이벤트도 자주 개최되며, 졸업식, 결혼식, 가족 모임 등 각종 행사도 개최된다.

〈표 3-7〉 전시컨벤션센터 개최 행사의 유형과 내용

행사유형	행사내용	비고
전시	무역 전시	비즈니스 교류 중심의 B2B 무역 전시와 B2C 일반소재 전시회로 구분
	일반 전시	
	신상품/신기술 소개	
회의	Convention	일반 공개형(공개 세미나, 토론회 등)과 비공개형(기업회의) 등으로 구분
	Conference(기술, 학술회의)	
	Round table discussion	
	Symposium	
	Workshop	
교육	Lecture	일반인, 전문가 집단 등을 대상으로 하는 공개강연회, 문화예술강좌, 건강강좌 등 기업/학교의 연수
	Training	
	Short course	
	Exam	
일반집회 (Ceremony)	종교집회	다수 사용자의 일시적 모임으로 행사간 개최 간격이 짧고 특별한 행사 준비가 필요 없이 시설활용의 순환이 빠름
	정상/기관/협회 등의 집회	
기념 행사 및 여흥집회	Reception	식사와 음료의 제공이 수반되는 각종 여흥 위락행사 대규모 및 소규모의 기념 모임
	Party	
	결혼식	
	Memorable gathering	
	기타 가족 모임, 회사모임	
문화체육행사	Fashion show	무용, 음악회 등의 공연 노래자랑, 춤 경연, 영상쇼, 로봇, 도미노 경영 등
	Performance	
	Entertainment	
	Sports	
	Festival(민속/지역 축제)	
	기타경기, 경영행사	
판매행사	Bazaar	전시 및 즉석판매 수익사업 옥외공간 활용 가능
	Garage sale	
	벼룩시장	

자료: 경상북도 MICE 특화도시 육성전략(2021)

○ **전시컨벤션센터 특성**

전시컨벤션센터는 설립 형태, 설립 목적, 서비스 공급의 성격에 따라 구분할 수 있다.

첫째, 전시컨벤션센터의 특징을 설립 형태에 따라 살펴보면, 중앙정부, 지방자치단체, 민간의 참여를 통한 제2 섹터 방식의 주식회사 또는 중앙정부와 지방정부가 참여한 지방공기업 형태를 띠고 있다. 실제 운영 과정에도 지방자치단체와 긴밀한 협력 체계를 구축하고 있으며, 지역경제 활성화를 위한 공익적 기능을 수행하고 있다. 이는 공공과 민간의 혼합된 형태의 특징을 나타낸다.

둘째, 전시컨벤션센터가 제공하는 재화와 서비스의 측면에서 보면, 전시컨벤션센터 는 준공공재에 속한다고 볼 수 있다. 일반적으로 정부가 공급하는 재화나 용역을 공공재 라 한다. 공공재(public goods)는 어떠한 재화나 용역에 대해 개별적인 가격을 지불하 지 않고도 향유 할 수 있으며, 어떤 주체가 그러한 재화나 용역을 소비하더라도 다른 주체가 소비할 수 있는 양이 줄어들지 않는다. 공공재는 시장가격이 존재하지 않고, 시장에서 공급되는 것이 비효율적이기 때문에 정부가 조달하는 특징이 있다. 따라서 공공재는 소비에서 경쟁이 없고(비경합성:non-rivalry), 여러 사람이 동시에 사용할 수 있는(비 배재성: non-excludability) 재화와 서비스이다. 준공공재는 경합성과 배재성의 속성 중 하나의 속성만을 갖는 재화와 서비스를 말한다. 전시컨벤션 이용자는 서비스 사용에 대한 일정한 대가를 지불해야 하므로 배제성이 가능하다. 그리고 이용자 는 지불한 대가 내에서는 제한은 있을 수 있지만 서비스를 경합성 없이 소비할 수 있다. 따라서 전시컨벤션센터는 배제성과 비경합성이 적용되는 준공공재라 할 수 있다(김태 칠 외 3인, 2014).

〈표 3-8〉 컨벤션센터의 특성

구분		내용
목적		거래 및 지역경제 활성화
재화 및 서비스 공급		비경합성(non-rivalry in consumption), 배제성
설립형태	설립방식	주식회사, 지방공사
	출연재원	중앙정부, 지자체, 일부 민간자본
	법인성격	공익성, 수익성

자료: 김태칠 외 3인(2014), 비용편익분석을 이용한 전시컨벤션센터의 경제성 분석

대부분 전시컨벤션센터는 중앙정부의 지원, 지방자치단체 출자, 일부 민간이 참여한

주식회사 또는 지방공기업 형태로 운영되고 있으며, 전시컨벤션센터가 공공재로서 지역경제 활성화, 국내외 거래의 활성화 및 문화교류의 장으로서 역할을 한다. 따라서 전시컨벤션센터는 상업성을 추구하는 사적재의 특성보다는 공공의 이익을 중시하면서 수익을 추구하는 준공공재의 사회간접자본시설로서 여겨진다.

○ 전시컨벤션센터 운영방식

컨벤션센터의 운영 방식을 크게 민간위탁, 지방공사, 출자/출연기관 및 민간 운영으로 구분할 수 있다. 우리나라에 지어진 대부분의 전시장 사업은 정부, 지방자치단체, 공공기관에서 출자한 것이며, 민영 컨벤션센터는 수원 메쎄(Suwon Messe)가 유일하다.

민간위탁은 지방자치단체 위탁 및 수탁 조례에 근거하여 기업의 성과를 극대화하는 영리성을 추구하기 위해서 민간에 운영을 맡기는 형태이다. 지자체는 위탁 기업을 관리하고 인력은 민간 운영 기관에서 책임 관리한다. 전시컨벤션센터의 민간위탁 운영 시 대표적인 수탁 기업으로 ㈜ 코엑스가 있다. 코엑스는 aT센터, 군산새만금컨벤션센터 등 국내 신생 컨벤션센터가 정상 운영이 가능하도록 3년~5년의 비교적 짧은 기간 동안 대행사업을 진행하였고, 창원컨벤션센터의 경우 2005년부터 2023년 말까지 19년간 창원시와 경남도로부터 수탁하여 운영하였다.

지방공사 운영 방식은 지방공기업법에 근거하여 이익을 추구하는 기업성과 공공의 이익을 추구하는 공익성을 함께 가진 특징이 있다. 수익은 지자체에 귀속되며, 인력은 기관 소속 직원으로 준공무원 신분이다. 인천관광공사, 대전마케팅공사, 김대중컨벤션센터가 대표적인 지방공사 운영방식이다.

출자 기관운영 방식은 주식회사의 형식으로 지방자치단체 출자 및 출연 기관의 운영에 관한 법률에 근거하며, 영리추구를 목적으로 컨벤션센터를 운영하며, 벡스코, 엑스코, 킨텍스가 대표적인 사례이다. 주식회사의 형태는 자유로운 경영에 따른 우수한 성과 창출이 용이하고, 조직의 유연성을 확보하는 장점이 있지만, 투명한 경영에 대한 위험성이 있고, 수익성 추구로 인해 공공성이 약화될 수도 있다.

출연 기관인 재단법인이 운영하는 경우는 경주화백컨벤션뷰로가 운영하는 하이코(HICO: Hwabaek International Convention Center)와 세텍 컨벤션센터 (SETEC: Seoul Trade Exhibition & Convention)를 서울경제진흥원(SBA: Seoul Business

Agency)이 운영하는 방식으로 독립적인 재정운영이 가능하고, 사업 추진을 위한 전문인력 확보가 용이지만 공익성을 우선시 하는 기관 운영 특성상 수동적인 수익 창출 활동이라는 한계가 있다.

수원 메쎄(Suwon Messe)는 2020년 7월 개장한 컨벤션시설로 우리나라에서는 유일하게 ㈜KCC가 건립한 민영 컨벤션센터이다. 수원 메쎄는 미국의 첫 민영 컨벤션센터인 샌즈 엑스포 앤 컨벤션센터(Sands Expo & Convention Center)를 참고하는 등 해외 운영사례를 연구하여 건설되었다.

컨벤션센터의 주 수입원은 공간 임대료였으나, 컨벤션센터 건립이 증가하면서 경쟁이 심화하고 있다. 독일을 포함한 우리나라의 경우, 공간 임대료 외에 전시를 기획하고 개최하는 전시기획사업을 통해 컨벤션센터의 운영 활성화를 꾀하고 있다. 전시기획사업은 코엑스, 킨텍스, 벡스코, 엑스코 등 우리나라 대부분의 컨벤션센터에서 진행하고 있다. 이외에도 식음료 사업, 전시 및 행사 진행에 필요한 전기, 수도 및 가스 사용료, 조명, 배관, 음향서비스에 대한 비용도 컨벤션센터의 수익이 된다. 제주국제컨벤션센터는 지리적 여건상 전시 사업보다는 국제회의, 컨퍼런스 행사 위주로 유치 마케팅에 집중하고 있으며, 2006년 컨벤션기획사업(PCO) 시작과 2009년 식음료 사업을 직영으로 전환하는 등 컨벤션센터 경영을 활성화하기 위한 노력을 하고 있다.

우리나라는 컨벤션센터 15개, 전문전시장 2개(aTcenter, SETEC)로 총 17개의 컨벤션센터가 운영 중이며, 시설의 면적, 운영형태 등의 특징을 살펴보면 다음과 같다.

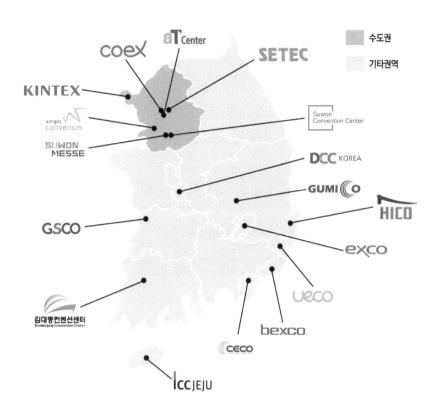

[그림3-11] 우리나라 지역별 전시컨벤션센터 현황

○ 컨벤션센터 경영 활성화를 위한 활동

우리나라는 1996년 12월 「국제회의산업육성에 관한 법률」을 제정하여 컨벤션산업의 발전을 도모하였고, 2000년 1월 「무역거래기반조성에 관한 법률」과 2008년 3월 「전시산업발전법」을 제정하여 전시 산업 발전을 위한 기반을 다졌다. 또한, 문화체육관광부는 2005년 '국제회의도시 지정'을 시작으로 2018년에는 '국제회의복합지구'를 지정하고, 산업통상자원부는 전국 주요 거점별 전시컨벤션센터 건립 등 전시컨벤션산업 인프라를 체계적으로 육성하고 있다.

이와 같은 국가의 육성 정책에 따라 서울 COEX를 시작으로 2001년 대구 EXCO, 부산 BEXCO 등 우리나라 주요 도시를 중심으로 전문전시컨벤션센터가 건립되었다. 최근에는 국제회의 도시로 지정된 지역 이외에도 기초지방자치단체까지 전시컨벤션시설 건립을 계획하는 등 전시컨벤션산업 육성을 통한 지역 발전을 도모하고 있다. 2021

년 4월 울산전시컨벤션센터(UECO)의 개관으로 현재 국내에는 총 17개의 컨벤션센터
가 설립·운영되고 있다. 충북(청주), 강원, 충남(천안) 등 적어도 3개 이상의 전시컨벤션
센터가 향후 건립 추진 중에 있으며, 기존 컨벤션센터 또한 증축·확장을 계획하고 있다.
우리나라 광역시를 넘어 중소도시의 전시컨벤션센터 설립 및 계획으로 한국에서 전문
전시컨벤션센터 간 경쟁은 심화될 것으로 예상된다(한국경제, 2019.10.28.).

〈표 3-9〉 우리나라 전시컨벤션센터 특징

구분		면적(SQM)		주차 대수	운영업체 및 설립형태	인력 현황
지역	시설명 (건립연도)	전시 시설	회의 시설			
수도권 — 서울	COEX(1988)	36,007	11,123	2,700	㈜코엑스	120 (37)
	SETEC(1999)	7,948	1,093	387	서울경제진흥원(직영)	7
	aTCenter(2002)	7,422	657	524	코엑스(위탁)	24
경기	KINTEX(2005)	108,566	13,303	4,262	㈜킨텍스	114
	SCC(2019)	7,877	6,945	1,099	㈜킨텍스 위탁 -〉 (재)수원컨벤션센터	23
	Suwon Messe(2020)	9,080	178	347	우리나라 최초의 민영컨벤션센터 (KCC)	4
인천	Songdo Convensia (2009)	17,021	4,020	1,157	인천도시공사 (공사위탁)	25
기타권역 — 부산	BEXCO(2001)	46,380	8,351	3,050	㈜벡스코	83
경남	CECO(2005)	9,375	2,784	915	코엑스창원센터 사업단(위탁)	21
대구	EXCO(2001)	22,159	7,436	1,413	㈜엑스코	50
경북	HICO(2015)	2,273	3,421	500	경주컨벤션뷰로(재단법인)	30
	GUMICO(2010)	3,402	953	290	엑스코 위탁운영-〉 구미전자정보기술원 위탁	9
대전	DCC(2008)	2,520	4,064	400	대전마케팅공사(위탁)	-
광주	KDJ Center(2005)	12,027	4,313	1,502	김대중컨벤션센터 (공사위탁)	52
전북	GSCO(2014)	3,697	1,825	785	코엑스 군산센터 사업단(위탁)-〉 김대중컨벤션센터 (위탁)	10
제주	ICC Jeju(2003)	2,395	9,133	400	㈜ ICC JEJU	48

자료: 경상남도 마이스산업 5개년 종합계획수립(2018) 참고하여 재정리

이와 같이, 국내외 전시컨벤션센터의 신설과 확충으로 행사 유치 경쟁이 심화되면서, 전시컨벤션센터의 운영 활성화를 위한 경영 전략이 중요한 이슈로 대두되고 있다.

전시컨벤션센터는 다양한 규모의 회의실, 대규모 전시장과 다목적 행사나 이벤트를 개최할 수 있는 장소를 제공하며, 식음료 서비스, 시청각 시설, 비즈니스센터, 안내 시스템 및 안전 시설이 갖추고 행사를 개최하기 위한 최적의 환경을 조성하여 장소 판매를 통한 수익 창출을 주 목적으로 설립되었다. 하지만 이러한 부동산 임대업을 통한 수익 창출은 한계가 있고, 전시컨벤션센터 운영 수익이 적자인 경우가 많은 실정이다. 전시컨벤션센터의 건설과 운영은 대부분 정부나 지방자치단체에 의해 주도되는데, 그 이유는 국가나 지역의 발전을 위한 일환으로 막대한 재원을 투입해야 하기 때문이다. 이러한 태생적 배경으로 공공재의 성격을 가진 전시컨벤션센터는 행사 성격에 따라 임대료를 할인해주거나 무료로 대여하는 일도 있어서 주 수입으로 인식되는 임대료 수익의 적자 폭이 줄어들지 않는 것도 현실이다. 영리기업에서는 성과에 대한 평가를 재무적인 이익으로 귀착시키지만, 비영리·공공조직은 목적과 사명을 통해 존재 가치를 인정받으며, 사회 공헌을 목표로 삼기 때문이다. 따라서 전시컨벤션센터는 공공성과 경제성 두 가지 측면을 모두 고려하여 운영되기를 요구받는다. 이와 같은 맥락에서 전시컨벤션센터가 설립되고 운영되는 초기 단계에서 운영의 효율성을 높이기 위해 전문 기관에 위탁 운영하는 경우가 늘어나고 있다.

우리나라에서 신생 전시컨벤션센터의 위탁사업을 수주하고 있는 곳은 코엑스, 킨텍스, 엑스코 등이 있으며, 다수의 위탁사업을 코엑스가 맡고 있다. 코엑스는 우리나라 최초의 전시컨벤션센터이며, 컨벤션, 전시, 이벤트 등 다양한 행사에 대한 경험과 노하우를 가진 한국 전시컨벤션산업의 역사라고 볼 수 있다. 코엑스는 사단법인 한국무역협회가 설립한 주식회사로 경영 성과를 높이기 위한 다양한 수익 창출 활동을 해왔다. 행사 개최를 위한 장소 임대뿐만 아니라 전시와 컨벤션 행사를 직접 기획하고 운영하는 기획사 역할, 식음료 사업운영 등 전시와 컨벤션을 기획하고 운영하는 과정에 필요한 연관 사업을 내부화하여 수익 창출을 도모하고자 하는 일련의 활동이 있었다. 코엑스가 전시컨벤션행사개최를 위한 장소임대의 역할을 넘어 전시와 컨벤션 관련 사업을 내부화하는 작업이 가능했던 것은 국내외 전시컨벤션행사를 개최하면서 관련 산업의 활동을 아주 가까이서 지켜볼 수 있었고, 국제행사 유치, 기획, 운영, 사후처리 등 전시컨벤션

산업의 모든 단계를 경험할 수 있었기 때문이다. 즉, 전시컨벤션 행사 개최를 위한 전체적인 업무 프로세스를 자연스럽게 습득함으로써 관련 활동의 노하우(know-how)와 수익 창출의 범위와 크기도 확인할 수 있었다. 이러한 과정을 거쳐서 전시컨벤션센터의 경영 활동은 임대 사업에서 '신생 전시컨벤션센터를 위탁받아 운영하는 대행 사업', '전시컨벤션 기획사업', '식음료 사업', '광고ㆍ홍보사업' 등으로 확대되었다. 전시컨벤션센터의 수익 창출을 위한 경영 전략의 변화 과정을 가장 잘 보여주는 곳이 바로 코엑스(COEX)이며, 이러한 일련의 코엑스의 사업 영역 확장은 오랜 기간 전시컨벤션산업에서의 경험을 통해 쌓아온 노하우, 네트워크 및 정보와 지식의 축적을 기반으로 한 지식경영 활동으로 설명할 수 있다.

○ 세계 전시컨벤션센터 현황

2023년 UFI(The Global Association of the Exhibition Industry)의 World Map of Venues에 따르면, 전 세계 실내 전시면적 5천㎡ 이상 전시장을 기준으로 2020년 전시장 총 1,253개, 총 전시면적은 1,570만㎡로 조사되었다. 2023년 기준 10만㎡ 이상 전시장은 전 세계 총 81개이며, 40만㎡ 이상의 초대형 전시장은 유일하게 중국에만 세 곳(광저우, 상하이, 선전)이 있다. 그리고 중국은 10만㎡ 이상의 전시장을 28개 보유하고 있어 명실상부 세계에서 가장 큰 전시장 규모를 갖추고 있다. 중국의 맹렬한 전시장 건립 및 확장이 있기 전까지만 해도 독일이 세계에서 가장 큰 전시장과 가장 넓은 전시장 면적을 보유했었다. 하지만 2023년 UFI World Map of Venues 기준으로 독일이 10만㎡ 이상의 전시장을 9개 보유한 것으로 나타나 세계 2위의 전시장 규모를 갖춘 것으로 나타났다.

아시아권에서 10만㎡ 이상 전시장을 보유한 국가를 살펴보면, 태국(39위, 방콕 IMPACT Arena, Exhibition and Convention Center, 137,000㎡), 일본(55위, Tokyo Big Sight, 116,540㎡), 인도(64위, Bharat Mandapam Convention Center, 110,000㎡) 등이 있으며, 우리나라에서는 킨텍스(KINTEX, 108,011㎡)가 65위에 이름을 올렸다.

<표 3-10> 규모별 세계 전시장 현황

순위	국가명	도시명	전시장명		옥내전시 면적(㎡)	구분
1	중국	광저우	China Import & Export Fair Complex (Pazhou Complex)	중국 수출입박람회장 (파조우컴플렉스)	504,000	40만㎡ 이상
2	중국	상하이	National Exhibition and Convention Center (Shanghai)	상하이 국립전시컨벤션센터	470,000	
3	중국	선전	Shenzhen World Exhibition & Convention Centre	선전 월드전시컨벤션센터	400,000	
4	독일	하노버	Messe Hannover	하노버전시장	392,453	30만㎡ 이상~ 40만㎡ 미만
5	독일	프랑크푸르트	Messe Frankfurt	프랑크푸르트전시장	372,073	
6	이탈리아	밀라노	Fiera Milano (Rho Pero)	피에라밀라노	345,000	
7	중국	쿤밍	Kunming Dianchi Convention & Exhibition Center (DCEC)	쿤밍디앤츠 전시컨벤션센터	300,000	
8	독일	쾰른	Koelnmesse	쾰른전시장	285,000	25만㎡ 이상~ 30만㎡ 미만
9	독일	뒤셀도르프	Messe Duesseldorf	뒤셀도르프전시장	262,727	
10	프랑스	파리	Paris Nord Villepinte	파리노르빌뱅뜨전시장	250,000	
11	미국	시카고	McCormick Place	맥코믹 플레이스	241,548	20만㎡ 이상~ 25만㎡ 미만
12	미국	라스베가스	Las Vegas Convention Center	라스베가스컨벤션센터	232,257	
13	중국	빈조우	China Kitchen Capital International Convention and Exhibition Center	중국 키친캐피털 국제전시컨벤션센터	230,000	
14	스페인	발렌시아	Feria Valencia	발렌시아전시장	223,090	
15	러시아 (유럽지역)	모스코바	Crocus Expo	크로커스엑스포	215,960	
16	프랑스	파리	Porte de Versailles	파리 베르사유전시장	212,545	
17	중국	청두	Western China International Expo City	서부 중국 국제 엑스포시티	205,000	
18	스페인	바르셀로나	Fira de Barcelona - Gran Via	바르셀로나 그란비아전시장	203,106	
19	중국	충칭	Chongqing International Expo Center	충칭 국제엑스포센터	200,000	
	중국	상하이	Shanghai New International Expo Centre (SNIEC)	상하이 뉴 국제 엑스포센터	200,000	

순위	국가명	도시명	전시장명		옥내전시 면적(㎡)	구분
	중국	톈진	National Convention and Exhibition Center (Tianjin)	국립전시컨벤션센터	200,000	
	독일	뮌헨	Neue Messe Muenchen	뉴뮌헨전시장	200,000	
	이탈리아	쾰른	Bologna Fiere	볼로냐전시장	200,000	
	스페인	마드리드	Feria de Madrid / IFEMA	마드리드전시장	200,000	
65	한국	경기도 고양	KINTEX	킨텍스	108,011	

자료: UFI World Map of Venue(2023)

(2) 컨퍼런스센터

컨퍼런스센터는 컨벤션센터와 비교하여 중·소규모의 회의 행사에 적합한 시설이며, 보통 전시 시설은 없다. 컨퍼런스센터는 회의 참가자를 위한 숙박 시설과 식음료 서비스를 제공하며, 여가 활동까지 가능한 시설로 참가자가 편안한 분위기에서 의견과 생각을 나눌 수 있는 환경을 조성하고 있다. 회의에 필요한 대부분의 시청각 장비를 구비하여 회의 참가자의 요구에 신속하게 대응할 수 있고, 현장 요구 사항에 대한 대응이 신속한 편이다. 비용 처리와 관련하여 개인당 지불해야 되는 요금에 객실료, 식사, 기자재 사용료, 커피 브레이크, 사무용품 비용 등이 합쳐지는 일괄 가격 시스템(one-stop shopping)을 적용한다. 컨퍼런스센터는 이그젝큐티브(Executive), 리조트(Resort), 교육을 위한 (Educational) 컨퍼런스센터라고도 불린다.

2) 준회의 시설

(1) 호텔 내 회의장

호텔은 국제 행사를 유치하고 개최하기 위한 개최지 요건으로 중요한 요소 중 하나이다. 호텔은 숙박 시설을 대표하는 시설이면서 연회, 만찬, 오찬 등 컨벤션 행사를 진행하는데 다양한 용도로 사용 가능한 시설이다. 컨벤션센터 건립 이전 대부분의 국제회의를 호텔 내 회의장에서 개최하였다. 대규모 호텔은 회의실, 소규모 전시실과 같은 컨벤션시설을 갖추고 있으며, 대규모 행사의 개막식 등은 대개 호텔의 그랜드볼룸(Grand ballroom)을 사용한다. 원래 호텔은 객실 판매가 주 수입원이었으나, 전시컨벤션 및 이벤트 행사 개최가 객실, 연회, 식음료 판매 수익에 기여하는 바가 큰 것을 확인하면서 전시컨벤션(마이스) 행사는 호텔의 주 수입원의 하나로 인식되었다. 이후 호텔 내 컨벤션 전담 부서와 책임자(Convention Service Manager)가 배치되어 전시컨벤션 행사 개최를 위한 준비와 운영을 지원한다.

2019년 한국관광공사 MICE 산업 통계조사 연구보고서에 따르면 전체 회의, 컨벤션, 전시행사 중 41%의 행사가 호텔, 휴양콘도미니엄 등 숙박이 가능한 시설에서 개최되었다. 특히, 중소규모 행사는 행사 장소로 호텔을 선호하는 것으로 나타났다. 아래 자료는 시설 유형별 현황과 개최 건수를 나타내며, MICE로 구분한 통계에서 회의(meeting) 행사의 경우 중소규모 회의 시설의 선호도가 높고, 다음으로 호텔 순으로 나타났다. 컨벤션의 경우는 호텔의 선호도가 상당히 높게 나타났으며, 다음으로 전문 회의 시설인 컨벤션센터로 나타났다.

〈표 3-11〉 컨벤션시설 유형별 개최 건수

(단위: 건)

구분	전체	미팅	컨벤션	전시	비고
전문회의시설	11,237	8,765	1,578	894	
준회의시설	36,476	35,759	716	-	인센티브 여행은 시설유형별로 구분할 수 없어 제외됨
중소규모회의시설	89,256	88,796	460	-	
호텔	50,675	48,518	2,157	-	
휴양콘도미니엄	44,424	43,817	607	-	
전체	232,067	225,655	5,519	894	

자료: 2019 MICE 산업통계조사연구

[그림 3-12] 파라다이스 호텔 부산 대연회장, 중회의장, 소회의장

자료: 파라다이스호텔부산 웹사이트

(2) 대학 및 연구소의 회의 시설

학술회의 및 연구결과 발표나 연수 및 교육 목적의 회의와 세미나 등은 대학의 교육 시설을 활용하여 진행되기도 하며, 이로 인해 개최 비용을 절약할 수 있다.

3) 유니크 베뉴(Unique Venue)[15]

(1) 유니크 베뉴의 필요성

세계 국제회의 시장은 양적 성장이 정체되면서, 각국 및 도시별 국제 행사 유치 경쟁이 치열해지고 있다. 행사 유치 경쟁에서 개최지의 매력을 설명할 수 있는 다양한 요소가 고려되고 있으며, 그 가운데 행사 개최지가 독특한 경험을 제공하는 장소(venue)로서의 중요성은 점점 증가하고 있다. 그 이유는 개최지 매력도에 따라 행사 유치의 성공과 참가자 수에 영향을 주기 때문이며, 행사 유치가 성공하더라고 행사 참가자의 만족도가 행사 개최지의 이미지를 상승시키는 중요한 요소로 작용하고 있기 때문이다.

MICE 행사 주최 기관의 브랜드 이미지나 친환경, 기술 발전, 세계 평화 등 행사의 주요 컨셉에 부합하는 장소에서 행사를 개최하는 트렌드가 뚜렷해지고 있다. Maritz Research(2012)는 "The Future of Meeting" 연구 보고서에서 회의 장소의 주요 트렌드를 다음과 같이 설명하였다. 첫째, 평면적이고 직선적 구성의 베뉴 디자인은 쇠퇴하며, 둘째, 형식에 얽매이지 않는 다양한 형태의 베뉴가 등장할 것이며, 셋째, 하이테크놀로지(High Technology)가 장착될 것이며, 넷째, 문화적이며 주제가 있는 (cultural and theme-based) 베뉴가 상대적 우위를 가지며, 다섯째, 평범한 장소성 (plain place identity)을 가지고 있는 베뉴는 쇠퇴한다는 것이다.

(2) 유니크 베뉴 개념 정의

유니크 베뉴의 개념은 절대적으로 통용되는 정의는 없지만 다양한 정의를 찾아볼 수 있다. 영국관광청(BTA: British Tourist Authority)에서는 '박물관, 역사적인 건물, 미술관 등 주로 다른 목적을 위해 사용되나, 회의용으로도 활용 가능한 다양한 시설로 구성된 장소'라고 설명했고, Leask and Hood(2001)는 '독특한 경험을 제공하여 부가적인 소득을 창출하는 특이한 장소'라고 정의하였다. 유니크 베뉴 오브 런던(Unique Venues of London)은 '해당 도시의 정신과 전통, 국제적인 특징을 반영하는 독특하고 특별한 건물'로 정의하였고, 브리쉘 스페셜 베뉴협회(Brussel Special Venue

---

15) 유니크베뉴(Unique Venue): 유니크(unique)의 사전적 의미는 "어떤 무엇과 다른 유일한"의 뜻이며, 베뉴(venue)는 "어떠한 일이 벌어지고 있는 장소 또는 현장 / 대규모 모임을 위한 장소"를 의미함. 유니크베뉴는 각종 행사를 개최하는 독특한 장소 및 시설을 통칭함

Association)는 '고유의 매력적인 특징이 있고, 최고 200명 이상 수용 가능한 이벤트 시설'이라고 정의하였다. 한국관광공사는 'MICE 행사 개최 도시의 고유한 컨셉이나 그 곳에만 느낄 수 있는 독특한 매력을 느낄 수 있는 장소'라는 뜻으로 통용되며 MICE 전문시설(컨벤션 센터, 호텔)은 아니지만 MICE 행사를 개최하는 장소를 통칭하는 개념으로 정의하고 있다.

〈표 3-12〉 유니크 베뉴(Unique Venue) 개념 정의

기관 및 학자	유니크 베뉴(Unique Venue) 개념 정의	용어
영국관광청 (1997)	박물관, 역사적인 건물, 미술관 등 주로 다른 목적을 위해 사용된, 회의용으로도 활용 가능한 다양한 시설로 구성된 장소	Unusual Venue
Leask & Hood (2001)	독특한 경험의 제공을 통해 부가적인 소득을 창출하는 특이한 장소	
Unique Venues of London	해당 도시의 정신과 전통, 국제적인 특징을 반영하는 독특하고 특별한 건물	
Brussel Special Venue Association	고유의 매력적인 특징이 있고, 최소 200명 이상 수용 등 이벤트 가능 시설	Special Venue
암스테르담 Unique Venue 협회	회의, 전시와 같은 행사에 적합한 건축적 요소, 입지적 요소, 및 전문성을 갖춘 예외적인 장소	Unique Venue
일본 유니크 베뉴 촉진협의회 (2015; 최인호, 2016에서 재인용)	특별한 장소에서 행사를 개최하여 특별한 체험을 창조하는 것이라고 정의	
한국관광공사 (2024)	MICE 행사 개최도시의 고유한 컨셉이나 그 곳에만 느낄 수 있는 독특한 매력을 느낄 수 있는 장소라는 뜻으로 통용되며 MICE 전문시설(컨벤션 센터, 호텔)은 아니지만 MICE 행사를 개최하는 장소를 통칭	

자료: 유니크 베뉴(Unique Venues) DB 발굴 및 활용 방향, 한국관광공사(2014)

(3) 유니크 베뉴 유형 및 특성

Leask & Hood(2001)의 연구에 따르면 영국의 유니크 베뉴를 6가지 유형으로 구분하였고, 이러한 베뉴 유형은 다양한 연구 및 지역에서 적용하여 쓰고 있다.

〈표 3-13〉 유니크 베뉴 유형

범주	내용
1	숙박 시설이 있는, 고성, 고택, 역사적인 건물
2	숙박 시설이 없는 고성, 고택, 역사적인 건물
3	박물관, 갤러리 및 관광명소
4	보트 및 기차
5	스포츠 및 여가시설
6	극장 및 콘서트홀

자료: Unusual Venues as Conference Facilities: Current and Future Management Issues, (Leask & Hood, 2001;
한국관광공사, 2014에서 재인용)

행사 참가자에게 '와우(Wow)' 포인트가 될 수 있는 독특한 장소를 발굴하여 국제회의, 컨벤션 또는 전시를 개최하는 것은 국가와 도시 문화를 소개하고, 행사의 차별적인 매력을 발산하여 마이스 행사 개최지로서 경쟁력을 높일 수 있다. 이러한 장소를 유니크 베뉴라고 하며, 정책적으로 이러한 장소를 발굴하고 홍보하여 사람들이 방문했을 때 그 지역만의 독특한 장소와 식음료 등을 체험하게 함으로써 개최지의 이미지를 제고하고 방문객의 만족도를 높이는 역할을 한다. 유니크 베뉴로는 크루즈, 박물관, 미술관, 유적지, 공원, 골프장 등이 있다.

한국관광공사에서는 2017년 최초로 20개소를 한국만의 매력과 지역적 특색을 갖춘 유니크 베뉴로 지정하였고, 이후 2023년 기준 52곳을 "코리아 유니크 베뉴"로 지정하여 보다 많은 국제회의를 유치하기 위한 맞춤 지원, 시설 개선과 홍보 마케팅을 지원하고 있다. 또한, 리셉션, 환영연, 오·만찬 등의 행사 프로그램에 따라 장소를 추천하고 있으며, 이러한 유니크 베뉴를 통해 행사 참가자의 만족과 감동을 제고하고 있다.

〈표 3-14〉 코리아 유니크 베뉴 52선

지역	베뉴명	지정 연도	운영 구분	지역	베뉴명	지정 연도	운영 구분
강원 (6)	DMZ 박물관	2019	공공	서울 (10)	가구박물관	2019	민간
	강릉오죽한옥마을	2020	공공		국립중앙박물관	2017	공공
	남이섬	2017	민간		노들섬	2020	공공
	원주 한지테마파크	2020	민간		문화비축기지	2019	공공
	인제스피디움	2019	민간		우리옛돌박물관	2019	민간
	하슬라아트월드	2020	민간		이랜드크루즈	2019	민간
경기 (5)	광명동굴	2019	공공		플로팅아일랜드	2017	민간
	만화영상진흥원	2020	공공		한국의 집	2019	공공
	한국민속촌	2017	민간		스카이31컨벤션	2023	민간
	현대모터스튜디오 고양	2019	민간		국립국악원	2023	민간
	아시아출판문화정보센터	2023	민간	인천 (4)	전등사	2019	민간
경남 (2)	클레이아크김해미술관	2020	공공		트라이보울	2020	공공
	통영RCE세자트라숲	2023	공공		파노라믹 65	2019	민간
경북 (4)	국립경주박물관	2020	공공		현대크루즈	2017	민간
	황룡원(경주)	2017	민간	전북 (3)	왕의지밀	2019	민간
	경주엑스포대공원	2023	공공		한국소리문화의전당	2019	민간
	한국문화테마파크	2023	공공		태권도원	2023	공공
광주 (2)	국립아시아문화전당	2019	공공	전남 (1)	예울마루 & 장도예술의 섬	2023	공공
	10년후그라운드	2023	민간	제주 (4)	본태박물관	2019	민간
대전 (1)	엑스포과학공원한빛탑	2023	공공		생각하는 정원	2020	민간
대구 (1)	대구 예술발전소	2020	공공		제주민속촌	2019	민간
부산 (5)	누리마루	2017	공공		981파크	2023	민간
	뮤지엄원	2020	민간	충북 (1)	청남대	2023	공공
	영화의전당	2017	공공	충남 (2)	독립기념관	2020	공공
	피아크	2023	민간		선샤인 스튜디오	2020	민간
	부산엑스더스카이	2023	민간				
울산 (1)	FE01재생복합문화공간	2023	민간				

자료: 코리아 유니크 베뉴 52선 목록, 한국관광공사(2023)

3. 숙박시설

컨벤션 행사를 개최하기 위해서 전문 전시컨벤션시설 뿐만 아니라 참가자의 편의를 도모할 수 있는 숙박 시설 역시 중요한 요소이다. 컨벤션의 주요 숙박 시설은 관광진흥법 제3조에 따라 호텔업과 휴양콘도미니엄업으로 구분되는 관광 숙박업에 해당되는 숙박 시설을 주로 사용한다. 그러나 참가자 선택에 따라서 모텔, 유스호스텔, 펜션 등 다양한 숙박 시설을 이용할 수 있다.

컨벤션 호텔은 국제회의 개최를 위한 시설과 숙박 시설을 보유하고 있다. 대규모 회의에 참석하는 고객을 대상으로 충분한 객실 수, 연회장 및 회의장, 다양한 부대시설, 전시장, 대형주차 시설 등 각종 회의를 운영하기에 충분한 시설을 갖춘 호텔을 말한다.

〈표 3-15〉 관광숙박업 등록현황

구분		서울	부산	대구	인천	광주	대전	울산	세종	경기	강원	충북	충남	전북	전남	경북	경남	제주	소계
관광호텔업	5성급 특1급 업체수	24	6	1	5	-	-	1		1	2	1	-	-	-	2	1	14	58
	특1급 객실수	10,890	2,293	342	2,484	-	-	200		287	347	328	-	-	-	764	166	4,068	22,169
	4성급 업체수	43	2	4	6	2	2	2		7	11	1	-	5	1	4	3	14	107
	특2급 객실수	12,019	767	558	1,433	325	516	403		1,381	2,384	180	-	650	104	1,009	586	2,622	24,937
	3성급 업체수	97	15	4	9	3	6	3		26	11	3	4	3	4	9	12	22	231
	1등급 객실수	16,309	2,206	202	892	245	603	1030		3,254	1,186	240	567	347	303	763	1007	1,721	30,875
	2성급 업체수	67	39	8	25	4	4	3		40	8	6	3	8	8	12	17	11	263
	2등급 객실수	5,406	3,655	427	2,107	271	201	263		2,575	412	326	147	490	386	664	778	616	18,724
	1성급 업체수	53	13	3	26	4	2	4		17	1	3	2	9	5	13	6		162
	3등급 객실수	3,298	603	158	1,337	209	94	181		1006	35	65	146	68	522	213	681	332	8,948
	등급없음 업체수	49	6	4	12	-	1	4		32	11	7	3	9	20	7	3	60	228
	없음 객실수	5,642	783	602	1,267	-	90	463		3,407	1,401	477	274	562	3739	483	242	6,256	25,688
	소계 업체수	333	81	24	83	13	15	17	0	123	44	19	13	27	42	39	49	127	1,049
	소계 객실수	53,564	10,307	2,289	9,520	1,050	1,504	2,540	0	11,910	5,765	1,616	1,134	2,117	5,054	3,896	3,460	15,615	131,341
수상관광호텔업	업체수	-	-	-	-	-	-	-		-	-	-	-	-	-	-	-	-	0
	객실수	-	-	-	-	-	-	-		-	-	-	-	-	-	-	-	-	0
전통호텔업	업체수	-	-	-	2	-	-	-				1		1	2			1	8
	객실수	-	-	-	74	-	-	-				16		20	21	16		26	173
가족호텔업	업체수	21	1	-	2	-	1	1		14	14	2	4	6	10	3	21	62	162
	객실수	3,192	37	-	69	-	80	35		836	968	102	211	2,172	682	150	1,292	3,972	13,798
호스텔업	업체수	96	72	3	70	1	-	-		16	10	2	6	8	227	24	28	165	728
	객실수	3,036	694	47	936	6	-	-		584	114	35	440	148	897	373	416	4,166	11,892
소형호텔업	업체수	10	3	-	2	-	-	-		8	1	-	1	2	1	2	2	4	36
	객실수	252	83	-	46	-	-	-		210	24	-	24	41	42	75	48	92	937
의료관광호텔업	업체수	-	-	-	-	-	-	-		-	-	-	-	-	-	-	-	-	0
	객실수	-	-	-	-	-	-	-		-	-	-	-	-	-	-	-	-	0
소계 (관광호텔업 외)	업체수	127	76	3	76	1	1	1	0	38	26	4	11	17	240	30	51	232	934
	객실수	6,480	814	47	1,125	6	80	35	0	1,630	1,122	137	675	2,381	1,642	614	1,756	8,256	26,800

구분		서울	부산	대구	인천	광주	대전	울산	세종	경기	강원	충북	충남	전북	전남	경북	경남	제주	소계
호텔업 합계	업체수	460	157	27	159	14	16	18	0	161	70	23	24	44	282	69	100	359	1,983
	객실수	60,044	11,121	2,336	10,645	1,056	1,584	2,575	0	13,540	6,887	1,753	1,809	4,498	6,696	4,510	5,216	23,871	158,141
휴양콘도업 합계	업체수	-	6	-	2	-	-	-	-	17	76	9	15	6	11	15	17	61	235
	객실수	-	1,678	-	351	-	-	-	-	3,221	20,576	2,007	2,763	743	1,487	3,161	2,846	9,105	47,938
총계	업체수	460	163	27	161	14	16	18	0	178	146	32	39	50	293	84	117	420	2,218
	객실수	60,044	12,799	2,336	10,996	1,056	1,584	2,575	0	16,761	27,463	3,760	4,572	5,241	8,183	7,671	8,062	32,976	206,079

자료: 문화관광부, 관광숙박업 등록현황(2019.12.31. 기준)

4. 행사 대행사

1) 컨벤션 기획사

컨벤션 기획사는 회의 기획가(Meeting planner), 기획가(planner), 조율자(coordinator) 등 다양한 이름으로 불린다. 컨벤션 기획사는 국제회의 유치 및 기획단계부터 개최 및 운영단계에 이르기까지 매우 다양하고 복잡한 과정을 고도의 전문성을 발휘하여 행사의 성공적인 개최를 위해 일하는 기관 및 전문 인력이다.

다른 산업도 마찬가지이지만 컨벤션산업은 특히 '사람'에 의해 행사의 수준과 방향이 많이 달라진다. 사람이 가진 창의적인 기획과 운영 능력은 행사 참가자의 경험과 만족의 수준을 달라지게 한다. 컨벤션 기획사는 행사 기획과 운영 능력, 협상 능력, 재무 관리, 마케팅과 홍보 능력, 외국어 능력 및 커뮤니케이션 능력 등 변화하는 환경에 신속하게 대처할 수 있는 능력이 요구된다.

컨벤션 기획사로 대표되는 'PCO(Professional Convention/Conference Organizer)', 'PEO(Professional Exhibition Organizer)', 'DMC(Destination Management Company)'[16]는 컨벤션 소비자와 공급자를 이어주는 중간 매개자로서 역할을 한다. 컨벤션 기획사는 소비자가 될 수도, 공급자가 될 수도 있는 위치에서 행사 개최에 필요한 다양한 결정권을 가지고 있다. 물론, 컨벤션 기획사는 주최자의 결정을 확인하고 업무를 추진해야 하는 절차를 따르지만, 기획과 운영에 대한 전체

---

16) IAPCO Terminology Research; professional conference organizer; PCO; meeting planner; Destination Management Company (US); DMC: Company or individual professionally engaged in organizing meetings (https://www.iapco.org/publications/online-dictionary/#n)

계획이 확정되면 세부적인 업무 추진에서는 자율성을 가지고 진행하기도 있다.

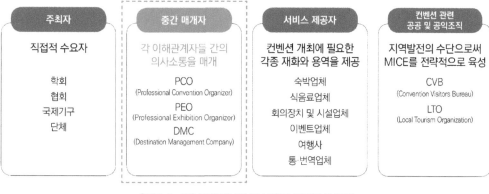

[그림 3-13] 컨벤션산업 구성에서 기획사의 역할

자료: 이현애 외 3인(2018), MICE 생태계 분석을 위한 PCO와 이해관계자 간의 하이퍼링크 관계망 분석

(1) 컨벤션 기획사 업무

행사를 기획하고 운영하는 기획사(PCO, PEO, DMC)는 행사 기획과 운영을 전문으로 하는 사업체를 의미할 뿐만 아니라, 전시 기획과 운영을 담당하는 전문가를 의미한다. 컨벤션 기획사는 행사의 유치와 기획, 예산 수립, 참가 홍보에서부터 회의 장소 선정, 마케팅, 참가자 등록 및 숙박 업무, 전시회 기획, 서비스 제공 업체 관리 및 운영, 사후 평가 및 보고에 이르기까지 전체적인 컨벤션 업무를 기획, 관리하고 운영하는 전문가이다. 따라서 행사의 기본계획 수립에서부터 광고, 홍보, 전문가 초청, 관련 기관 관리, 재무관리, 협력 업체 관리, 전시장 조성 등 종합적인 직무를 수행할 수 있는 다양한 역량을 필요로 한다(Gopalakrishna and Lilien. 1995; Lee and Lee. 2017; 정숙화, 2020). 즉, 성공적인 컨벤션을 기획하고 운영하기 위해서 다양한 분야를 이해할 수 있는 능력을 갖추고 참가 업체와 참관객을 만족시킬 수 있는 유용한 마케팅 전략을 기획하고 실행할 수 있어야 한다(김기홍 외 2인. 2004; 정미혜. 2011; 정봉희·김홍범. 2018). 이러한 컨벤션 기획사는 정보와 지식을 습득하고, 저장하며, 새로운 지식을 창출하고 공유하는 과정을 반복한다. 이를 통해 정보와 지식을 확산하는 플랫폼으로 컨벤션을 기획하고 운영한다. 이러한 과정은 전시컨벤션 기획사가 효과적인 정보와

지식 창출이 가능한 전시컨벤션 환경을 조성하는 역할을 하고 있음을 보여준다 (정숙화, 2019; 2020).

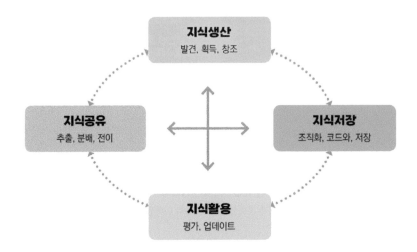

[그림 3-14] 컨벤션기획사의 지식경영 프로세스

　모든 지식의 시작은 개개인이 가지고 있는 다양한 정보와 지식으로부터 시작된다. 이러한 개인의 고유한 지식과 경험을 암묵지(tacit knowledge)라고 하는데, 이러한 암묵지는 말이나 글로는 충분히 설명할 수 없는 지식이다. 사람들은 교류하면서 보고, 듣고, 체험하면서 이러한 지식을 알게 되며, 이는 직접적인 교류, 관찰, 체험과 경험을 통해서만 얻을 수 있다. 사람들은 컨벤션을 통해 관련 분야의 최신 기술, 정보, 트렌드를 파악하고 비즈니스를 창출한다. 뿐만 아니라 관련 분야 전문가, 관계자와의 면담을 통해 궁금증을 해소하고 관계를 증진하는 기회의 장으로서 컨벤션은 중요한 역할을 한다. 따라서 지식 플랫폼으로서 컨벤션을 조성하는 것은 기획자의 창의적인 능력과 기획력에 근거한다.

　행사 기획을 위한 자료 조사, 분석, 주제와 컨셉 도출 과정을 통해 효과적인 지식을 생산하고, 생산된 지식을 기반으로 행사를 체계적으로 기획하여 세부 계획서 등을 작성한다. 수집된 지식은 팀원들과 공유하며, 행사를 운영할 때 체계화된 내용을 기반으로, 행사를 운영하고 행사 후 피드백 정리하여, 차기 행사 기획 등의 과정을 통해 지속적으로 행사를 발전시켜나간다.

　이와 같은 일련의 지식 경영 활동을 통해 기획사는 컨벤션 행사의 주최자, 참석자 및 기타 이해관계자의 니즈(needs)를 충족할 수 있는 환경을 조성하여 관련 분야의 최신의 정보와 지식이 모이고 확산하는 지식 플랫폼의 장을 만드는 역할을 한다(정숙화, 2020). 이러한 컨벤션 기획사의 업무를 행사 단계별로 나누어 살펴보면 다음과 같다.

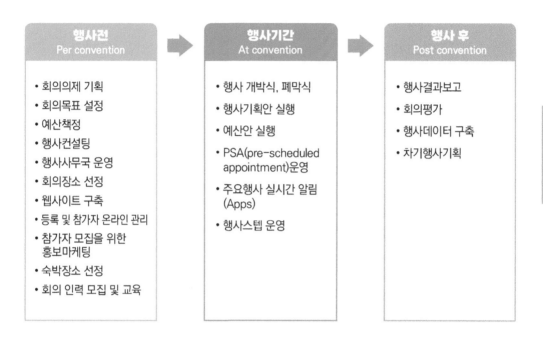

[그림 3-15] 행사 준비 단계별 컨벤션 기획사 업무

○ 국제회의 유치

국제회의를 유치하고자 하는 단체나 조직과 함께 국제회의 유치 성공을 위한 전략을 수립하고 실행한다. 입찰서류(bidding paper) 작성, 홍보 브로슈어 제작, 홍보 부스 기획, 통.번역사 및 현지 홍보 전문 인력 파견 등 국제회의를 유치하는데 필요한 일체의 활동을 치밀하게 계획하여 전개한다.

○ 국제회의 컨설팅

국제회의를 유치하고 진행하는 데 필요한 제반 사항, 즉 계획의 수립, 프로그램 구성, 행사의 홍보, 회의 참가자 증대 방안, 예산 계획, 준비 사무국 운영, 회의 진행 등을 종합적으로 컨설팅한다.

○ 회의 준비를 위한 사무국 운영

국제회의를 계획하고 준비하기 위하여 주최자와 협의하여 사무 공간을 준비하고 인원을 조직하여 회의 개최를 위한 업무를 준비하는 사무국(secretariat office)을 운영 한다.

○ 예산 기획

국제회의 개최에 드는 비용을 정확히 예측하여 재원 조달 방법, 수입과 지출, 후원 및 협찬 유치 계획을 수립하여 효율적인 예산 운영을 도모한다. 국제회의의 수입 예산은 등록비, 전시 부스 판매비, 후원금, 광고료, 자체 기금 및 이자, 본부 지원금 등으로 편성된다. 지출 항목으로는 초청 경비, 행사장 임차비, 인건비, 전시비, 홍보비, 통신비, 용역비, 수송/관광비, 사교 행사비, 도서 인쇄비, 주문 제작비, 제회의비 등이 포함된다.

○ 행사 장소 섭외

장소 선정은 행사 목표 및 주제를 실현할 수 있는 곳을 선정하도록 하며 컨벤션센터, 호텔, 전시장의 시설, 규모, 특성, 위치에 대한 데이터베이스를 활용하여 좋은 조건으로 개최 시설을 이용할 수 있도록 섭외하고 협상하여 계약을 진행한다. 이때 교통 접근성, 주차 시설, 숙박 시설, 행사장 규모 및 시설 현황, 주변 환경 등을 고려해 선정해야 한다. 또한, 개최지의 전통과 문화를 체험할 수 있는 독특하고 특색있는 유니크 메뉴 등도 고려한다.

○ 예상 참가자 데이터베이스 작성

더 많은 사람이 행사에 참가할 수 있도록 잠재적인 참가자에 대한 정보를 검색하고 수집하여 데이터베이스로 만들고, 온·오프라인 등을 통해 효과적으로 행사에 대한 홍보를 진행하여 더 많은 사람이 참가할 수 있도록 한다.

○ 등록, 논문 접수 및 참가자 관리 프로그램 구축

온라인이 활성화되지 않았을 때는 우편이나 팩스를 이용하여 등록서를 발송하고 접수하였지만, 온라인 기술이 발전하면서 행사 웹사이트를 통해 등록과 참가비 접수가 가능해졌다. 등록 및 참가비 접수에 대한 확인증도 자동으로 발송하는 시스템이 이미 널리 사용되고 있다. 뿐만 아니라, 논문 접수도 온라인 시스템을 통해서 가능하며, 접수와 동시에 모든 정보가 데이터로 전환되어 예전과 비교했을 때 컨벤션기획사의 업무 프로세스가 신속해지고 편리해졌다.

○ 참가자 숙박 업무

컨벤션에 참가한 국내외 참가자의 합리적인 숙박 요금을 위해 컨벤션 기획사는 호텔과 가격 협상을 진행하고, 컨벤션 특별 가격으로 참가자의 편리성을 도모한다. 호텔과의 가격 협상뿐만 아니라 객실 확보, 객실 블럭 해제(room block release) 등의 업무를 위한 협상과 계약을 진행하며, 참가자를 위해 숙박 신청 및 접수, 확인서 발송, 숙소 배정 등의 업무를 수행한다. 종종 업무의 효율성을 위해 호텔이 직접 객실 예약 및 확인증 발송 등의 업무를 담당하기도 한다.

○ 출판물 기획, 디자인 및 인쇄 작업

행사 홍보와 마케팅을 위하여 초청장, 행사 안내서 등 다양한 종류의 홍보물과 출판물이 요구된다. 컨벤션 기획사는 회의 특성과 컨셉에 맞게 행사의 로고와 엠블럼 등의 디자인을 개발하고, 입찰서류, 포스터, 초청장, 논문 게재 신청서, 홍보 브로슈어, 논문 초록집, 프로그램 논문집, 최종 행사 보고서, 명찰 등의 제작에서 행사 컨셉이 잘 드러날 수 있도록 디자인을 기획과 실행을 한다.

○ 홍보 및 마케팅

행사 준비 단계별로 홍보 마케팅 전략을 수립하여 방송, 신문, SNS 등 다양한 매체를 활용하여 최소 비용으로 최대의 홍보 효과를 이끌어 내도록 한다.

○ 온라인 플랫폼 구축

ICT 기술이 발전하면서 컨벤션 행사를 기획하고 운영하는 데 온라인 플랫폼의 구축이 중요한 업무로 인식된다. 행사 준비단계에서 행사 웹사이트를 구축하여 행사 홍보, 참가자 모집, 등록 및 참가비 접수뿐만 아니라 행사 중에도 실시간 참가자 간 네트워크가 가능하도록 앱이나 디지털 플랫폼 등을 구현하여 참가자의 참가 목적이 달성될 수 있도록 환경을 조성한다. 컨벤션 기획사는 행사 이후에도 관련 웹사이트를 계속 운영하여 행사 결과보고서 공유, 참가자 만족도 조사, 차기 행사 홍보를 통한 사전 등록 유도 등 업무를 진행하며, 행사 후 참가자와의 휴먼 네트워크를 유지하는 소통의 플래폼으로 온라인 플랫폼을 활용한다.

○ 행사 기획 및 진행

컨벤션 행사는 특정 분야의 사람들이 최신의 정보와 지식을 교류하고 네트워크를 확장하기 위한 목적으로 참석한다. 면대면(face-to-face) 소통을 통해 이루어지는 컨벤션 행사의 특징으로, 사람들 간의 교류를 활성화하는 다양한 프로그램이 함께 진행된다. 예를 들어 리셉션, 연회, 만찬, 공연, 전시 등 다양한 프로그램이 포함되어 복합적인 이벤트 행사로 인식되기도 한다. 따라서 컨벤션 기획사는 행사의 주제와 컨셉에 맞는 행사 구성과 더불어 참가자들이 흥미롭고 유쾌할 수 있는 창의적인 프로그램을 기획하여 행사에 대한 만족감을 고취하는 역할을 한다.

○ 관광 프로그램 기획 및 진행

관광 프로그램은 행사에 대한 관심을 불러일으키는 중요한 요소로, 잠재적인 참가자의 행사 참가 결정에 영향을 주기도 한다. 따라서 행사 개최지에 대한 소개 및 정보 공유는 행사 유치 과정에서 중요한 활동 중 하나이다. 따라서 컨벤션 기획사는 지역의 특색을 보여줄 수 있는 관광지와 유니크 베뉴를 발굴하여 사람들의 관심을 고취할 수 있는 프로그램으로 기획한다. 특히, 행사의 성격에 따라 행사 주제와 관련 있는 관광지를 선정하거나(technical tour), 동반자 참가를 유도하는 동반자 관광 프로그램 등 참가자의 관심사를 반영하여 다각적인 관광 프로그램을 개발한다. 컨벤션 기획사는 관광 프로그램 개발 시, 국제회의 전문 여행사와 전략적인 제휴를 통해 관광 프로그램을 개발하기도 한다.

○ 행사장 조성

컨벤션 기획사는 행사 운영에 있어서 최상의 서비스를 제공하기 위하여 전문 전시컨벤션 시스템을 구비한 공급업체를 선정하고, 유기적인 협력 관계를 구축하여 행사 주최자의 다양한 욕구를 실현할 수 있도록 행사 현장을 구현한다. 최첨단 시청각 시스템, 동시 통역 시스템, 편안한 책상과 의자, 전시 부스 장치 등 컨벤션 운영을 위한 다양한 시스템을 준비하고 구현한다.

○ 전문 인력 선발 및 교육

행사를 운영하기 위해서는 주최자와 기획사뿐만 아니라 다양한 분야의 전문 인력이 필요하다. 예를 들어 동시 통역사, 번역사, 전문 사회자, 행사 도우미, 행사 운영 요원 등이다. 특히, 행사 운영 요원은 행사 기간 동안 참가자에게 행사 일정 및 프로그램 등에 대한 설명을 원활하게 해야 하고, 행사에 대한 정보를 알지 못하는 경우, 행사 사무국이나 컨벤션 기획사에게 참가자를 대신해서 문의하고, 현장에서 문제를 해결해야 하는 역할을 맡는다. 이는 행사 개최 전에 행사와 관련된 교육 과정이 필수적이며, 이러한 교육 과정의 충실도에 따라 행사 운영의 매끄러움이 달라지기 때문에 행사 운영 요원의 선발과 교육과정은 컨벤션 기획사의 중요한 역할 중 하나이다.

○ 행사 시설물 제작

행사 개최 일정이 다가오면, 대내외적인 홍보 방법으로 행사 시설물을 제작하고 게시한다. 이는 행사 개최에 대한 홍보를 통해 행사에 관한 관심을 유도하기 위한 것으로, 홍보탑, 현판, 배너 등의 옥외 홍보물을 게시하기도 한다. 또한, 행사 개최에 필요한 행사 무대, 대형 현수막, 천장 배너 등이 제작된다. 이러한 행사 시설물은 컨벤션 기획사의 행사 컨셉과 디자인을 반영하여 제작된다.

○ 전시 기획

전시는 컨벤션이 개최될 때 부수적으로 진행되는 경우와 전시를 중심으로 회의가 수반되는 경우가 있다. 어떤 경우이든 전시를 성공적으로 진행하기 위해서 정확한 시장 상황을 분석하고 정밀한 수요 조사가 필요하다. 또한, 개최지의 적합성, 개최 시기, 효율적인 예산 기획 및 집행 등 전략적인 기획과 운영이 필수적이다. 더불어 회의와 병행되어 행사 개최 목적을 달성할 수 있는 최대의 시너지를 창출하기 위한 노력이 필요하다. 따라서 컨벤션 기획사는 전시 기획과 운영을 통해 행사 개최의 목적과 참가자의 참가 목적이 효과적으로 달성될 수 있도록 기획하고 운영한다.

○ 이벤트 기획 및 역할의 확대

컨벤션 기획사는 전시 및 컨벤션만 기획하고 운영하는 것이 아니라, 기업 문화 행사, 기업 투자 유치 설명회, 홍보 마케팅 행사, 로드쇼 등 다양한 영역에서 행사를 기획하고 운영한다. 예를 들어 컨벤션 기획사는 협회 사업 대행업체(AMC: Association Management Company), 전시 기획사(PEO: Professional Exhibition Organizer), 각종 행사에 대한 교육과 컨설팅 및 지역 내 행사에 필요한 서비스를 제공하는 DMC(Destination Management Company) 등으로 그 역할이 확장하면서 전문성을 높이고 있다.

(2) 컨벤션 기획사의 역할에 따른 구분

컨벤션 기획사는 주최자와의 비즈니스 관계와 역할에 따라 주최자를 대신할 만큼 책임과 권한을 가진 핵심 기획사(Core PCO)와 국제 행사 개최를 위하여 개최지에서 준비해야 하는 업무를 담당하면서 Core PCO를 보조하는 개최지 기획사(Local PCO) 인 DMC(Destination Management Company) 로 구분할 수 있다.

○ Core PCO

Core PCO는 영어 뜻 그대로 컨벤션을 기획하고 운영하는 핵심적인 역할을 하는 컨벤션 기획사를 말한다. Core PCO는 협회, 기업, 정부 등 컨벤션 주최자와 신뢰를 바탕으로 장기적으로 주최 기관의 행사를 대행한다. 국제 행사가 개최될 때에도 개최지와 상관없이 주최자를 대신하여 행사를 기획하고 운영하는 행사 실무의 총괄 역할을 한다. Core PCO는 행사 주최자와 사업 파트너로서 장기적인 관계를 유지하면서 주최자의 의사 결정에 전문가로서 많은 영향을 주며, 주최자의 권한을 위임받아 결정권을 가지고 행사를 준비할 수도 있다. 최근에는 협회, 기업, 정부 등 행사 주최 기관과 장기적인 비즈니스 관계를 유지하면서 안정적인 비즈니스 모델을 추구하는 컨벤션 기획사가 많아지고 있다. 컨벤션 기획사의 웹사이트를 살펴보면, 예전에는 국제회의, 전시, 컨벤션 기획에 중점을 두었으나, 컨벤션 기획 및 준비에 대한 컨설팅, AMC 등의 역할을 부각하여 장기적이고 안정적인 비즈니스 모델을 추구하고 있다.

○ DMC(Destination Management Company)

PCO를 Core PCO와 Local PCO로 구분할 때, Local PCO는 행사 개최지에 기반을 두고 목적지에서 행사가 성공적으로 진행되기 위한 컨벤션 서비스를 제공하는 역할을 하며, DMC로 불리기도 한다. DMC는 행사 개최지에서 주최자 또는 Core PCO가 요구하는 다양한 컨벤션 서비스를 제공하는 지역 대행사로, 보통 Core PCO와 협력하여 지역에 대한 광범위한 지식과 네트워크 자산을 기반으로 다양한 서비스를 제공한다.

- 프로그램 디자인(Program Design): 행사 개최지 선정, 예약, 행사 기획, 행사장 기획 등 개최지에 대한 정보와 지식을 기반으로 행사 기획을 지원한다.

- 물류관리(Logistics Management): 행사 일정 계획, 수송예약, 참가자 입출국 관리 등으로 행사가 계획한 대로 운영될 수 있도록 관리 및 지원한다.

- 공급자 관리(Supplier Management): 행사 운영을 위한 물품 조달 업체를 선정하고 가격협상 등을 통해 DMC의 강점을 적극 활용할 수 있다.

- 회계(Accounting): 개최지역의 세금과 관세정책을 기반으로 행사 진행을 위한 물품구매 및 지불에 대한 송장 감사 등 상세한 회계서비스 제공하여 행사 진행을 원활하게 지원한다.

아래 그림은 국제 목적지 관리 협회(ADMEI: Association of Destination Management Executives International)가 설명하는 DMC의 역할이다.

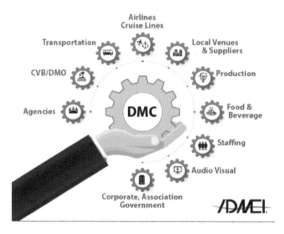

[그림 3-16] DMC 역할

자료: ADMEI (www.admei.org)

〈표 3-16〉 Local PCO와 Core PCO 비교

	Local PCO/DMC	Core PCO
결정 권한	주최자 결정에 의존적	주최자 결정에 영향을 미침
협력 관계	일회성	장기적
사업 기간	공급자로서 단기적	사업 파트너로서 장기적
목표 수립	협회 목표 추진	장기적 관점에서 협회 목표와의 조정
통제 권한	통제 권한 부재 불안정한 사업환경	제한적 통제 권한 사업환경의 제한적 안정

자료: 손정미(2015), 컨벤션 경영전략과 기획

5. 기타 컨벤션서비스 업체(GSC: General Service Contractor)

컨벤션 서비스를 제공하는 기타 관련 산업을 살펴보면, 여행사, 통번역 업체, 장비임대 및 장치업, 인쇄 디자인업, 꽃 장식 전문 업체, 사진 및 영상 기록물 제작 등 다양한 서비스 공급 업체가 컨벤션산업과 연관되어 있다.

1) 여행사

컨벤션 행사를 기획하고 운영할 때, 참가자가 목적지에 편리하게 올 수 있도록 항공 예약, 행사장 이동 수단 준비, VIP 영접, 영송, 숙박 시설 예약 등의 일련의 활동을 기획사 (PCO)를 대신하여 여행사에 일임할 수 있다. 여행사는 행사 전후 관광 프로그램, 행사의 공식 관광 프로그램, 동반자 관광 프로그램 등을 기획하고 운영하며, 행사 전 팸투어 (FAM Tour)[17] 등도 진행한다.

---

17) 팸투어(FAM Tour): "Familiarization Tour"의 약자로 여행업자, 미디어, 이벤트 기획자 등 특정 산업의 전문가나 관계자들을 대상으로 한 목적지나 시설을 직접 경험하는 여행으로 현지의 매력을 홍보하여 향후 개최될 행사의 목적지로서 홍보하기 위한 활동

2) 통번역 업체

국제 행사를 진행하기 위해서는 언어 장벽을 낮추기 위한 통역과 번역 작업이 필요하다. 통역과 번역을 전문으로 하는 업체는 행사를 위해 국제회의 통역사와 번역가를 섭외하고 행사 일정에 맞게 전문가를 수급하는 역할을 한다.

우리나라의 통번역 대학원 현황을 살펴보면, 수도권에 한국외국어대학교 통번역대학원, 이화여자대학교 통번역대학원, 고려대학교-맥쿼리대학교 통번역대학원, 서울외국어대학원대학교, 국제영어대학원대학교, 중앙대학교 국제대학원이 있다. 비수도권지역에는 부산외국어대학교 통번역대학원, 한동대학교 통번역대학원, 제주대학교 통번역대학원, 평택대학교 통번역대학원, 계명대학교 통번역학과가 있다.

해외에는 호주 시드니에 있는 맥쿼리대학교 통번역대학원, 미국 캘리포니아주에 있는 미들베리 국제대학원, 프랑스 파리에 있는 ESIT 통번역대학원, 일본 도쿄에 있는 동경외국어대학교 통번역 코스가 있다.[18]

3) 장비 임대 및 장치업

컨벤션 행사를 개최하기 위해서 음향 영상 설비(Audio-Visual facilities), 빔프로젝터, 동시 통역기, 동시 통역 부스, 유·무선마이크 등 다양한 장비가 필요하다. 대부분의 전시컨벤션센터는 음향 설비, 프로젝터, 동시 통역 부스 및 통역기, 유·무선마이크 등의 장비를 갖추고 있지만, 대규모 참가자가 참석하는 국제 행사에서는 전시컨벤션센터의 장비를 사용하기보다는 외부 장비 임대 및 장치 업체의 용품을 사용하는 경우가 많다. 그 이유는 최신의 장비를 사용할 수 있고, 장비 사용 및 현장 관리를 책임지고 운영하여 행사 운영에 효율적이다. 또한, 전시 행사 진행을 위한 부스 제작 및 설치, 부스에 장식할 다양한 용품 임대, 전기, 조명, 기타 설비 임대, 설치 및 철거 등 일련의 과정을 담당한다.

4) 인쇄 디자인 업체

행사의 컨셉을 디자인으로 승화시키고, 핵심 디자인이 완성되면 컨벤션 행사와 관련된 모든 홍보 및 광고 제작물에 이 디자인을 응용한 다양한 디자인이 입혀지고 제작된다.

---

18) 나무위키, 통번역대학원 참고

이러한 일련의 활동을 수행하는 업체가 인쇄 디자인 업체이다. 보통 디자인 업체가 정해지면, 행사 관련 홍보 제작물을 관리하고 실행하는 역할을 하며, 오프라인 제작물뿐만 아니라 온라인 디자인도 병행할 수 있다.

5) 꽃 장식 전문 업체

행사장을 아름답게 장식할 때 꽃을 사용하는 경우가 많다. 컨벤션 행사에서 꽃 장식이 필요한 경우는 대부분 VIP를 위한 코르사주(Corsage) 또는 테이블 장식 등이며, 이럴 때, 꽃 장식 전문 업체가 필요하다. 꽃 장식 전문가를 플로리스트 (Florist)라고 부르며, 우리나라에서는 아직 활성화되지 않은 분야지만, 파티 문화가 발달한 서양 국가에서 유망 업종으로 인식된다. 최근에는 웨딩홀, 백화점, 호텔 등에서도 격식 있는 행사 때 꽃 장식을 선호하고 있다.

6) 사진 및 영상 기록물 제작 업체

개막식, 총회, 만찬, 관광, 회의 등 컨벤션 행사가 진행되는 동안 행사의 기록을 위해 사진이나 영상 촬영이 일반적으로 포함된다. 이를 위해 전문 제작 업체를 섭외하는 것이 일반적이다. 사진과 영상물의 품질을 향상시키기 위해 전문가가 투입되며, 주최자와 협의를 통해 행사의 중요한 순간을 담아내기 위한 창의적인 방법을 모색한다.

사진과 영상물 제작 업체는 단순한 기록뿐만 아니라 행사의 핵심을 강조하고, 행사의 중요한 일정과 결과를 간결하게 편집하여 폐막식에서 참가자에게 공개하기도 한다. 이는 참가자들이 행사 경험을 회상하고 만족도를 높이는 데 도움이 된다.

우리나라 컨벤션산업 발전 사례 _ 컨벤션뷰로 (서울컨벤션뷰로 보도자료)
서울, MICE계 오스카상 'ICCA BMA' 수상 (2020.11.16)

K-방역을 선도하는 글로벌 MICE 도시 서울이 국제컨벤션협회(ICCA)로부터 MICE계의 오스카상에 비견되는 'ICCA BMA'를 수상했다. BMA는 Best Marketing Award의 약자로, ICCA가 선정한 '마케팅 부문 최우수상'이다. 아시아권에선 지난 2012년 대만(MEET Taiwan)에 이은 8년 만의 수상이다. 서울시 관계자는 "코로나19로 전 세계 MICE 산업이 큰 어려움을 겪고 있는 가운데, 위기극복을 위한 서울 MICE의 정책적 노력과 실험적 시도가 빛을 발한 것"이라고 평가했다.

「 ICCA "서울은 코로나19 극복하고 변화·혁신 추구한 기관" 」

서울관광재단(대표 이재성)은 지난 3일 대만 가오슝에서 온·오프라인으로 병행 개최된 '2020 국제컨벤션협회 총회(ICCA Congress 2020)'에서 'ICCA BMA'를 수상했다고 밝혔다. 'ICCA BMA'는 국제컨벤션협회에서 매년 주목할 만한 도시 마케팅을 하는 기관을 선정하는 권위있는 상으로, 국제회의 분야의 오스카상이라고 불린다.

변동현 서울관광재단 관광·MICE 본부장은 "서울은 지난해부터 '2020년 ICCA BEST Marketing Award' 출품을 목표로 다양한 마케팅을 추진해왔다"며 "비록 코로나19 팬데믹이라는 변수가 있었지만, 되려 이를 계기로 업계와 함께 상생하는 서울 MICE산업의 지속가능성을 확인할 수 있었다"고 말했다.

국제컨벤션협회는 코로나19 팬데믹이라는 특수한 상황을 반영해, 올해 시상 기준을 '위기를 극복하고 새로운 변화와 '2020년 새로운 변화를 추구하는 리더십 TOP 5'에는 서울관광재단을 포함해 △벨기에 플랜더스뷰로 △쿠알라룸푸르 컨벤션센터 △인도 호텔주식회사 △한국킨텍스(KINTEX)가 선정됐다.

특히 이번에 서울이 ICCA BMA를 받은 건 아시아권에서 '8년 만의 수상'이라는 점에서 더 큰 의미를 지닌다. 지난 2012년 대만의 MICE 산업 진흥기관인 'MEET Taiwan'이 수상한 이후 아시아권에서 BMA는 나오지 않았다. 최근 3년간 추세만 보더라도 벨기에(2017), 스코틀랜드(2018), 에스토니아(2019) 등 주로 유럽의 컨벤션 기관에게 돌아갔던 상이다. 그만큼 서울이 코로나19를 겪으면서 위기상황에 적극적으로 대처하고 과감한 변화를 시도해 온 것을 인정받은 셈이다.

실제로 서울시와 서울관광재단은 지난해부터 'PLan with US PLay with US, PLUS SEOUL'이라는 슬로건을 내걸고, 비즈니스와 여가 활동을 즐기기 좋은 '블레져(Bleisure)도시'로 서울을 전 세계에 알려왔다. 올해 예상치 못한 코로나19의 여파로 MICE 산업이 침체 국면으로 들어갔지만, 서울은 이미 코로나19 이후의 상황을 선제적으로 대비하기 위한 다양한 노력을 펼쳤다. 대표적으로 '서울 MICE업계 위기극복 프로젝트' '행사장 방역 지원 및 안심보험', '360 3D로 구현된 가상 서울(Virtual Seoul) 플랫폼' 등 이다.

특히 코로나19 발생 초기부터 MICE 업계들과 협력을 통해 서울MICE의 지속가능성을 높이려 했다. 서울은 MICE업계와 함께 #Stand_Strong_Together 캠페인을 전개해 코로나19를 함께 극복할 수 있다는 희망의 메시지를 전하는 한편, '서울 MICE업계 위기극복프로젝트'를 통해 재정·교육 활동을 지원하는 등 업계를 살리기 위해 노력했다. 서울을 3D공간에 옮겨놓은 '가상 서울(Virtual Seoul)' 플랫폼을 개발해 국제회의를 개최한 건 뉴노멀 시대를 선도한 대표적 사례다. 이밖에도 서울 MICE안심케어 (보험·컨시어지 서비스), 열화상 카메라 대여와 행사장 방역 지원, 방역 매뉴얼 배포 등 안전하게 행사가 개최될 수 있도록 업계를 지원했다. 주용태 서울시 관광체육 국장은 "서울시와 서울관광재단이 코로나19 발생 초기부터 관련 업계, 협회들과 협력을 통해 세 차례의 대응계획을 수립·진행했다"며 "업계 회복에 총력을 기울이고 있는 시점에 좋은 소식을 듣게 돼 기쁘다"고 말했다.

이어 "향후 코로나19 상황에 긴밀히 대응하는 한편, 코로나 이후 새롭게 재편되는 MICE 시장을 선도하기 위한 장기적인 전략을 수립해 MICE 대표도시로서 입지를 더욱 확고히 하겠다"고 덧붙였다.

제4장

전시산업의 이해

제4장
전시산업의 이해

 제1절 **전시의 개념 정의 및 분류**

1. 전시의 개념

전시는 전시자(Exhibitor)가 어떠한 목적이나 의도를 관람객(visitor)에게 쉽고 재미있게 공감시키는 방법으로 전달하는 행위이다. 전시자는 이러한 목적을 달성하기 위해 관람객에게 오감(五感)을 사용하여 배울 수 있는 편안하고 쾌적한 환경을 제공하며, 관람객이 흥미를 느낄 수 있는 다양한 방법으로 전시 목적을 주지시킨다.

일반적으로 전시컨벤션 산업에서 전시는 사람들이 모여 새로운 제품과 서비스를 경험하고 배우면서 비즈니스와 네트워크를 확대하는 기회가 된다. 전시는 전시장이라고 불리는 일정한 장소에서 특정 산업이나 분야의 제품과 서비스를 회의 및 전시 참가자와 일반 관람객에게 보여준다. 이 과정에서 구매자와 판매자 간의 면대면 소통을 기반으로 한 직접적인 상호작용이 이루어지며, 다양한 정보와 지식이 공유된다. 전시장에서 보고, 듣고, 만지고 맛보는 등 다양한 감각 경험을 통해 직접 만나지 않고는 알 수 없는 수많은 정보와 지식을 습득할 수 있으며, 이러한 다양한 경험은 관련 분야의 트렌드 변화를 파악하고 향후 비즈니스 방향을 예측하는 데 영향을 준다.

전시를 지칭하는 용어로는 전시(Exhibition), 무역 박람회(Trade show / Trade fair), 일반 박람회(Public show/ Public fair), 엑스포(Exposition) 등이 있으며, 용어 간 명확한 구분 없이 사용되기도 한다. 용어에 대한 정의를 살펴보더라도 명확하게 차이점을 설명한 자료가 많지 않다. 따라서 용어가 담고 있는 차이점을 알아보고, 용어 사용의 배경을 알아보는 것은 전시산업을 이해하는 통찰력을 줄 수 있다. 전시와 관련된 각 용어의 정의를 살펴보면 다음과 같다.

1) 전시 용어[19]

○ Exhibition

(사) 한국컨벤션이벤트산업협회에서 발간한 컨벤션 표준 용어 사전(2008)에 따르면, 전시(Exhibition)는 미래의 판매 수익을 증가시키기 위한 상업적 성격의 전시를 말한다. 즉, 전문 비즈니스를 목적으로 하는 사업 중심(B2B: Business to business)행사로 분류된다. 무역 전문가와 판매자가 모여 새로운 제품과 서비스에 대한 정보를 공유하고 새로운 비즈니스의 판로를 확보하는 것이 목적이다. 최신의 상품과 서비스가 선보이는 이벤트 유형으로, 아직 공식적으로 출시되지 않은 제품과 서비스를 산업 관계자 및 관련 분야의 사람들에게 먼저 선보이고, 그들의 반응을 통해 출시 전에 제품과 서비스에 관한 관심과 흥미를 측정한다. 이러한 유형의 전시에서 직접적인 판매는 이루어지지 않으며, 대부분 전시 참가자는 회사의 브랜드를 제고하고 향후 새로운 비즈니스를 창출하기 위한 기회의 장으로 인식한다.

○ Trade show(B2B)

Trade show는 의료 분야, 과학, 엔지니어링 등 전문화, 세분화된 특정 분야의 산업 관계자만이 참석할 수 있는 사업 중심(B2B) 행사이며, Exhibition보다 엄격하게 참가자의 자격을 요구한다. 상품과 서비스를 전시에서 판매하기 위한 목적이 아니라 참가자들이 새롭게 시장에 나올 상품과 서비스에 대한 반응이나 평가를 확인하기 위함이며, 네트워크를 형성하고 업계의 주요 업체들과 파트너십을 맺는데 집중하는 전시라고 할 수 있다. Trade show를 통해 관련 분야의 기술과 사업이 시너지를 낼 수 있는 기회가 되며, 국내외 관련 분야의 트렌드를 파악할 수 있는 장이다. 미디어를 통한 한정된 정보 공개만 가능하다. Trade show와 유사 용어로 Trade fair를 사용하는 경우가 자주

---

19) UCON Exhibitions, Design & Build 참고,
   https://ucon.com.au/blog/difference-between-trade-show-and-exhibition-and-expo-and-trade-fair/

있으나 UCON Exhibition의 전시 관련 용어집에서는 Trade fair를 Trade show와 대비되는 일반 전시(Consumer show)로 설명하고 있다. 전시컨벤션 관련 용어를 소개하는 다양한 연관 협회의 자료를 살펴보아도 Trade show와 Trade fair는 호환해서 사용이 가능하다는 정의와 이 정의와 다르게 일반 전시에 더 가깝게 정의하는 등 다양한 개념이 여전히 혼재하고 있었다. 따라서 이 책에서는 다수 전시컨벤션 관련 용어집에서 정의하고 있는 내용을 중심으로 설명하고자 한다.

Trade show와 Trade fair의 차이를 살펴보면, Trade show는 특정 산업 분야나 제품 카테고리에 한정하여 개최되며, 해당 분야의 관련 비즈니스 전문가 및 종사자만 참석할 수 있다. 반면에 Trade fair는 다양한 산업 분야에서 상품, 서비스, 기술 관련 전시와 비즈니스 네트워킹을 위한 행사로 판매, 구매 등이 함께 이루어지며, 국제적 규모의 행사로 개최되는 경우가 많다. 참석자 경우, 다양한 산업 분야를 아우르며, 일반인도 참석이 가능하다.

〈표 4-1〉 Trade show와 Trade fair 차이

Trade show	Trade fair
• 특정 산업 분야나 제품 카테고리에 한정 • Trade fair와 비교해서 중소규모임 • 해당 분야의 관련 비즈니스 종사자 및 전문가 참석으로 참가 제한이 엄격한 편임	• 다양한 산업 분야에서 상품, 서비스, 기술 관련 전시와 비즈니스 네트워킹을 위한 행사 • 국제적 규모의 행사로 개최되는 경우가 많음 • 다양한 산업 분야를 아우르는 참석자 및 일반인도 참가 가능 • 판매, 구매 활동 가능

○ Consumer Show(B2C)

Consumer show는 주로 소비자를 대상으로 개최되는 전시이며, 행사에 누구나 참석할 수 있다. 많은 신생 기업이 업계에 발을 들여놓는 기회가 되며, 전에 보지 못한 유사한 유형의 제품이 많이 선보인다. 전시 현장에서 제품의 판매와 구매가 가능하며, 상품과 서비스에 대한 일반 대중의 반응을 통해 사업의 방향을 모색할 수 있는 플랫폼으로 작용한다. 가능한 많은 방문객을 확보하기 위한 행사 홍보를 위해 미디어 활용도가 높다. Public Fair(show)라고도 하며, 보석 전시회, 가구박람회, 결혼박람회 등이 예가 된다.

○ Exposition(Expo)

엑스포는 일반 전시를 지칭하는 경우와 세계엑스포 기구에서 공인하는 엑스포로 구분할 수 있다. 일반적인 엑스포는 무역을 위한 장소이자 직접 소비자를 만날 수 있는 공간이다. 즉, B2B/B2C의 플랫폼이다. 엑스포는 사람들의 관심을 최대한 끌기 위한 장소로 아무런 제한 없이 관심 있는 사람들이 모두 참석할 수 있다. 따라서 보통 박람회는 최대한 많은 사람을 끌어들이는 플랫폼이 된다. 이를 위해 미디어를 통한 홍보가 적극적으로 이루어진다.

또 다른 차원으로 엑스포라는 용어는 정부 간 국제기구인 세계엑스포 기구(BIE: Bureau International des Expositions)에 의해 공인된 행사에 사용되며, BIE 승인 엑스포는 일반 시민의 교육, 국가 및 기업의 혁신과 협력을 촉진하기 위한 글로벌 대화의 장이다. BIE가 공인하는 엑스포는 등록 엑스포(Registration Exposition), 인정 엑스포(Recognised Exposition), 트리에날레(Triennale de Milano), 원예박람회(Horticultural Expo)가 있다. 이 중 가장 규모가 크고 대표적인 행사는 등록 엑스포이다. 등록 엑스포는 월드 엑스포 또는 세계박람회라고 하며, 올림픽, 월드컵과 함께 세계 3대 메가 이벤트에 속하는 대규모 국제 행사로, 인류가 당면하고 있는 문제에 지혜를 모으고, 교육하는 장으로써, 인류 공영에 이바지하는 경제, 문화 올림픽으로 인식된다.

2) 전시산업의 정의 및 역할

(1) 전시산업의 정의

전시산업이란 전시 시설을 건립, 운영하거나 전시회 및 전시회 부대행사를 기획하고 개최 운영하며, 이와 관련된 물품 및 장치를 제작, 설치하거나 전시공간의 설계, 디자인 및 이와 관련된 공사를 수행하거나 전시회와 관련된 용역을 제공하는 산업을 의미한다. 전시회는 무역상담, 상품, 서비스를 판매하고 홍보하기 위하여 개최되는 상설 또는 비상설의 견본 상품 박람회, 무역상담회, 박람회 등으로 구분할 수 있다.

전시산업은 다른 마케팅 수단으로는 상당 기간 소요될 수 있는 대규모 고객과의 접촉을 한자리에서 진행할 수 있으며, 이를 통해 새로운 비즈니스 창출의 기회를 갖게 된다. 새로운 제품과 서비스를 시험 판매하고 유통 업체의 반응을 조사할 수 있으며, 상품과 서비스의 시장성과 판매 잠재력을 확인하고, 유능한 유통 업체 및 대규모 실수요자 등을 직접 만나고 선정할 기회를 가지게 된다. 따라서 전시산업은 가장 경제적인 프로모션 수단으로 "경제성"을 가지며, 참가기업의 즉각적인 피드백이 가능한 "즉시성"을 가지고 있다. 또한, 전시에서는 실물이 전시되어 생생한 정보를 제공할 수 있는 "3차원적" 특성이 있으며, 비즈니스를 창출할 목적이나 구매력을 갖춘 의사결정자가 다수 방문하기 때문에 폭넓은 비즈니스의 기회를 제공한다.

〈표 4-2〉 일반 판매와 전시를 통한 판매 특성 비교

	일반 판매	전시회를 통한 판매
접근성	판매자의 선접근	구매자의 선접근
주도권	구매자 선도	판매자 선도
시연	항상 가능한 것은 아님 (ex. 대형중장비 등)	실물관찰 및 시연가능 멀티미디어 기술동원
접촉빈도	접촉빈도 낮음	관련자와의 다양한 접촉기회제공
판매환경	사무적인 분위기	자유로운 분위기
목표고객	사전 약속된 고객과의 접촉	다양한 사람들과의많은 접촉 기회
판매비용	$1, 263 ($229/1call,5.5회 calls)	$625 소요 (일반 판매 활동 50%대에 불과)

자료: 국제전시기획론(한국전시주최자협회, 2018)

(2) 전시의 역할

전시는 최신의 기술, 정보 및 지식을 제공하는 지식 플랫폼이며, 전시자와 참관객이 상호 작용을 통하여 새로운 비즈니스를 창출하는 장이다. 따라서 전시 주최자 및 전시 기획사는 전시자와 참관객의 참가 동기를 파악하고 참가 목적이 달성될 수 있도록 다양한 프로그램을 제공하여 전시 참여를 통한 비즈니스 창출과 네트워크 기회가 확대되는 환경을 조성해야 한다.

○ 전시자(exhibitor) 참가목적

첫째, 정보 수집을 목적으로 한다. 전시자는 자사의 새로운 상품과 서비스를 홍보하고 참관객의 반응을 확인하여 상품과 서비스의 장단점을 파악하는 제품 테스트와 성능 평가를 위해 참석한다. 또한, 경쟁 기업의 제품과 가격 정보를 파악하고 시장 변화를 확인한 후 비즈니스 전략을 세우게 된다.

둘째, 기업의 이미지를 제고하고, 고객과의 상호 교류를 목적으로 참가한다. 전시 참가를 통해 기존 고객을 관리하고 기업에 대한 고객 충성도를 심화시키며, 잠재 고객과의 관계를 구축하기 위함이다.

○ 전시 참관객 참가 목적

전시 참관객은 새로운 지식과 정보를 습득하기 위한 학습의 목적이 크다. 전시된 신제품과 서비스의 발전 양상을 파악하고, 최신 기술 및 업계의 최신 동향을 파악하기 위해 세미나에 참석하여 시장 동향을 확인한다. 뿐만 아니라 기존 공급 업체와의 관계를 유지하고 새로운 공급 업체를 발굴하기도 하며, 실제 제품의 사양을 확인하고 구매 정보를 직접 조사하기 위한 것이다.

〈표 4-3〉 전시 참가 목적

구분	주요 내용	출처
전시참가자 (Exhibitors)	새로운 상품소개/ 개인적인 관계구축/ 제품이나 서비스를 직접 판매	Tanner et al.(2001)
	신규고객과의 만남/ 기존고객과의 상호교류/ 신제품 출시/ 판매주문	Blythe(1999)
	(판매동기) 기업 이미지 제고/ 잠재고객과의 관계구축 및 기존고객과의 관계발전/ 신제품아이디어 테스트 및 판매 (비판매동기) 신제품에 대한 정보제공/ 시장정보제공/ 경쟁기업정보 제공/ 직원 사기 진작 및 유지/ 고객 사기진작 및 유지/ 새로운 공급업체 발굴	Hansen(1996)
	(판매활동) 신규고객/ 기존제품의 판매/ 판매 사전작업,/ 판매직원을 위한 훈련 (정보수집) 제품테스트와 성능평가/ 고객반응/ 제품과 서비스 문제점 파악/ 경쟁기업의 제품, 가격정보 (관계구축) 고객과의 관계유지/ 주요 의사 결정자와의 만남/ 새로운 지역이나 시장진입/ 유통업체 및 대리점 발굴/ 현 유통업체와의 관계유지, 발전 (기업홍보) 기업 이미지 제고,/ 신제품 소개와 정보제공, 전시 참가를 통한 경쟁우위 확보/ 제품의 시연	정미혜· 최병호 (2008)
	집중적으로 지식을 공유하고 네트워크를 확대/ 새로운 지식을 창출	Maskel et al.(2006)
전시참관객 (Visitors)	새로운 지식이나 정보를 습득하기 위함 (learning) 신제품과 서비스의 발전양상을 확인/ 문제 해결방법 모색/ 판매자를 만나기 위해/기술전문가 미팅	Morrow(2002)
	기존 공급업체와의 관계유지 및 새로운 공급업체 발굴/ 실제 제품의 사양 확인 및 구매정보확인/ 산업 전반에 대한 정보획득	Rosson and Serinhaus (1995)

자료: 정숙화(2020), 전시컨벤션의 지식플랫폼으로써 역할에 관한 연구

○ 주최자 및 전시 기획사의 역할

전시 주최자 및 전시 기획사는 행사의 통합적 관리자로서 행사 참가자 증대, 잠재적 비즈니스 창출이 용이한 환경 조성, 홍보 활동 극대화를 위한 다양한 기획과 운영을 진행한다. 전시 참가자와 방문자 증대를 위해 교육 프로그램과 흥미를 유발할 수 있는 다양한 프로그램 기획하고 운영한다. 전시장에서 전시 참가자가 상품과 서비스를 홍보할 수 있도록 전시장 내 특별구역을 지정하여 신흥 주목되는 기업, 새로운 기술을 가진 전시자를 부각할 수 있도록 세미나 세션, 기업홍보 세션 등을 제공하기도 한다.

또한, 행사에 관심을 고취하고 더 많은 전시자와 참관객이 올 수 있도록 산업의 리더와 셀럽을 초청하여 행사 홍보의 효과를 극대화한다.

이해관계자 유형에 따른 전시에 대한 이해
(B2B 전시를 중심으로)

제4장 전시산업의 이해

 Exhibitors' perspective

- 관련 산업에서 브랜드 홍보
- 전문가들에게 상품에 대한 소개 및 검증
- 기존고객과 잠재고객의 만남
- 고객의 니즈를 파악하는 기회
- 관련 언론매체와 접촉
- 산업변화트렌드를 파악하고 경쟁기업의 상품과 정보를 획득할 수 있는 기회

 Organizers' perspective

- 통합적 관리자
- 참가자 증대를 위한 부가프로그램 개발 및 제공 (교육프로그램, 흥미를 유발하는 프로그램 등)
- 신흥 주목되는 기업, 새로운 기술, 전시자를 부각할 수 있는 행사 구역설정
- 신입리더, 유명인 초청
- 식음료 제공
- 동반자 프로그램 제공 등

Visitors' perspective

- 비즈니스 파트너를 만날 수 있는 기회
- 산업트렌드를 파악하고, 최신의 정보를 얻을 수 있는 장

2. 전시 유형

1) 전시 유형

전시는 상업 전시와 비상업 전시로 크게 구분할 수 있다. 먼저 상업 전시를 살펴보면, 전시 상품과 서비스의 종류, 분야 및 전시자와 방문객의 참가 목적에 따라 전문 전시 (Trade show), 일반 전시(Public show), 혼합 전시(Mixed/Combined show)로 구분된다.

(1) 전문 전시(Trade show)

전문 전시는 의료, 과학, 기술 전시 및 산업 전시가 주를 이루고 있다. 전시자 (Exhibitor)는 관련 산업의 상품과 서비스 제조 업체 및 유통 업체이고, 참관객(Visitor) 은 초청된 바이어 및 업계 관계자로 한정된 경우가 많아서 참가 자격이 엄격하며, 비즈니스 촉진을 목적으로 하는 B2B 성격을 강조한다. 전문 전시에서는 관련 분야 최신의 기술, 상품, 서비스 등의 시연이 진행되며, 다양한 교육 세미나가 진행되어 참가자에게 전문적인 교육 기회를 제공하는 장이 되고 있다. 또한, 관련 분야의 전문가 및 관계자와 네트워크를 확대하고 전문 지식을 교류할 수 있는 플랫폼으로 역할을 하고 있다.

(2) 일반 전시(Consumer show)

일반 전시는 주로 소비재 산업을 대상으로 기업의 상품과 서비스를 소개하고 홍보하기 위한 목적으로 개최되며, 일반 대중에게 개방되는 전시로 참가 자격의 제한 없이 누구나 참가가 가능하다. 이러한 전시는 소비자를 대상으로 마케팅을 하고자 하는 기업이 수요가 많아졌음을 입증하는 것이다. 전시자는 상품과 서비스를 최종 수요자 즉, 소비자에게 직접 판매를 하는 소매점 또는 제조업자들이다. 일반 전시는 새로운 상품과 서비스를 소개하여 테스트베드 (testbed) 창구로서 역할을 하며, 기업의 홍보를 극대화하는 기회를 제공한다.

(3) 혼합 전시(Mixed/Combined show)

혼합 전시는 전문 전시와 일반 전시의 특성을 모두 갖춘 전시이다. 즉, 초청된 바이어 (Buyer)를 대상으로 하면서도 대중에게 개방되는 전시 형태를 취한다. 최근에는 전문 전시회라 하더라도 혼합 전시의 형태로 개최되는 경우가 많다. 이는 주최자와 전시자 모두가 전문 바이어뿐만 아니라 일반 참관객에게도 전시 상품과 서비스를 홍보하기를 원하기 때문이다. 따라서 혼합 전시의 경우, 5일간 개최되는 전시라고 가정할 때, 3~4일 은 전문 전시의 형태로 비즈니스 연관 분야에 종사하는 자격을 갖춘 참관객만 입장이 가능한 형태고 개최되며, 나머지 1~2일은 일반 참관객에 전시를 공개하는 형식으로 개최되는 경우가 많다.

(4) 세계엑스포(World Expo)

세계박람회기구(BIE)가 공인한 세계엑스포는 비상업 전시로 산업, 과학기술, 문화, 예술 등 다양한 분야에서 미래지향적인 전시주제로 개최되며 일반 대중에 대한 계몽을 목적으로 한다.

> 세계박람회기구(BIE: Bureau International des Expositions) 협약 제1조에 따르면 "일 반 대중교육을 목적으로 문명 욕구를 충족시키기 위해 인간이 성취한 발전을 전시하거 나 또는 미래에 대한 전망을 보여주는 것"으로 세계엑스포를 정의한다.

세계엑스포는 상업적 목적, 순수한 위락 행사와 차별성을 가지며, 변화하는 시대적 환경 을 수용하고 세계인의 관심, 참여 동기를 유발하는 국제 행사이다. 국제회의, 전시, 공연 및 이벤트를 한 장소에서 개최하며, 각 국가의 문화를 한 장소에서 경험할 수 있는 유일한 세계 행사이다. 특히, 세계엑스포는 세계박람회기구 (BIE: Bureau Internatiooonal des Expositions)의 공인이 필요한 행사이며, 유치 경쟁을 거쳐 개최된다. 세계엑스포와 관련 된 자세한 내용은 전시 산업의 특성과 운영 부분에서 다루어질 예정이다.

〈표 4-4〉 전시 유형

유형	특징
무역전시회 Trade Show	참가업체는 관련 산업 또는 보완적인 상품의 제조업체, 유통업자이며 관람은 초청에 의한 참여가 일반적이다. 참가자격은 구매자로 제한한다.
일반 전시회 Consumer/Public show	일반 대중에게 개방되는 전시회로 소매점이나 최종 소비자를 직접 만나려고 하는 제조업체가 참가한다. 기업을 위한 새로운 상품을 선보이는 시험장이자 홍보를 확대하기 위한 장으로 활용된다.
혼합 전시회 Mixed/Combined show	무역전시회와 일반전시회를 혼합한 형태로 바이어와 일반 대중의 참관일에 차등을 두어 개방한다.
세계박람회 World Expo	산업, 과학기술, 문화, 예술 등 다양한 분야에서 미래지향적인 전시주제로 개최되며, 일반 대중에 대한 계몽을 목적으로 한다. (국가중심 국제행사/ 최대 6개월 진행)

제2절 전시의 역사적 배경 및 특성

1. 전시산업의 역사

전시 형태는 인류가 경제 활동을 영위하면서부터 존재해왔다. 서로의 필요에 따라 물건을 교환하거나, 일정한 장소와 시간에 모여 필요한 물품을 사고팔면서 정기적인 행사로 변화하였고, 이러한 활동이 사회적인 시스템으로 정착하면서 전시산업으로 발전하게 되었다.

고대 전시의 형태로 바자르를 말할 수 있는데, 바자르(بازار, Bazaar) 또는 바자(Bāzār), 수크(سوق, souk)는 중동 지역을 중심으로 동남부 유럽과 인도 일대, 서아프리카, 말레이시아 일대에서 정기적으로 열리던 전통시장을 말한다. 우리나라도 고대 시대에 존재하던 시장 형태가 16세기 이후 지방까지 정기적이고 제도적인 틀을 갖추면서 일정한 날짜와 장소에서 상품교환이 이루어지는 정기적인 장시가 발전하였고, 18세기부터 5일 장으로 보편화 되었다(김동철, 2010).

이후 12세기 중세 상인 자본주의 시기에는 길드(Guild)가 형성되어 도시 간 상호 협조와 친목을 도모하고, 사업의 독점과 과열 경쟁을 방지하기 위한 일종의 경제 회의를 주기적으로 개최하였고, 유럽의 고대 무역도시를 중심으로 조직화 된 상업 박람회(Commercial fair)가 개최되었다. 이때 전시의 목적은 상품을 진열하여 판매를 하기 위해서였다.

이후 근대적인 의미의 무역 박람회(Trade show / Trade Fair)의 발전은 유럽에서 시작된 '산업혁명(Industrial Revolution)'에서 비롯되었다. 18~19세기 동안 산업의 급성장으로 대량 생산된 상품을 소비할 수 있는 시장 확대의 필요성이 증대됨에 따라 해외 시장을 개척하고 자국의 생산품을 홍보하고 판매할 수 있는 산업 박람회를 개최하기 시작했다. 특히, 자국의 선진적인 기술과 국가 이미지를 홍보하는 것도 박람회 개최의 가장 중요한 요소 중의 하나였다. 이러한 배경에서 세계 첫 무역 박람회는 1851년 영국 런던 수정궁(Crystal palace)에서 개최된 '런던 세계박람회'이며, 이 박람회는 7개월간 대영제국의 강력한 국력을 보여주는 기회가 되었다. 런던 박람회는 유럽 제국의 경쟁을 유도하여 프랑스, 독일 등의 나라에 산업혁명의 박차를 가하는 촉진제가 되었고, 더 큰 규모의 세계박람회를 경쟁적으로 개최하는 계기가 되었다.

19세기 중반 이후 전시 형태와 운영에 커다란 변화를 야기하는 견본시(Mustermesse)[20]가 등장하였다. 1895년 독일 라이프찌히(Leipzig) 전시에서 처음으로 견본시 형태의 전시가 소개되었다(Fischer, 1992; Gormsen, 1996). 이전에는 직접 상품을 진열하고 현장에서 판매하는 현물시(Goods fair) 형태였으나, 견본시는 상품이나 서비스를 현장에서 판매하기보다는 전시 현장에서 자사의 대표 상품과 기술의 샘플(sample=Muster)을 선보이고 현장에서 주문을 받은 후 향후 계약된 상품과 서비스를 제공하는 형태였다. 이러한 견본시가 이후 전시 개최 방식으로 보편화 되었다(Maskell et al., 2004).

19세기부터 전시산업은 산업혁명에 성공한 국가 순으로 발달하였다. 영국의 전시산업은 19세기 초부터 부흥하기 시작하였고, 곧 뒤이어 산업혁명에 성공한 프랑스가 국가의 전폭적인 지원을 받아 대규모 전시장을 건설하여 영국에 이어 세계박람회를 개최하는 등 국력을 과시하기 위한 행사를 개최하기 시작했다. 영국, 프랑스가 19세기 전시산

---

20) 견본시는 샘플을 전시하고 파는 전시를 말함(=sample sale)

업을 선도했으며, 산업혁명이 상대적으로 늦었던 독일, 스페인, 오스트리아 등은 19세기 말에야 전시 강국으로 부상하였다.

20세기 이후 유럽 중심의 박람회 개최가 미국을 중심으로 개최되기 시작했고, 2차 세계 대전 이후 전시산업은 교통, 통신의 발전과 전시 수요가 증가하면서 폭발적인 성장을 이루었다. 특히 미국 주도의 자본주의 체제하에서 자유무역주의가 활성화되면서 박람회는 전문 전시, 일반 전시, 종합 전시 등으로 특성화되며 발전하고 있다.

2. 세계박람회(World Expo) 역사

세계박람회는 인류 문명의 발전을 돌아보고, 현재 인류가 직면한 과제를 해결하며, 미래의 발전 전망을 보여주는 세계박람회기구(BIE: Bureau International des Expositions)가 공인한 행사이다. 인류의 산업, 과학기술 발전 성과를 소개하고 개최국의 역량을 과시하는 장으로 경제·문화 올림픽이라고 한다. 지금은 올림픽이 전 세계인에게 더 잘 알려지고 인지도가 높지만, 20세기 초반까지만 하더라도 세계박람회는 인류의 발전과 발명을 최초로 볼 수 있는 플랫폼으로서 그 위상이 대단하였다. 반면, 올림픽의 존재는 미미하였다. 쿠베르탱 주도로 1894년 국제올림픽위원회(IOC)가 창설되고 올림픽 운동을 주도하면서 첫 근대 올림픽을 1900년 파리박람회와 함께 개최할 것을 주장하였다. 세계적으로 널리 알려진 엑스포와 함께 올림픽을 개최하면 경기장 건설이나 각국 대표 참가, 관중 동원, 홍보 등에 큰 이점이 있다고 여겼다. 하지만 엑스포 조직위원회의 무관심과 압력으로 엑스포에서 올림픽이라는 이름 없이 제2회 대회가 치러지기도 하였다.

세계박람회기구(BIE)는 다음과 같이 엑스포의 개최의의를 규정하고 있다.

"Expos are global events dedicated to finding solutions to fundamental challenges facing humanity by offering a journey inside a chosen theme through engaging and immersive activities"

엑스포는 인류가 직면한 근본적인 문제에 대한 해답을 선택된 주제를 통해 적극적으로 몰입하여 찾는데 기여한다.

세계엑스포는 세계 인류가 직면한 다양한 문제를 해결하고 미래 인류의 번영을 위한 다양한 주제를 정하여 행사를 개최하고 있다. 지금까지 개최된 행사 별 주제를 살펴보면 다음과 같다.

〈표 4-5〉 세계박람회 주제 비교

행사명	개최기간	개최지	주제
Brussels International	1935.4 ~11	벨기에 브뤼셀	Transports
Paris International	1937.5~11	프랑스 파리	Art and Technology in modern life
New York World's Fair	1939.4~ 1940.10	미국 뉴욕	Building the world of tomorrow
Exposition international de Port-au-Prince	1949.12~ 1950.6	아이티 포르토 프랭스	The festival of peace
Brussels World's Fair	1958.7~9	벨기에 브뤼셀	A world view: a new humanism
Century 21 Exposition	1962.4~10	미국 시애틀	Man in the Space age
EXPO 1967	1967.4~10	캐나다 몬트리올	Man and his world
EXPO 1970	1970.3~9	일본 오사카	Progress and harmony for mankind
EXPO 1992	1992.4~10	스페인 세비야	The era of discovery
EXPO 2000	2000.6~10	독일 하노버	Humankind, nature, technology
EXPO 2010	2010.5~10	중국 상하이	Better city, better life
EXPO 2015	2015.5~10	이탈리아 밀라노	Feeding the planet, energy for life
EXPO 2020	2020.10~ 2021.3	UAE 두바이	Connecting minds, creating the future
EXPO 2025	2025.5~11	일본 오사카	Designing future society for our lives

자료: www.bie-paris.org

엑스포는 올림픽, 월드컵과 함께 세계 3대 메가 이벤트로 인식되며, 국가를 회원으로 한다. 올림픽, 월드컵과 비교하면, 엑스포가 가장 오랜 역사를 가졌음에도, 국제기구의 설립은 가장 늦은 1928년으로 기록되었다. 그 이유는 박람회 국제기구를 설립하기 위한 기본적인 규정에 관한 외교적 합의안이 20세기 초에 도출되었지만, 1914년 1차 세계대전으로 참가국의 비준에 이르지 못했기 때문이다. 이후 1928년 파리 회의를 통해 결실을 보게 되었다. 31개국으로 출발한 BIE 회원국은 현재 170개국에 이른다. 세계 3대 메가 이벤트의 특징을 비교하면 다음과 같다.

〈표 4-6〉 세계 3대 메가 이벤트 비교

구분	World Expo	Olympic	World cup
개최 장소	한곳에 지정(집중투자)	분산개최 가능	분산개최 가능
개최 기간	3주~6개월	15일간	40일
행사특징	경제, 기술, 문화 복합	스포츠 행사	스포츠 행사
국제기구	BIE(정부간 기구) 1928(파리)	IOC (민간기구) 1896(파리)	FIFA(민간기구) 1904(파리)
관람객	2015년 밀라노 EXPO 2,200만 명	88올림픽 290만 명	2002월드컵 350만 명

1) 세계박람회 기구(BIE)

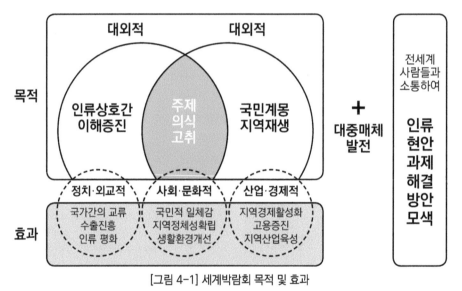

[그림 4-1] 세계박람회 목적 및 효과

자료: 하지혜(2018), 세계박람회 주제구현을 위한 회장 구성에 관한 연구

　　세계박람회 기구는 엑스포를 체계적으로 관리하고 통제함으로써, 엑스포의 질을 높이고 개최국과 참가국의 권익을 보호하기 위하여 1928년 설립된 정부 간 국제기구이며, 공식 활동은 1931년부터 시작되었다. BIE의 핵심 가치는 교육, 혁신, 협력이며, BIE 공인하에 최초로 개최된 엑스포는 1935년 벨기에 브뤼셀 엑스포이다. BIE의 의사 결정 기구는 총회이며, 매년 상·하반기 총 2회 개최된다. 집행위원회, 규정위원회, 행정 예산위원회, 정보통신위원회 등 4개의 위원회가 운영되고 있다. 우리나라는 1987년 회원국으로 가입하였다.

2) 세계박람회 유형

세계엑스포는 BIE 공인 여부에 따라 공인 EXPO와 비공인 EXPO로 구분된다. 대중 미디어 매체가 발전되지 않았던 근대 시기에 세계적 규모의 전시로 최신의 기술, 정보, 상품과 서비스를 한 곳에서 볼 수 있는 유일한 전시가 세계엑스포였지만, 라디오, TV, 인터넷 등 대중매체가 발전하면서 다양한 채널을 통해 최신의 정보, 기술, 신상품 등을 쉽게 알 수 있게 되었다. 특히, 최신 상품과 기술을 설명하는 행사들이 각국에서 다양한 형태로 개최되면서 상업적 성격을 가진 비공인 EXPO 개최가 증가하였다. 일반 관람객 은 공인 EXPO와 비공인 EXPO를 구별하기가 쉽지 않았고, 이로 인해 세계엑스포의 가치와 위상이 크게 달라졌다. 이에 BIE는 협약 제9조에 의해 비공인 EXPO에 대하여 정부 차원의 참여를 금지하여 공인 EXPO와 차별을 두었다. 따라서 세계엑스포는 국가 자격으로 참여하는 유일한 국제 행사이다.

〈표 4-7〉 공인 EXPO와 비공인 EXPO 비교

구분	공인 EXPO	비공인 EXPO
명칭	세계박람회(EXPO)	일반무역박람회(Fair)
개최목적	인류의 비전 제시, 인류 상호 간의 이해와 복지향상	국제 교역 증진
개최절차	정부가 BIE의 승인을 받아야 하며, 유치행정은 외교 경로를 통해 진행	BIE 승인 대상이 아님. 개최국 또는 개최기구 임의 시행 가능
성격	국가 이미지 홍보	기업의 상품전시, 상품 홍보 및 상거래 촉진
참가단위	공식참가자: 국가, 국제기구 (21세기) 비공식 참가자: 도시, 지역, 기업, 비정부기구(NGO)	개별업체
초청자	주최국 정부 (정부 대표 임명)	주최도시, 주 또는 주최 기관
초청형식	주최국 정부 (공식 외교 서한)	주최 단체 및 기관 (단체장 명의 서한)
전시대상	참가국의 기술과 문화	참가업체의 상품, 기술
주 관람객	일반 대중	관련 업자 및 바이어
상업적 활동	제한적으로 허용	개최 목적이며, 활발한 활동이 진행됨
개최주기	등록박람회: 5년 인정박람회: 등록박람회 사이 1회	제한 없음
개최기간	3주-6개월	제한 없음
경제적 효과	장기적	단기적

자료: 세계박람회 웹사이트 (/www.bie-paris.org), 박람회 프로듀스(2015) 참고하여 재작성

공인 EXPO는 1928년 "세계박람회에 관한 국제협약"에 따라"종합박람회"와 "특별 박람회"로 분류되었다가 1972년 협약이 개정되면서 2개 분야 이상의 인간 활동의 산물이나 특정 분야의 발전 과정 전체를 주제로 하는"종합박람회"와 하나의 특정한 분야를 주제로 하는"전문박람회"로 구분되었다. 이후 1988년 국제 협약이 개정되고 1996년 협약이 발효되어 종합박람회는"등록박람회(Registered EXPO)"로, 전문박람회는 "인정박람회(Recognized EXPO)"로 명칭이 변경되어 현재까지 사용되고 있다. 개최 기간은 모든 박람회가 6개월 미만이라는 기준이 있었지만, 등록박람회는 6주~6개월, 인정박람회는 3주~3개월로 변경되었으며, 등록박람회 개최 연도는 "0"과 "5"로 끝나는 해에 개최되며, 개최 사이에 인정박람회가 개최된다.

우리나라는 아직까지 등록박람회를 개최한 적이 없으며, 1993년 전문박람회인 '대전 엑스포'와 2012년 인정박람회인 '여수 세계박람회'가 공인 EXPO로 개최되었다. 이러한 이유로 2030 부산 세계엑스포를 유치하기 위한 노력을 다방면으로 진행했으나, 아쉽게도 사우디아라비아 리아드가 2030 세계엑스포 개최지로 선택되었다.

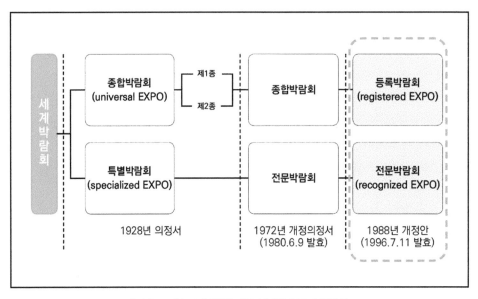

[그림 4-2] BIE 협약에 따른 세계엑스포 유형변화

자료: 하지혜(2018), 세계박람회 주제구현을 위한 회장 구성에 관한 연구

　　BIE는 세계박람회 외에도 '원예박람회'와 '밀라노 트리엔날레'라는 두 가지 특수 박람회를 주관한다. '원예박람회'는 각 국가의 원예 생산자들과 농업 등 관련 산업 간의 협력과 지식 및 이슈에 관한 솔루션을 공유하기 위한 목적으로 최소 2년 주기로 6개월 동안 개최되며, '밀라노 트리엔날레'는 1933년부터 시작된 장식 예술 및 현대 건축 전시회로서 3년에 한 번 밀라노에서 6개월간 개최된다.

〈표 4-8〉 등록박람회와 인정박람회 비교

	등록박람회(Registered Expo)	인정박람회(Recognized Expo)
주제	광범위한 주제	명확한 특정 주제
주기·기간	0, 5로 끝나는 연도/5년마다 개최/ 6주~6개월	등록박람회 사이 / 3주~3개월
전시면적	제한 없음	25ha 미만
비용부담	개최국은 부지만 제공하고 참가국이 자국경비로 국가관 건설	개최국이 국가관을 건축하고 참가국에게 유.무상임대
사례	중국 상하이(2010) 이탈리아 밀라노(2015) UAE 두바이(2020) 일본 오사카(2025)	한국 대전(1993) 스페인 사라고사(2008) 한국 여수(2012)

자료: 2030 부산세계박람회 웹사이트 (https://www.expo2030busan.kr)

3) 세계박람회 변천사

엑스포는 '대중 교육', '혁신 창출', '세계적 담론과 협력 촉진'이라는 공통의 가치를 중심으로 전 세계 국가와 사람들이 모여 인류의 변화를 이해하고 보다 진보적인 미래를 계획하는데 기여해왔다. 세계엑스포는 시대를 반영하는 거울로서 개최 목적과 특징에 따라 크게 4개의 시기로 구분할 수 있다.

제1시기는 19세기 산업화로 인한 기술·문명 개발시대로 유럽 국가를 중심으로 국가의 과학과 산업 기술을 과시하는 형태로 국제 교역에 초점을 두었던 시기이다.

제2시기는 20세기로 넘어오면서 엑스포의 개최지가 유럽에서 미국으로 이동하며, 세계 대중 문화와 대량 소비의 시대로 이끄는 원동력이 되었다. 이전의 엑스포는 생산자, 기술자, 무역인 등 공급자 중심의 행사였다면, 20세기 초 엑스포는 신제품을 향유하는 일반 대중, 즉 소비자 중심의 전시로 전환되었다. 이는 일방적으로 전시하고 대중 계몽을 중심으로 한 과거의 엑스포가 미래 문명을 즐겁게 보고 느낄 수 있도록 직접 체험하는 형태의 전시로 변모되었음을 의미한다. 또한, 20세기 초 전쟁의 영향으로 세계 평화와 번영을 중심으로 인류 문명의 창조성을 자극하고, 인류 문화와 기술을 선도하며, 평화로운 발전과 공존을 위한 다양한 문명과 문화의 교류를 촉진하였다.

제3시기는 2차 세계대전 이후 신문, 라디오, 텔레비전 등 대중 매체가 급속히 발전하면서 엑스포의 교육과 홍보 기능이 퇴색된 시기이다. 하지만 엑스포가 과거의 성취를 모아 전시하던 예전의 방식을 벗어나, 동시대 문명의 실제에 초점을 맞추고 인류의 정신과 삶의 질 향상, 지속 가능하고 공존 가능한 세계 질서와 미래 지향적 가치에 무게를 두었다. 1982년 녹스빌 엑스포부터 공식 후원 제도를 도입하여 행사 운영을 위한 재정 조달과 상업적 홍보 효과를 누리게 되었으며, 행사 개최를 통한 국가 및 도시 개발 효과와 이미지 상승 효과가 크게 나타난 시기였다.

제4시기는 21세기에 접어들면서 환경, 지구온난화, 빈곤, 식량난, 에너지난 등 인류 공동의 과제인 지속 가능한 미래와 관련된 이슈가 부각되면서, 엑스포가 UN의 지속가능개발목표(UN SDGs: UN Sustainable Development Goals)를 달성하기 위한 범지구적 이슈에 적극 동참하는 시기이다.

(1) 기계문명과 산업화 시기

이 시기의 엑스포는 최신의 과학 기술과 무역을 위한 장으로 역할을 하였고, 세계엑스포의 기본 특성을 형성하는 시기로 인식된다.

○ 1851년 런던 엑스포

런던박람회는 근대 엑스포의 효시로 "만국 산업생산물 대박람회(the great exhibition of the works of industry of all nations)"가 공식명칭이다. 19세기 중반은 대영제국의 위세가 절정에 달한 시기로 식민지가 지구 육지의 1/4에 달해 유니온 잭(Union Jack)[21]에 해가 비추지 않는 날이 없었던 때라고 말해지는 시기다. 사실 인류 문명사에 한 획을 그은 첫 세계박람회가 런던에서 열린 것은 우연의 산물이 아니다. 박람회 산업에서 한발 앞서 있던 프랑스를 의식하여 영국이 내린 과감한 결단의 승리라고 할 수 있다. 18세기 이후 소규모 무역, 상품 전시회는 유럽의 중심이었던 프랑스 파리에서 주로 개최되었다. 영국도 이와 유사한 전시를 따라 개최하기도 했지만, 소규모 전시로 대중은 물론, 산업 관계자들도 관심이 없었다. 당시 박람회는 자국의 생산품을 전시하는데 국한되었는데, 국제 전시는 산업 기술이 외국으로 유출될 수 있다는 우려로 인하여 국내 전시에 중점을 두었다. 그러던 중 1830년 프랑스에서 기술 보호에 집중하는 소규모 행사에서 벗어나 대규모 국제박람회 개최에 대한 필요성이 높아지는 가운데, 프랑스를 자주 오가던 영국 공공기록물 보관소 관리관 헨리콜(Henry Cole, 1808-1882)이 프랑스의 이런 움직임을 확인하고 빅토리아 여왕의 부군인 학술원(Royal Society)의 장인 앨버트 공을 찾아가, 영국이 박람회를 선점함으로써 세계 무역 및 경제의 주도권을 쥘 수 있음을 역설하였다. 헨리콜은 자유 무역 신봉자였고, 상품 교역 제한을 철폐해야만 인류 평화와 번영의 시대를 열 수 있다고 굳게 믿었으며, 온 나라가 참여하는 대규모 박람회야 말고 그 물꼬를 틀 계기가 되리라 확신하였다. 이를 계기로 영국은 최초로 세계엑스포를 개최하는 국가가 되었다. 영국 박람회장은 수정궁(Crystal Palace)로 불리우며, 초고속 건축기법인 조립식 공법으로 유명하다. 수정궁 역시 박람회 개최 일정을 맞추기 위해 유리정원을 만들던 기술을 적용하여 만들어진 건물이었다. 런던박람회에서는 인류 최초의 수세식 공중화장실을 사용하였고, 사용료

---

21) Union Jack은 영국의 국기를 가리키는 용어로 영국을 상징함

가 1 페니(penny) 였던 이유로 " I'm just going to spend a penny"라고 하면 "화장실 다녀올게"라는 뜻으로 사용된다.[22]

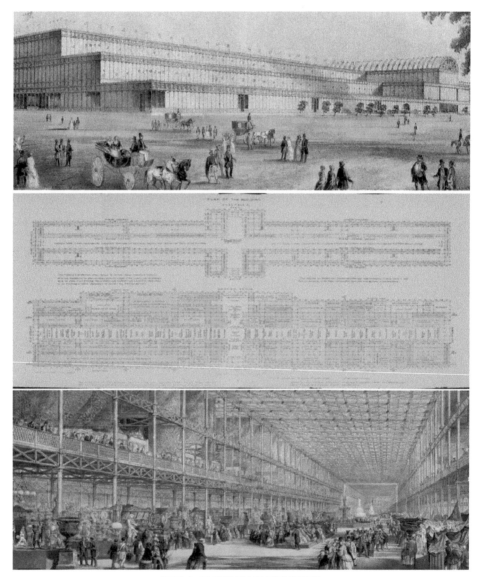

[그림 4-3] 런던 엑스포 관련 이미지

1) 수정궁 외부이미지, 2) 수정궁 전시배치도, 3) 수정궁 내부 이미지

자료: 세계박람회 웹사이트 (/www.bie-paris.org) 참고

22) 상상력의 전시장 엑스포 중에서 발췌, 2015

(2) 상업적, 문화교류의 장(1901~1945)

20세기 초는 유럽을 중심으로 개최되었던 엑스포가 미국 중심으로 전환된 시기이다. 미국은 1893년 시카고 박람회부터 1939년 뉴욕박람회까지 모두 다섯 차례의 엑스포를 개최하면서 엑스포의 흐름을 주도하였고, 세계를 대중문화와 대량소비의 시대로 이끄는 원동력이 되었다. 이 시기의 엑스포는 신기술과 발명품을 선보이고 에펠탑이나 무빙 워크와 같은 건축 기술의 업적을 실현했던 시기이다. 그리고 엑스포를 통해서 국가의 예술, 문화, 기술을 홍보하는 장으로서 인식되었으며, 공공외교의 장으로서 특징이 있다.

1988년 호주 브리즈번(Brisbane)에서 개최된 엑스포를 기점으로, 엑스포는 각 참가국이 자국을 홍보하고, 브랜딩을 위한 전략적 플랫폼으로 활용되고 있다. 스페인의 경우, 1992년 세비야 박람회와 바르셀로나 올림픽을 동시에 개최하여 현대적이고 민주적인 국가, 유럽연합의 회원국으로서 국제적 위상을 홍보하는 계기를 마련했다.

○ 1933년 시카고 엑스포 (Chicago Expo 1933)

시카고 엑스포는 1928년 BIE 결성 이후 공식적으로 승인받은 첫 세계박람회로, "A century of Progress International Exposition" 즉, "진보의 100년 국제박람회"라는 명확한 주제를 표방한 최초의 세계박람회이다. 1929년 10월 대공황(Great Depression)은 시카고 박람회 준비에 큰 위협이 되었다. 기업 부도, 대량 실업, 부동산 가치 폭락이 잇따르면서 정부의 재정 지원이 어려워졌지만, 경기 침체를 회복하기 위한 노력이 오히려 박람회 추진의 동력이 되었다. 박람회 건설이 일자리를 창출하고 값싸고 풍부한 인력, 저렴해진 건설 자재 등으로 인해 박람회 추진에 유리한 환경이 조성되었다. 엑스포 조직위원회는 연방 정부와 주 정부의 재정 지원을 포기하고 자체 재원 조달을 위해 회원권 판매, 채권 발행 등으로 재원을 마련함으로써, 정부의 재정 지원을 전혀 받지 않은 유일한 세계엑스포로 기록된다. 시카고 엑스포는 방문객을 위한 주차장, 케이블카가 처음으로 설치된 전시로 기록된다.

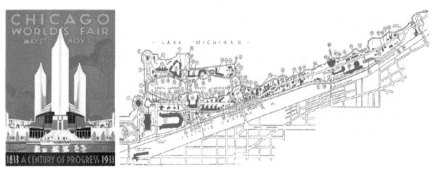

[그림 4-4] 시카고 박람회 관련 이미지
1) 행사 포스터, 2) 행사장 배치도

자료: 세계박람회 웹사이트 (/www.bie-paris.org) 참고

(3) 인류 평화와 지속 가능한 공존을 위한 문화교류의 장 (1946~2000)

이 시기는 과학기술의 발전과 발명품을 선보이는데 집중했던 지난 엑스포와는 달리, 문화와 사회발전에 더 많은 관심을 가지는 특징이 있다. "Building the world of tomorrow"(1939년 뉴욕 엑스포 주제, "내일의 세상을 건설하자"), "Man and his world"(1967 몬트리올 엑스포 주제, "인간과 그의 세상") 등 인류의 미래와 평화적 공존을 모색하는 장을 마련하는데 엑스포의 역할이 강조되었다.

제2차 세계대전으로 세계박람회의 근본이념인 '평화와 진보'의 가치는 훼손되었고, 박람회의 존립 기반이었던 과학기술의 진보가 핵무기와 같은 대량 살상무기를 초래하면서 20년 가까이 박람회는 침체에 빠져 있었다. 또한, 신문, 라디오, 텔레비전 등의 대중매체가 급속히 발전하면서 박람회의 교육 및 홍보 기능이 퇴색된 것도 박람회의 침체에 일조했다. BIE 승인 전시가 아닌 비공인 엑스포는 전시 규모는 축소되면서 상업 전시로 전문 전시와 일반 전시의 형태로 분화되어 또 다른 방향으로 발전하고 있었다. 그러나 이러한 회의론과 무력감을 떨치고, 1958년 브뤼셀 엑스포를 통해 국제박람회의 면모를 다시 갖추게 되었다.

○ 1958년 브뤼셀 엑스포

벨기에는 그동안 BIE 공인 박람회를 6차례나 개최할 정도로 기반 시설과 노하우를 보유하였고, 평화적인 이미지를 가진 국가로 전후 첫 세계박람회 개최지로 선정되었다.

행사의 명칭은 1958년 브뤼셀 국제엑스포(Exposition Universelle et Internatinale de Bruxelles 1958)로 4월17일부터 10월 19일까지 개최되었다. 주제는 "인류의 진보와 번영"("Progress and Prosperity of Mankind")이며, 세부 주제로 인도적인 세계와 이를 위한 균형감각, 인류에 봉사하는 과학기술, 현대 세계의 인간성 회복이었다. 이러한 세부 주제들은 1958년 브뤼셀 엑스포가 단순한 기술 전시회가 아니라, 인간 중심의 발전과 사회적 균형을 추구하는 종합적인 플랫폼임을 보여주었다. 박람회의 주제를 압축해서 구현한 "아토미움(Atomium)"은 원자력 시대와 핵에너지의 평화적 사용을 상징하는 조형물이다.

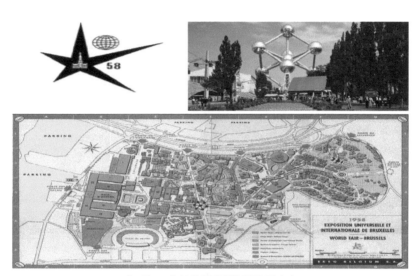

[그림 4-5] 브뤼셀박람회 관련 이미지
1) 행사로고, 2) 아토미움 건축물, 3) 행사장 배치도

자료: 세계박람회 웹사이트 (/www.bie-paris.org) 참고

○ 1967년 몬트리올 엑스포

1967년 4월 27일부터 11월27일까지 개최된 몬트리올 엑스포는 20세기 초반 엑스포를 주도해 온 미국의 박람회와는 사뭇 다른 분위기로 개최되었다. 과시적인 건축물, 지나친 상업주의와 향락문화 대신에 평화주의와 인본주의를 표방한 차분하고 짜임새 있는 박람회를 시도했다. 당시 캐나다 인구가 2,000만 명인데 박람회 관람객이 5,030만 명으로 기록되어 성공적인 엑스포로 평가되었고, 특히, 외형적인 성공보다는 냉전 시대에 대결보다 화합과 인도주의가 중요하다는 박람회의 메시지를 성공적으로 전달했다고 평가되었다. 타임즈가 1967년 11월 3일 자 기사에서 몬트리올 엑스포에 대하여

다음과 같이 설명했다.

> "엑스포는 놀라운 성공에도 불구하고 2억 5000만 달러의 적자를 기록했다. 그러나 캐나다로서는 충분히 그만한 가치가 있었다. 박람회는 국제사회의 호혜 정신과 국가적 자부심이라는 눈부신 유산을 남겼기 때문이다. 대결에 골몰해온 부자 강대국들을 당황케 한 것도 빼놓을 수 없는 성과다."
> (상상력의 전시장 엑스포 중에서 발췌, 2015)

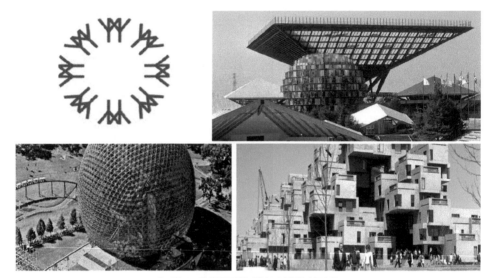

[그림 4-6] 몬트리올 엑스포 관련 이미지

1) 행사로고, 2) 캐나다 국가관, 3) 바이오스페어돔(The Biosphère), 4) 해비타트 67(Habitat 67)(Montreal, Quebec)
자료: 세계박람회 웹사이트 (www.bie-paris.org) 참고

○ 1988년 호주 브리즈번 엑스포

1988년 호주 브리즈번 엑스포는 "여유 있는 세계- 여유로운 기술 시대"("Leisure in the Age of Technology") 라는 주제로 기술의 발전으로 여가 시간이 증가하는 특징을 통해 삶의 질을 높이는 방안을 탐구하였다. 엑스포 방문객은 1,820만 명으로 이는 당시 호주 인구의 거의 전부에 해당하는 숫자였다. 브리즈번 엑스포 이후, 엑스포는 각 참가국이 자국을 홍보하고 브랜드화하기 위한 전략적 플랫폼으로 활용되었으며, 스페인의 경우 1992년 한해에만 세비야 박람회와 바르셀로나 올림픽을 동시에 개최하여 현대적이고 민주적인 국가, 유럽연합국의 회원국으로서 국제적 위상을 홍보하는 계기를 마련했다.

(4) 인류 공동의 과제(UN SDGs)와 지속 가능한 미래를 위한 논의의 장(2001~)

이 시기는 기존의 엑스포가 과학기술, 자국 문화의 우수성을 보여주는 데 집중했다면, 현재의 엑스포는 인류 공동의 과제와 이슈를 함께 논의하고 해결책을 모색하는 장으로서 UN의 지속가능개발목표(UN SDGs)의 다양한 이슈인 환경, 지구온난화, 빈곤, 식량난, 에너지난 등 인류의 지속가능한 미래에 대한 논의와 주제에 집중하고, 세계 인류의 보다 나은 미래를 위해 각국의 선진적인 노력을 선보이는 장이 되고 있다.

이러한 세계적인 도전은 1994년 BIE 총회에서 발표한 [자연과 환경에 대한 정당한 존중이 인류를 위한 가장 중요한 헌신("a commitment to the supreme importance for Humanity of due respect for Nature and the environment")이라는 대원칙에 함축되어 있다. 이 원칙은 Expo 2000 Hannover에서 "Man, Nature, Technology"("인간, 자연, 기술")를 통해 강조되었으며, 지속가능성의 관점에서 글로벌 도전과제를 해결하고자 하는 현대 엑스포의 지향점이 되고 있다.

○ 2020년 두바이 엑스포

두바이 엑스포는 중동, 아프리카, 남아시아 지역에서 최초로 개최된 엑스포로 2020년 개최 예정이었으나, 코로나 대유행으로 2021년 10월 1일 ~ 2022년 3월 31일까지 개최되었다. 공식 명칭은 "EXPO 2020 Dubai UAE"이며, 행사의 주제는 "Connecting minds, Creating the future"("마음의 연결, 미래의 창조")로 192개국에서 2,410만 명이 참가하여 코로나 대 유행에도 불구하고 성공적으로 행사가 개최되었다. 기회(opportunity), 이동성 (mobility), 지속가능성 (sustainability)라는 세부주제는 지구를 보호하고, 새로운 국경을 개척하며, 더 밝은 미래를 만드는데 영감을 주었다.

두바이 엑스포 행사를 개최하기 위해 재개발, 재건축이 상당하게 이루어졌고, 두바이 지하철 추가 건설, 두바이 알 막툼 국제공항(مطار آل مكتوم الدولي, Al Maktoum International Airport) 건설 등 엑스포 개최를 위한 엄청난 투자가 이루어졌다. 엑스포 종료 후 지속가능성이란 취지에 맞게 주요 건물 상당수는 허물지 않고 보존하여, 박물관 등 다양한 용도로 변경하여 사용할 예정이다.

엑스포는 인류문명의 창조성을 자극하는 기폭제였으며, 이제는 인류 공통의 과제에 대한 해결방안을 모색하고 논의하는 장으로서 엑스포의 역할이 전환되고 있다.

[그림 4-7] 두바이엑스포 로고 및 배치도

자료: 두바이엑스포 웹사이트 (https://www.expo2020dubai.com/en)

4) 세계엑스포 유치 절차

세계엑스포를 유치하기 위해서는 개최 9년 전부터 세계박람회기구(BIE)에 신청할수 있으며, 이후 유치 계획서 제출, 개최 예정지 답사를 거쳐서 회원국을 대상으로 투표를통해 개최지를 결정하는 순서로 진행된다.

(1) 입후보 자격 및 유치 의향서 제출

세계엑스포는 국가가 주체가 되어, 엑스포 주제, 개최 도시, 행사 일정을 작성하여BIE에 제출한다. 유치의향서를 제출할 때 정부의 전폭적인 지지와 지원을 확인할 수있는 서신도 함께 제출한다. 유치의향서를 제출한 시점에서 6개월간 경쟁국의 유치의향서를 접수한다.

동일 국가에서 엑스포 (World Expos 또는 Specialized Expos)를 개최할 경우, 최소 15년의 간격이 있어야 하며, 신청서를 제출하는 정부가 박람회 주최자가 아닌경우, 주최자를 공식적으로 인정하고 의무 이행을 보장해야 한다. 입후보한 국가는유치의향서를 제출하고 곧바로 유치홍보를 진행할 수 있다.

(2) 유치 제안서 검토 및 투표

BIE의 요구 조건이 충족된 유치 제안서를 BIE 집행위원회(BIE Executive Committee)가 면밀하게 검토한 후 실행 가능성에 문제가 없으면, 총회(General Assembly)에 회부한다. BIE 회원국들은 후보 국가의 발표를 듣고 최종 개최지를 1국 1표 원칙과 비밀 투표의 원칙에 따라 투표로 선택한다. 개최지 선정을 위한 투표에서 2/3 찬성 투표를 받지 못하면, 가장 적은 투표수를 받은 국가가 탈락하고 나머지 후보국을 대상으로 다시 같은 방식으로 선출한다. 이러한 과정을 통해 두 개 후보국이 남아서 경쟁할 경우, 다수표를 받은 국가가 개최 도시로 선정된다. 만약 유치국이 회원과 비회원국의 경쟁일 경우, 회원국에 우선순위가 있으며, 비회원국간의 경쟁일 경우, 엑스포를 개최할 권리를 확보하기 위해서 투표에서 2/3 이상 찬성이 요구된다.

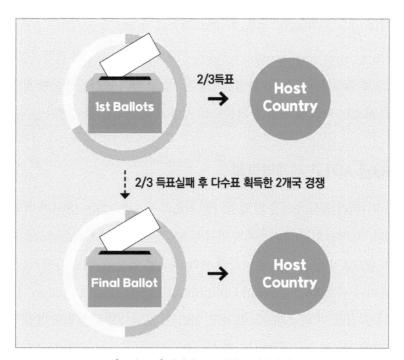

[그림 4-8] 세계엑스포 개최국 선발과정

자료: 세계박람회 웹사이트 (/www.bie-paris.org) 참고

3. 우리나라 전시역사

우리나라가 공식적으로 전시 활동을 시작한 곳은 세계박람회이다. 우리나라에서 처음으로 박람회를 소개한 것은 1884년 '한성순보'이며, 런던 박람회에 대한 짧은 소식을 다루었다. 그리고 1889년 유길준의 '서유견문'에서 박람회의 개념을 설명하였다.

박람회에 관한 관심은 조선을 대내외에 알리기 위한 고종의 정책으로부터 시작되었다. 고종은 1880년 외교와 개화의 전담기구인 통리기무아문(統理機務衙門)23)을 설치하고 국제 정세를 파악하고 조선의 근대화를 통해 세계 문명국으로 나아가기 위한 활동을 진행하였다. 이러한 정책의 일환으로 1881년 일본에 파견된 '신사유람단'의 박정양과 민종묵은 도쿄와 오사카를 중심으로 근대 문물을 시찰하면서, 도쿄에서 개최된 제2회 내국권업박람회를 관람하였다. 우리나라 사람 중에서 최초로 외국 박람회를 관람한 사람이라고 할 수 있다(이각규, 2010). 1882년 조선은 미국과 공식 수교가 이루어졌고, 1883년 조선 보빙사24) 일행이 미국 보스턴 박람회(American Exhibition of Products, Arts and Manufactures of Foreign Nations)를 관람하였다. 이때 비공식적으로 전시관에 '도자기 화병', '주전자' 등 몇 점의 물건을 출품한 것으로 기록되어 있다. 보스턴 박람회 관람은 처음으로 서구의 박람회를 관람했다는 의의가 있다.

1) 1893년 시카고 세계박람회

우리나라가 공식 초청을 받고 참가한 최초의 세계박람회는 1893년 미국 시카고 박람회이다. 이 박람회는 크리스토퍼 콜롬부스(Christopher Columbus)가 미국을 발견한 지 400년이 되는 것을 기념하기 위해 개최된 행사로, 박람회 행사의 공식 명칭은 "콜롬비아 세계박람회(World Columbian Exposition, Chicago, 1893)"이다.

고종은 1882년 미국과 수교를 맺고, 1883년 보빙사 방문 경험도 있었기 때문에 시카고 박람회 참가를 통해 독립 국가의 이미지를 제고하고, 주체적인 외교 다변화를 꾀하였다. 당시 주한 미국 공사관 부총영사관이자 선교사였던 알렌(Horace Allen)은 조선의 전시 출품과 행사 진행을 위한 명예 사무대원 자격으로 전시 공간을 조성하고 조선의

---

23) 조선의 최초의 근대적 기구로 정부가 대외개방을 통해 서구의 문화와 문물을 적극적으로 받아들이겠다는 의도를 공식적으로 천명한 것. 직무는 부국강병과 외교통상을 중심으로 함. 임오군란으로 1882년 폐지됨
24) 보빙사(報聘使)'란 상대국에서 사절단을 파견한 것에 발맞추어 답례의 뜻으로 파견하는 외교사절을 뜻함

전통 음악 공연 등을 기획하였다. 세계 47개국이 참가했던 시카고 세계박람회에서 조선은 '제조와 교양관'의 남쪽에 위치했으며, 전시 면적은 899㎡ (약 271평)로 정도였다. 우리나라 전시관은 양면이 열린 코너에 위치했고, 들어가는 입구에 가마, 찬장, 식기, 동으로 된 탁자, 짚신과 가죽 신발, 화로, 장기판, 연, 도자기류가 있었고, 전시실 안에는 자수 병풍, 장군의 의복, 남성의 관복과 무인복 등이 있었다(김영나, 2000). 시카고 박람회 공식 도록에 의하면 우리나라는 농산물, 원예물, 수산물, 광산물, 교통과 운수, 공예와 제조품, 교육, 임산물 등의 분야에 출품했음을 확인할 수 있다. 박람회가 끝난 후 출품물은 여러 박물관에 보내졌으며, 특히 시카고 필드뮤지엄(The Field Museum, Chicago)에 가장 많은 출품물이 남아 있다.

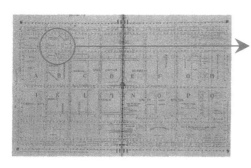 

[그림 4-9] 시카고박람회 조선관

자료: '제조와 교양관'에서 조선관 위치 (공식 도록 Part Ⅷ, p.5, 김영나(2000) 재인용)

시카고 박람회 공식 도록(The Chicago Record's History of the Wrold's Fair)에 의하면, 전시관을 지키던 젊은 조선인은 관람객의 여러 질문에 일일이 대답하는 것에 지쳐 우리나라 지도 옆에 아래의 글을 쓴 종이를 붙여 놓았다고 한다. 아래의 설명문을 읽어보면, 당시 박람회의 인기와 더불어 당시의 국제관계, 우리나라의 국제적 위치, 우리나라의 독립국임을 알리려는 활동 등을 간접적으로 알 수 있다.

"Korea와 Corea는 둘 다 틀리지 않지만, Korea로 써 주기 바란다. 조선은 중국의 일부가 아니라 독립 국가이다. 조선인은 중국어를 사용하지 않으며 조선어는 중국이나 일본어와 다르다. 조선은 미국과 1882년 조약을 맺었다. 여기 전시된 모든 물건들은 정부의 것들이다. 조선은 전기를 쓰고 있고 증기선, 전보를 사용하지만, 아직 철도는 없다. 조선인들은 기와로 만든 지붕과 따뜻하게 데워지는 마루가 있는 편안한 집에서 생활한다. 조선의 문명은 오래되었다. 면적은 10만 평방미터이고, 인구는 1600만 명이며 기후는 시카고와 비슷하다. 지리적 환경은 산이 많고 광산물은 아직 덜 개발되었으며 쌀, 콩, 밀 등의 농산물이 많다"
(Chicago Record's History of the World's Fair, Chicago Daily News Co., 1893, 224/김영나(2000) 재인용).

2) 1900년 파리 세계박람회

우리나라는 1900년 파리 세계박람회(Paris Universal Exposition 1900)에 두 번째로 공식 초청을 받아 참석하였다. 고종은 1897년 국호를 대한제국으로 변경하고 왕의 위상을 황제로 높여 조선의 독립국임을 알리고 조선의 위상을 높이고자 하였고, 파리 세계박람회는 조선의 위상을 알리는 기회의 장으로 역할을 하였다. 시카고 박람회에서 전시장 일부에 전시 공간을 마련하여 참가했지만, 파리 박람회에서는 독립적인 국가관을 건설하고 다양한 전시품을 선보였다. 사각형 건물에 기와를 얹은 당당한 구조의 대한제국관은 경복궁 근정전과 비슷한 모양이다. 내부에는 철제 용조각, 비단, 도자기, 장롱, 자개장, 병풍 그림, 책, 악기, 의복 등 수공예품 중심으로 전시되었으며, 박람회가 끝난 후 여러 박물관에 기증되었다. 조선은 농산물 가공식품으로 대상을 받았고, 2개의 금메달 (야생 작물과 의류), 10개의 은메달(가구 도자기 자수 의복 종의 등), 5개의 동메달, 3개의 장려상을 수상하였다(이각규, 2010).

[그림 4-10] 파리박람회 대한제국관

자료: 김영나(2000)

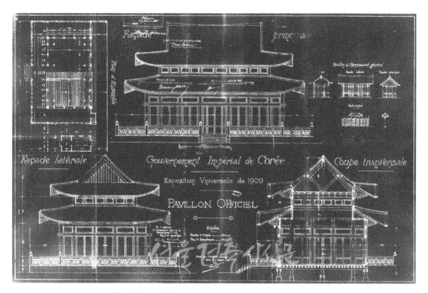

[그림 4-11] 1900년 파리박람회 한국관 도면

자료: 서울 건축사 신문(2021.10.7.)

대한 제국관의 모습은 1900년 12월 16일자 '르 프티 주르날(Le Petit Journal)'에 전면 삽화로 실렸으며, 다음과 같은 기사로 대한 제국관을 묘사했다.

- 극동에서 가장 베일에 가려져 있으며, 또한 이웃이 가장 탐하는 나라, 그리고 외부 세계에 노출을 꺼려왔던 조선의 세계박람회 참가는 놀라운 일이다. 독특한 건립 양식으로 세워진 대한제국관에 전시된 특산물들이 새로운 교류를 갈망하는 듯 보였다.

- 극동의 미를 살려 가장자리가 살짝 들린 큰 지붕을 덮은 목재 건물의 매력은 지나가는 행인들의 시선을 사로잡는다

Le Petit Journal, 1900, 12, 16 / 이각규(2010) 재인용

그리고 '르 프티 주르날(Le Petit Journal)'은 "극동에서 도자기를 발명한 것은 한국인", "한국의 목판 인쇄술은 아주 오래전으로 거슬러 올라가며 9세기부터 서적이 널리 배포되었으며, 특히 삼국사기 등이 주목할 만하다", "한국의 언론이 프랑스보다 더 오래되어 1577년까지 거슬러 올라간다" 등 대한제국의 전시품과 문화에 대해 자세히 소개하고 있다.

1890년 5월부터 1년 10개월 동안 주한 프랑스 외교관을 지내고 파리 세계박람회

대한 제국관 파리위원이었던 모리스쿠랑은 대한 제국관의 전시가 조선 문화의 섬세함을 보여주었다고 평가하였다. 그는 "유럽은 이 나라를 야만으로 취급하려 했다. 이번에 처음으로 우리 눈앞에 여러 가지 면에서 우리를 앞선, 특히 현대 세계의 영광이라 할 만한 인쇄술에서 섬세하고도 복잡한 문화유산을 전시하여 조선은 최초로 유럽인들에게 국위를 선양하게 되었다"고 말했다.

이와 같이 19세기 근대적 전시 공간으로 등장한 세계박람회는 동서양의 정치, 경제, 문화가 만나는 장이자 경쟁의 장이었다. 최신의 정보, 기술을 자랑하며 강대국으로서 위상을 뽐내던 세계박람회에서 우리나라는 자주적 근대화를 위한 노력과 의식을 변화시키는 계기가 되었음에 의의가 있다. 이후 제국주의의 압박과 일본의 국권침탈로 세계박람회는 참석하지 못했다. 이후 두 차례의 세계대전 이후, 1962년 시애틀박람회를 시작으로 세계박람회에 빠짐없이 참여하고 있다.

3) 1906년 부산 일한상품박람회

우리나라에서 개최된 최초의 전시는 1906년 4월25일부터 7월25일까지 92일간 개최된 일한상품박람회이다(이각규, 2010). 부산에서 박람회가 최초로 개최된 것은 '무역 거점항'으로 발전하던 부산의 위상에서 비롯되었다.

[그림 4-12] 부산 일한상품박람회 전시장 전경

자료: 부산일보(2015.4.21.)

이 행사는 조선과 일본이 공동주최하는 행사로 부산 중구 광복동에 있는 '부산 일본상
품진열관'에서 개최되었다. 당시 전시 관람객 수는 모두 7만 7009명으로 이 중 조선인은
2만 6130명으로 전체의 34%를 차지했다. 부산 일한상품박람회는 엄밀히 따지면 일본
상품을 홍보하고 조선인의 소비를 유발하기 위한 수단으로 개최된 행사로, 조선 지배의
우위라는 정치적 배경 아래 경제적 이익을 얻고자 하는 일본의 이해관계가 포함된 행사였
지만, 조선 정부에서도 공동개최를 통해 조선상품을 홍보하고, 조선인 관람객유치, 행사
후원금 지원 등을 통해 조선의 근대화를 꾀하였다.

4) 1962년 산업박람회 이후 전시개최 본격화

우리나라의 순수 산업전시회는 1962년 4월 15일부터 5월 31일까지 한국산업진흥
회 주최로 경복궁에서 열린 '산업 박람회'이다. 경제개발 5개년계획 제1차 연도의 현황
을 소개하고 국내 산업을 육성 발전시켜서 자립 경제 체제 확립을 꾀하기 위해 마련된
산업 박람회는 경복궁 내 경회루 등 대소 1백 50여 동의 건물에 16만여 점의 국내 생산품
이 진열되었다(서울기록원). 이후 1968년 한국수출산업공단에서 '한국 무역박람회'가
개최되어 미국, 일본 등 10개국에서 101개 업체가 수출 상품을 선보였다. 1969년 덕수
궁에서 한국 전자공업진흥협회 주최로 제1회 한국전자전을 개최하면서 전시개최가
본격화되었다.

1962년 산업전시

1968년 한국무역박람회

[그림 4-13] 1960년대 전시모습

자료: 서울기록원

제5장

컨벤션과
미팅테크놀로지

제5장
컨벤션과 미팅 테크놀로지

제1절   **미팅 테크놀로지**

    초연결(hyper-connective)과 초지능(superintelligence)으로 대표되는 4차 산업혁명 시대가 도래하면서 디지털 혁신을 통한 IoT, 빅데이터, AI, 클라우드, 로봇 등 융합기술이 다양한 분야에서 활용되고 있다. 이러한 기술은 사회 전반에 걸쳐 효율성을 제고하고, 경영 및 사업 전략, 정책적 측면에서 야기되는 문제를 효과적으로 해결하는 역할을 수행하고 있다. 사회적 변화는 컨벤션산업에도 크게 영향을 미친다. 세계 컨벤션산업에서도 정보 기술을 활용하여 컨벤션 기획 단계부터 운영, 사후 관리까지 다양한 기술이 접목되어 참가자의 만족도와 편의성을 높이며, 회의 주최자와 기획자의 업무 생산성과 효율성을 높이는 매우 유용한 수단으로 인식되고 있다. 그러나 컨벤션은 사람과 사람이 대면 상호작용을 통해서 현장에서 보고, 듣고, 직접 경험하면서 다양한 정보와 지식을 교류하고 새로운 지식을 창출하는 장이다. 이와 같은 특성은 기술의 발달에도 오프라인 대면 행사가 활성화되고 지속하는 이유가 되었다. 기술은 대면 행사로 개최되는 컨벤션 행사를 보조하는 역할에 머물러 있었다. 하지만 코로나19 대유행으로 전 세계는 국경을 닫고, 사람과 사람 간의 엄격한 거리 두기를 시행하는 등 대면 행사가 개최될 수 없는 상황이 지속하면서 ICT 기술을 이용한 온라인 컨벤션 행사 개최는 선택의 문제가 아니라 필수가 되었다. 2020년부터 온라인, 가상 컨벤션 행사가 진행되었고, 갑작스러운 환경 변화로 행사 참가자, 행사 주최자, 기획자 등 모두 기술 사용에 대한 어려움과 피로도가 높았다. 하지만 2023년 기준으로 코로나19 팬데믹 현상이 엔데믹으로 전환되면서 지역, 국가, 국제 행사가 대부분 대면 행사로 전환되어 개최되고 있다. 그럼에도 불구하고 지난 3년간 우리는 온라인 컨벤션행사를 경험하면서 정보 접근성의 편리함, 친환경적 측면 등 다양한 관점에서 온라인 행사의 필요성을 인식하게 되었다. 이러한 이유로 컨벤션 행사가 대면 행사로 개최되지만 온라인 가상 행사가 대면 행사와 병행하는 하이브리드형 컨벤션(Hybrid conventions)행사의 개최 빈도가 높아지고 있다. 따라서 기술이 컨벤션산업의 발전에 어떻게 영향을 주고 있는지 살펴보겠다.

1. 미팅 테크놀로지의 개념

컨벤션산업에 접목되는 다양한 정보 기술을 설명하는 용어로 미팅 테크놀로지(meeting technology), 이벤트 테크놀로지(event technology), 스마트 마이스(smart MICE) 등이 혼용되고 있다. 미국 이벤트산업위원회(EIC: Events Industry Council)가 정의한 컨벤션산업 용어사전에서는 이벤트 테크놀로지를 '미팅이나 이벤트와 같은 행사를 지원하는 컴퓨터, 소프트웨어, 네트워킹, 오디오 등과 같은 기술 도구'라고 정의하고 있다[25]. 한국관광공사에서는 미팅 테크놀로지를 '주최자, 기획자의 효율적 행사 운영, 참가 업체, 참가자의 목적 달성을 위해 행사 전반에 활용되는 기술'로 정의하고 있다(한국관광공사, 2019). 그중 미팅 테크놀로지라는 용어가 자주 사용되고 있으며, 컨벤션, 전시, 인센티브 투어 등 MICE 산업 전반에 사용되는 기술을 의미한다.

미팅 테크놀로지라는 용어는 2010년대에 본격적으로 사용되기 시작했으며, 스마트폰의 대중화로 온라인 기반 애플리케이션, 소셜네트워킹 서비스, 인터넷 사용자의 증대와 연관성이 있다. 미팅 테크놀로지는 회의, 전시, 이벤트 등 행사 주최자와 기획자에게 효율성과 효과성을 높일 수 있도록 개최 업무를 지원한다. 업무의 정확성을 높이고 절차를 간소화할 수 있게 함으로써, 스마트 워크(smart work) 실현을 가능하게 해준다. 참가자 입장에서는 미팅 테크놀로지가 적용된 행사에 참여함으로써 새로운 경험과 편의를 도모할 수 있고, 주최자와 기획자의 입장에서는 미팅 테크놀로지를 전략적으로 활용한다면 행사에서의 차별성과 경쟁력을 강화하는 필수 요소가 될 것이다.

사실, 미팅 테크놀로지라는 용어는 코로나19로 인해 전 세계인의 비즈니스 방식이

제5장
컨벤션과 미팅테크놀로지

---

25) Any technical and technology needs to support meeting or events. Includes items such as audio-visual, computers, software, power, networking and connectivity
(https://insights.eventscouncil.org/Full-Article/event-technology).

대면에서 비대면으로 바뀌게 되면서 주목받기 시작했다. 어쩌면 코로나19로 인해 컨벤션 산업이 앞으로 정보통신기술 (ICT)과 접목해야 할 필요성을 보다 빠르게 깨닫게 된 것으로 해석할 수 있다.

행사 운영에 활용 가능한 미팅 테크놀로지는 크게 두 가지 범위로 구분된다. 하나는 컴퓨터 기반의 정보제공, 처리, 이용을 돕는 시스템인 정보기술(IT: Information Technology)이며, 다른 하나는 통신과 정보 처리를 포함하여 변환, 저장 등을 추가한 정보통신기술(ICT: Information and Communications Technology)이다.

IT에 해당하는 대표적인 미팅 테크놀로지로는 방송, 영상 및 음향, 동시통역, 행사 운영 시스템, 데이터 처리 및 보완, 네트워크, 어플리케이션, 3D 공간 데이터, 웹사이트 제작 및 운영 등이 있다. ICT는 정보 기술과 통신 기술이 융합되어 초연결과 초지능화에 기반을 두고 있으며, 미팅 테크놀로지로 활용될 경우 컨시어지 서비스, 로봇 안내원, 비콘, 빅데이터 분석, 인공지능, 사물인터넷, 홀로그램, 가상현실(VR), 증강현실(AR), 실시간 네트워킹, 음성인식, QR(Quick Response)코드, 위치 인식, NFC(Near Field Communication) 결제, 웨어러블 디바이스(wearable device) 등 다양한 형태로 나타난다 (한국관광공사, 2019). 이와 같이 인터넷 네트워크와 연결됨으로써 사용자가 기능을 확장하고 재구성할 수 있는 기술을 스마트 기술이라고 하며, 이러한 기술이 컨벤션과 결합하여 기획되고 운영될 때 스마트 마이스(Smart MICE)라고 한다.

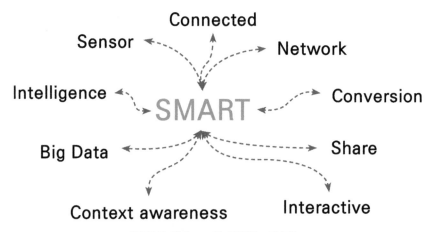

[그림 5-1] Smart를 의미하는 기술들

자료: 김성원 칼럼 (2015), https://bizzen.tistory.com/619

컨벤션산업에서 기술이 도입되는 시기를 4가지로 구분할 수 있는데, 제1시기는 2000년대 초반으로, 이 시기에는 행사 등록 중심의 기술이 도입되었다. 이때는 행사의 홈페이지를 구축하고 등록비 지불 시스템을 운영하는 단계였다. 당시에는 여전히 팩스와 이메일을 통해 행사 참가 신청서를 접수했고, 등록비 접수 확인을 위해 은행에 직접 가는 번거로움도 여전히 존재했었다. 그러나 온라인 플랫폼을 통한 행사 정보 공유, 등록, 등록 확인, 행사 결과보고 등이 가능해지면서, 행사 홈페이지의 디자인, 구성, 등록 시스템의 원활한 운영이 행사의 수준을 대변하게 되었다.

제2시기는 스마트폰 사용이 확산되면서, 컴퓨터를 통해 행사 정보를 얻고, 소통하던 방식에서 벗어나 어디서나 사용 가능한 모바일 애플리케이션 사용 기술로 확산되면서 정보 공유와 소통 방식이 새로운 차원으로 진화한 시기이다.

제3시기는 온오프라인 행사에서 참가자 참여도를 증진하기 위한 기술이 도입된 시기이며, 제4기시는 가상현실(VR), 증강현실(AR), 인공지능(AI) 기술이 대표되는 시기이다.

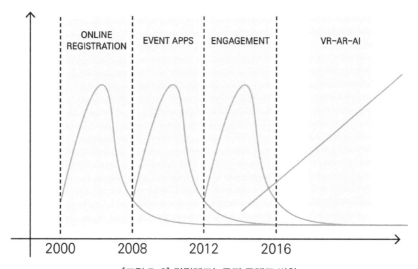

[그림 5-2] 미팅테크놀로지 트렌드 변화

자료: 한국관광공사 미팅 테크놀로지 가이드북(2019)

2. 미팅 테크놀로지 특징

미팅 테크놀로지의 활용은 행사 운영 절차 간소화, 행사 참가자 증대, 참가자 경험 강화, 회의 효과 개선, 데이터 수집 등 많은 장점을 가지고 있다. 행사 운영 절차가 간소화되면 행사 운영에 소요되는 시간과 예산이 절약되고, 참가자에게 보다 많은 정보를 실시간으로 제공할 수 있으며, 주최자와 참가자 간 커뮤니케이션이 편리해지면서 참가자의 만족도가 높아져서 행사에 긍정적인 영향을 미친다. 또한, 미팅 테크놀로지를 컨벤션에 사용함으로써 행사 장소에 구애받지 않고 온라인 플랫폼을 통해 실시간으로 행사에 참가할 수 있어 참가자의 범위가 확대되는 점이 가장 큰 장점이라고 할 수 있다.

그러나 인터넷 사용 환경이 조성되지 않았거나, 사용 방법에 대한 어려움이 있는 참가자의 경우 접근성이 떨어질 수 있다. 또한 주최 측 입장에서도 새로운 기술을 도입하는데 많은 비용이 들거나 기술적인 결함으로 온라인 플랫폼의 운영이 원활하지 못한 경우 등 예상치 못한 문제 발생에 대처하기 어려운 점이 있다. 온라인상으로 행사 데이터를 저장하면 데이터 관리가 편리하지만, 해킹 등을 통한 정보 유출의 문제가 있을 수 있기 때문에 철저한 보안이 요구된다.

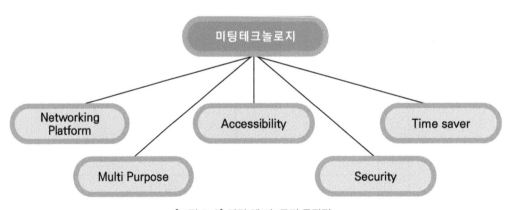

[그림 5-3] 미팅 테크놀로지 특장점

자료: 한국관광공사 미팅 테크놀로지 가이드북(2019)

○ 네트워킹 활성화 (Networking platform)

온라인 플랫폼을 기반으로 다양한 SNS를 활용하여 실시간 소통이 가능하기 때문에 행사 운영을 위한 주최자의 업무 소통, 참가자 네트워킹을 위한 행사장에서의 소통, 참가업체와 바이어의 수출 상담을 위한 매치메이킹(Match Making)을 지원한다. 온라인 플랫폼의 특성상 물리적 거리를 뛰어넘어 네트워킹 할 수 있는 기회가 확대된다. 온라인 커뮤니티 운영을 통해 참여 기관 및 관련 기관과의 소속감과 유대감을 향상시키고 참가자의 행사 충성도를 높이는 역할도 한다.

또한, 행사 전, 행사 기간, 행사 후에도 참가자와 주최 측이 네트워킹할 수 있는 플랫폼을 조성하여 지속적으로 운영한다면 차기 행사의 기획, 운영에 도움이 될 수 있다.

○ 다목적 활용(Multi purpose)

미팅 테크놀로지는 ICT를 기반으로 행사 정보 제공, 숙박 시설 예약, VR 콘텐츠 감상, 실시간 투표 및 스트리밍 서비스 등 다양한 기능으로 활용 가능하다. 특히, 온라인 마케팅과 실시간 웹 중계를 통해 행사 노출의 기회가 확대되어 행사 브랜드 인지도를 강화할 수 있다.

○ 접근성(Accessibility)

미팅 테크놀로지를 통해 행사에 직접 참여하지 못하는 수많은 잠재 참가자가 온라인을 통해 참석할 수 있으며, 행사 정보에 대한 접근성도 뛰어나다. 특히, 실시간 참석이 가능하지 않더라도 녹화 영상을 통해 행사 정보와 지식을 습득할 수 있어 참가자 편의를 더하고 있다.

○ 데이터 보안(Security)

온라인상으로 행사 참가자 데이터를 저장하고 보관함으로써 쉽게 관리할 수 있지만, 개인정보 보호, 데이터 보호 관련 규정을 확인하고 철저한 보안 시스템을 구축해야 한다.

○ 업무시간 단축(Time saver)

매뉴얼화가 가능한 업무는 컴퓨터에서 자동 처리할 수 있기 때문에 업무 시간과 오차 범위를 줄일 수 있다.

3. 미팅 테크놀로지 유형

컨벤션산업에 활용되는 기반 기술은 인공지능(Artificial Intelligence), 사물인터넷 (Internet of Things), 클라우드 컴퓨팅(Cloud Computing), 빅데이터(Big Data), 웨어러블 기술(Wearable Technology) 등이 있고, 이를 응용하여 컨벤션 행사에 직접 적으로 활용되는 기술로는 증강현실(AR)과 가상현실(VR), 홀로그램(Hologram), 라이 브 스트리밍(Live Streaming), RFID(Radio Frequency Identification), 소셜미디어 (Social Media), 위치기반서비스(LBS / GPS), 비콘(Beacon), 모바일 앱(Mobile Apps), 행사 관리 소프트웨어(EMS), 드론(Drone), 챗봇(Chatbot), 안내 로봇 (Guiding Robot), 프로젝션 맵핑(Projection Mapping), 얼굴인식 기술(Facial Recognition), 스마트 디스플레이(Smart Display), NFC (Near-filed Communication) 등이 있다(한국관광공사, 2019).

1) 가상현실(VR: Virtual Reality)/증강현실(AR: Augmented Reality)

가상현실은 특수 안경을 착용하여 컴퓨터로 만들어 놓은 가상의 장소나 상황을 현실 처럼 체험하게 하는 기술이다. 반면 증강현실은 우리 눈으로 보는 현실 세계에 3차원 가상 이미지를 겹쳐서 하나의 영상으로 보여주는 기술이며, 가장 대표적인 사례로는 '포켓몬 고' 게임이 있다.

[그림 5-4] 증강현실 기술 예시

자료: 포켓몬고

이러한 기술은 컨벤션산업에서 어떻게 사용되고 있을까? 컨벤션 행사를 개최하기 위한 개최지와 시설 정보를 얻기 위해 주최자 및 기획자는 개최지를 방문하고 개최 시설을 둘러보는 현장 방문(site inspection) 단계를 거친다. 코로나19 팬데믹 이전에도 온라인을 통한 시설 소개 프로그램이 있었지만 활성화되지 않았다. 그러나 코로나 시기를 지나면서 대부분의 컨벤션 행사장과 호텔, 지역 관광을 소개하는 사이트에서 가상현실 투어가 가능한 상황이다. 한국관광공사 K-MICE 웹사이트에서도 우리나라의 컨벤션시설을 온라인 플랫폼을 통해서 가상 투어가 가능하도록 서비스를 제공하고 있다.

[그림 5-5] 마이스 인프라 국제회의시설 360VR - 제주국제컨벤션센터 이미지
자료: https://k-mice.visitkorea.or.kr

2) 홀로그램(Hologram)

홀로그램은 실물과 똑같이 입체적으로 보이는 3차원(3D) 입체 영상으로, 전용 안경을 쓰지 않아도 실제 공간에서 자연스러운 입체 영상을 체험할 수 있으며, 눈의 피로감이나 어지럼증의 문제도 해결할 수 있는 기술이다.

컨벤션행사에서 홀로그램 기술은 개막식 또는 폐막식에서 유명 연사가 참석하지 못할 경우 발표 영상을 홀로그램으로 진행하거나, 전시 부스에서 전시품을 직접 전시하지 못할 경우에 사용되는 기술이다.

우리나라 행사 기획사인 엠더블유네트웍스(MWNetworks)는 2021년 9월에 "2021 AMGEN Romosozumab Expert Forum"을 개최했으며, 이 행사는 한국, 미국, 일본에 있는 연사들이 가상혼합현실 스튜디오에서 실시간으로 포럼을 진행하는 방식이었다. 4개국 홀로그램 연사들이 가상혼합현실 스튜디오에서 의견을 나누고 질의응답하는 방식으로 진행되었고, 이는 홀로그램을 통한 컨벤션 행사의 사례가 될 수 있다.

혼합현실 스튜디오   현장 스튜디오

[그림 5-6] 홀로그램을 이용한 컨벤션행사

자료: 엠더블유네트웍스 웹사이트 (mwnetworks.co.kr)

3) 라이브 스트리밍(Live Streaming)

스트리밍(streaming)은 인터넷에서 음성이나 영상, 애니메이션 등을 따로 저장하지 않고 실시간으로 재생하는 기술이며, 라이브 스트리밍은 컴퓨터 네트워크 상에서 생방송으로 스트리밍하는 것을 말한다. 라이브 스트리밍 기술은 컨벤션 행사에서 개·폐막식, 전체 세션 등을 실시간으로 송출하여 행사장이 아닌 다른 곳에서도 동일하게 행사를 경험할 수 있게 한다. 즉, 행사에 관심은 있지만, 여건상 참석하지 못하는 사람들은 온라인을 통해 행사에 참여하고 행사 콘텐츠를 경험할 수 있어서, 잠재적 참가자의 행사 참여를 유도하는 기반이 된다.

4) 소셜미디어(Social Media)

소셜미디어는 트위터(Twitter), 페이스북(Facebook), 인스타그램, 블로그와 같이 소셜 네트워킹 서비스(SNS: Social Networking Service)에 가입한 이용자들이 서로 간의 자유로운 의사소통과 정보 공유, 그리고 인맥 확대 등을 통해 사회적 관계를 생성하고 강화해주는 온라인 플랫폼이다. 이 서비스의 가장 중요한 부분은 사회적 관계망을 생성, 유지, 강화, 확장해 간다는 점으로, 정보가 공유되고 유통될 때 더욱 의미가 있다.

컨벤션 주최자 또는 기획자는 소셜 미디어에 행사계정을 만들고 행사 전, 행사 중, 행사 후에 이르는 전 기간 동안 행사와 관련된 정보와 소식을 전달하여 행사 홍보와 노출도를 높인다. 행사 참가자 역시 행사 기간 동안 경험한 소감이나 행사 관련 사진을 소셜 미디어에 올리고, 행사 소식에 댓글을 다는 등의 활동을 통해 행사에 대한 관심도와 참여도를 높이는 효과를 나타낸다.

5) RFID(Radio Frequency Identification)

RFID는 무선 주파수(Radio Frequency)를 이용하여 RF 칩이 부착된 물건이나 그것을 소유한 사람을 식별(Identification)할 수 있도록 해주는 기술이다. RFID 기술은 컨벤션 행사에서 입출입 관리에 활용되는 대표적인 기술로, 참가자의 정보를 확인하고 출입 관리를 출입구를 통과할 때 자동으로 확인할 수 있는 시스템이다. 특히, 대규모 행사일 때 정확하고 신속한 참가자 출입 관리를 가능하게 하며, VIP 등 초청 참가자에 대한 보안이 중요한 행사에서도 사용된다.

6) 위치 기반 서비스(LBS: Location based Service)

○ GPS(Global Positioning System)

이 기술은 유무선 통신망을 통해 얻은 위치 정보를 바탕으로 다양한 서비스를 제공하는 기술로, 컨벤션 행사에서 의전 및 수송 업무의 실시간 관리가 가능하다. 의전 및 수송업체가 제공하는 플랫폼에 접속하여 차량 배차 현황, 입출국 일정 변경 내역, 차량 및 기사 정보, 차량 운행 경로 등 의전 상황에 대하여 실시간으로 추적할 수 있다. 이러한 기술은 행사 준비와 운영 과정에서 돌발 상황에 대한 효율적인 대처가 가능하다. 단점은 실외에서 작동하며 건물 등의 실내에서는 작동에 한계가 있다.

○ 비콘(Beacon)

비콘은 블루투스 신호기를 통해 근거리에 위치한 스마트폰이나 기타 무선 통신 장치로 신호를 보내는 기술이다. 비콘은 행사 주최자가 참가자 위치를 기반으로 행사 등록, 스마트 네트워킹, 행사장 시설 안내 등 창의적인 서비스를 제공할 수 있게 한다. 행사 이후에도 참가자 데이터 분석 및 관리를 통해 행사 개선 방안을 도출하는데 도움이 된다. 참가자는 모바일 앱을 통해 관심 있는 참가자가 근거리에 오면 신호를 주고받으며, 매칭된 참가자의 프로필이 모바일 기기를 통해 제공되어 자연스러운 네트워킹이 가능하다.

○ NFC(Near Field Communication)

근거리 무선 통신으로 알려진 NFC 기술은 스마트폰을 통한 전자 결제, 파일 전송 기술과 자동차 전자 키 등에 사용되고 있다. NFC는 RFID(전파식별) 기술의 하위분야로, 고주파를 사용하며 대부분 양방향 통신으로 약 10cm 거리에서만 데이터를 교환할 수 있어 높은 보안성을 요구하는 분야에서 사용되고 있다. NFC 기술은 행사 참가자 출입 관리에 사용되며, 결제 및 중요한 자료를 신속히 주고받거나 보안이 필요한 분야에 활용된다.

<표 5-1> 위치기반 기술 비교

구분	주요 내용
GPS	• 실외 위치추적기술
Beacon	• 애플중심 iOS 생태계 기반 • 직선거리 최대 100m 안에서 통신 가능 • 근접거리 내에 손쉬운 통신 • 저렴한 가격 • 메시지 범람(스팸): 사용자의 의지와 관계없이 메시지 수신
NFC	• 안드로이드 생태기반 • 10cm 이내에서 통신 가능 • RFID 기술을 기반으로 하며 리더기와 반드시 접촉해야 하기 때문에 보안은 우수하지만 거리의 제약이 큼 • 리더기 가격이 비쌈 • 실내기반 마케팅 도구 • NFC는 사용자의 터치에 의해 메시지 수신

자료: 비콘, NFC와 무엇이 다른가, 전자신문(2014), https://www.etnews.com/20141111000345

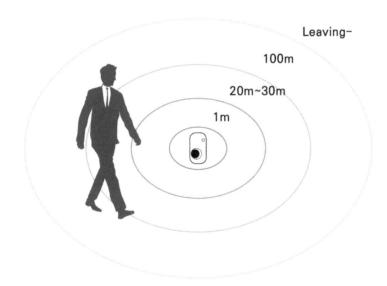

송수신 거리 기준: GPS > Beacon > NFC

[그림 5-7] 위치기반 기술 적용 거리 비교

7) 모바일 앱(Mobile Apps)

스마트폰, 태블릿 PC 등 모바일 장치에서 실행되는 응용 소프트웨어는 많은 행사에서 활용되고 있다. 단순 정보 제공 기능을 넘어 실시간 비즈니스 네트워킹, 참가자 설문 조사 및 자료 수집 등 활용 가치가 높은 것으로 평가되고 있다. 모바일 앱은 행사 관리 소프트웨어와 연동되어 운영되는 경우가 많다. 행사 모바일 앱은 행사 정보를 실시간으로 제공하고, 연사별 발표 자료도 조회할 수 있다. 현장 등록 및 체크인의 편리성, 현장 미팅을 통한 네트워킹의 편리성, 실시간 질의응답, 투표, 참가자 조사 분석 등으로 참가자 편의와 행사 운영의 효율성이 증가한다.

8) 행사관리 소프트웨어(Event management software)

행사관리 소프트웨어는 컨벤션 행사를 효과적으로 운영하기 위해 개발된 응용 소프트웨어로, 행사 홈페이지 제작, 온라인 등록 시스템, 현장 등록 및 체크인, 비즈니스 매칭 혹은 PSA(Pre-Scheduled Appointment) 시스템 운영 등 행사 운영 전반에 걸쳐 다양한 기능을 제공한다. 특히, 이러한 다양한 기능을 하나의 소프트웨어 안에 통합하여 운영하는 추세이며, 모바일 앱과 연동하여 운영하기도 한다.

9) 드론(Drone)

드론은 무인 항공기(UAV: Unmanned Aerial Vehicle)로 초기에는 공군기나 고사포의 연습 사격에 적기 대신 표적으로 사용되었으나, 최근에는 상업적 용도로 다양하게 사용되고 있으며, 스마트폰이나 태블릿과 연동하여 간편하게 조작할 수 있다. 특히 엔터테인먼트, 광고, 촬영, 경호 목적 등으로 사용되고 있다. 2018년 평창동계올림픽 개막식에서 가장 주목받은 것은 드론쇼였다. 메시지를 담은 1,218대 드론이 올림픽을 상징하는 오륜기 및 스노우보드 형상 등으로 바뀌는 화려한 쇼는 평창올림픽에서 가장 깊은 인상을 남긴 명장면으로 꼽힌다. 이와 같이 드론은 행사 진행 시 실시간 스트리밍의 영상 촬영, 공연을 통한 행사 홍보 효과를 강화하고, 행사장 안전 관리와 경호를 강화하는 역할을 할 수 있다.

[그림 5-8] 평창올림픽 드론쇼

자료: 인텔

10) 챗봇(Chatbot)

챗봇은 AI 기술을 바탕으로 메신저, 모바일 앱, 휴대폰 문자 등을 통해 사용자의 문의 사항을 처리할 수 있는 소프트웨어로, 일상에서는 은행, 홈쇼핑, 음식 배달, 숙박 예약 등 다양한 기업의 홈페이지에서 문의 사항을 처리하는 서비스로 활용되고 있다.

컨벤션 행사에서도 챗봇은 참가자의 질문에 실시간 자동 응답하는 기능을 한다. 예를 들어, 행사장 지도, 발표자, 전시자 목록, 교통편, 행사 일정 및 입장료 등 행사와 관련된 구체적인 정보를 제공하여 주최자가 문의에 답변하는 데 소모하는 시간을 줄일 수 있다. 챗봇은 웹사이트, 메신저, 모바일 앱 등을 통해 서비스를 제공한다.

[그림 5-9] 웹사이트 챗봇 예시

자료: https://www.aventri.com

11) 안내 로봇(Guiding Robot)

안내 로봇은 인공지능, 무선 통신 기술, 로보틱스 등 4차 산업 기술을 사용하는데, 음성 인식 기술로 방문객과 대화하면서 문의 사항을 처리하고 위치 기반 기술을 이용한 자율 주행을 통해 지정 위치까지 사용자를 에스코트한다. 또한, 각종 센서가 내장되어 대규모의 데이터를 수집할 수 있으며, 대표적인 예로 인천공항의 '에어스타(Airstar)' 가 있다.

[그림 5-10] 인천공항 안내 로봇 에어스타

자료: 매일건설신문(2018), http://www.mcnews.co.kr/63247

12) 스마트 디스플레이(Smart Display)

스마트 디스플레이는 액정 표시 장치(LCD) 모니터와 무선 인터넷 기능이 있어 언제 어디서나 자유롭게 무선 컴퓨팅을 즐기고 업무에 활용할 수 있는 차세대 지능형 모니터 기기이다. 대형 디스플레이에 터치스크린, 마이크, 스피커 등이 내장되어 사용자의 조작에 따라 다양한 정보와 서비스를 제공한다. 근거리의 움직임이나 RFID 칩이 내장된 스마트 뱃지를 감지하는 센서를 탑재한 스마트 디스플레이도 있으며, 결제도 가능해서 소매, 음식점 등에서 많이 사용하고 있는 기술이다.

컨벤션 행사에서는 안내 키오스크(Information Kiosk)를 통해 행사장 지도, 행사장 소개, 행사 정보 등을 참가자에게 제공하며, 참가자 정보 수집 서비스도 가능하다. 또한, 전시장 내 안내를 위해 설치하거나 홍보·마케팅의 용도로 활용할 수 있다.

아래의 그림은 스페인 바르셀로나에서 개최된 유럽 최대 디스플레이 전시회 ISE(Integrated Systems Europe) 2022에 참석한 삼성전자의 전시 부스이다. 삼성전자는 'Business Re-imagined(비즈니스를 새롭게 정의하다)'라는 비전을 표방하며 전시 부스를 기획하고 운영하였다. 부스 내에 설치된 스마트 디스플레이가 사람들에게 정보를 제공하고 스마트 디스플레이를 직접 작동해보는 등의 체험으로 삼성 전시 부스의 매력도를 높이고 있다.

[그림 5-11] ISE 2002 삼성전자 부스

자료: Samsung Newsroom, https://news.samsung.com/

13) 프로젝션 맵핑(Projection Mapping)

프로젝션 맵핑은 대상물의 표면에 빛으로 이루어진 영상을 투사하여 변화를 줌으로써, 현실에 존재하는 대상이 다른 성격을 가진 것처럼 보이도록 하는 기술이다. 이 기술은 건물 외벽뿐만 아니라 인테리어 공간, 오브제 등 프로젝터에 의해 영사할 수 있는 모든 것을 스크린으로 사용할 수 있다. 프로젝션 맵핑과 유사한 미디어 파사드(Media Facade)는 건물 외면의 가장 중심을 가리키는 '파사드(facade)'와 '미디어(media)'의 합성어로 건물 외벽에 영상을 투사하여 정보를 전달하는 형식이다. 이 두 기술이 결합하여 프로젝션 파사드(Projection Facade) 형태로 진화하고 있다.

컨벤션에서는 개회식, 폐막식, 환영 만찬, 환송 만찬 등의 이벤트에서 참가자의 '와우 포인트(Wow point)'로 새로운 경험과 기억에 남을 추억을 남길 수 있는 행사 이벤트로 사용된다.

| 2021 서울라이트 | 홍콩디즈니랜드 We love Mickey show |

[그림 5-12] 프로젝션 맵핑

14) 얼굴인식 기술(Facial Recognition Technology)

얼굴인식 기술은 얼굴의 특장점을 추출하여 저장된 데이터베이스 내 자료와 비교하여 신원을 확인하는 기술로 성별은 물론 감정 상태, 인종까지 분석이 가능해졌고, 동일인 여부에 대한 분석과 여러 이미지 중 같은 이미지만을 뽑아낼 수 있는 고급 기능도 가능해졌다. 얼굴인식 기술은 홍채, 정맥과 함께 대표적인 생체 인식(biometrics)기술 중 하나로, 분실이나 복제될 우려가 없다는 점에서 최근 차세대 신원 확인 시스템으로 주목받고 있다. 특히, 코로나19로 언택트 기술이 각광 받으면서, 얼굴인식 기술은 사람의 얼굴 골격을 분석한 후 3차원 측정과 열 적외선 촬영 등을 통해 얼굴 형태와 열상을 스캔하여 기기와의 접촉 없이 본인 인증이 가능하다는 장점으로 사회의 다양한 분야에서 활용되고 있다. 그러나 얼굴인식 기술은 개인의 사생활을 침해할 수 있다는 것과 개인정보 보호 및 활용의 딜레마를 가지고 있다. 얼굴 데이터와 개인정보를 연계시켜 CCTV 화면을 분석하면 사람의 행적을 상상도 못할 수준으로 추적할 수 있어서 '빅브라더(Big brother)'[26] 공포를 촉발할 수도 있고, 인종, 몸 상태 등에 대한 개인정보가 유출될 수도 있다. 편리한 기술인 만큼 정보 보안 및 오남용에 대하여 논의가 필요한 기술이다.

컨벤션 행사에서 얼굴 인식 기술은 행사 참가자의 현장 등록 및 출입 관리에 활용된다. 얼굴인식은 행사장 출입구에 접근만 하면 참가자 식별이 가능하므로 등록 처리를 더욱 효율적으로 만들어 참가자 만족을 높일 수 있다. 특히, 보안이 중요한 행사에서 참가자의 신분 확인 과정은 시간과 인력이 많이 소모되는데, 이러한 불편한 과정을 빠르고 확실하게 진행할 수 있다.

이미지 캡처 → 이미지 스캔, 얼굴 탬플릿 생성 → 얼굴 데이터베이스와 비교 → 기존 데이터베이스와 일치 확인

[그림 5-13] 얼굴인식 프로세스

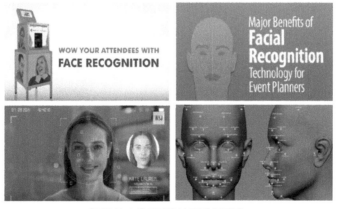

[그림 5-14] 얼굴인식 관련 이미지

자료: 한국관광공사(2019)

---

26) 빅 브라더(Big Brother)는 조지 오웰의 소설 《1984》에 나오는 가공의 인물로, 자신의 사리사용을 위해 사람들을 부당하게 감시하며 권력을 마구잡이로 휘두르는 난폭하고 이기적인 인물의 대명사로 사용된다. 오웰이 묘사한 사회에서는, 모든 사람들이 텔레스크린을 사용한 감시하에 놓여 있다. "빅 브라더가 당신을 보고 계시다"("Big Brother is watching you")라는 프로파간다 문구를 통해 "불법적 악의적 감시"를 체제를 강화하는 독재적 인물로 빅 브라더를 사용한다.

15) 메타버스(MetaVerse)

메타버스(metaverse) 또는 확장 가상세계는 가상, 초월을 의미하는 '메타'(meta)와 세계, 우주를 의미하는 '유니버스'(universe)를 합성한 신조어다. 1992년 출간한 닐 스티븐슨의 소설 '스노 크래시(Snow Crash)'에서 가장 먼저 사용했다. 메타버스는 스마트폰, 인터넷 등 다양한 디지털 미디어를 통해 표현되는 새로운 세상으로 디지털화된 지구이며, 가상과 현실이 융합된 공간에서 사람, 사물이 상호작용하며 경제, 사회, 문화적 가치를 창출하는 세계로 정의된다 (김상균, 2020; IRS Global, 2022).

기술연구단체인 ASF(Acceleration Studies Foundation)는 메타버스를 네 가지 형태로 분류한다. 증강현실(Augmented Reality)은 현실 세계의 공간에 IT 기술을 기반으로 디지털 형상을 투영, 증강해 주어 현실의 효과를 더욱 실감 나게 보완해주는 기술이다. 스마트폰이나 테블릿 PC 등 간단한 기기를 통해 증강현실의 입체감을 활용할 수 있다. 예를 들면 포켓몬 게임이나 스마트폰 앱으로 책에 있는 마커를 찍으면 책 위에 움직이는 동물이 나오는 것 등이다. 또한, '증강현실(AR) 헤드업 디스플레이(HUD: Head up Display)가 자동차 앞면 유리창에 장착되어 차량의 주행 정보를 보여주는 것도 하나의 예가 된다.

라이프 로깅(Life Logging)은 페이스북, 블로그, 인스타그램 등에 일상생활을 기록해 자신의 개성을 보여주고 공유하여 자아실현의 목적으로 진화하고 있다. 가상세계(Virtual reality)는 사용자가 아바타의 형태로 다른 사용자에게 보이는 상호 교감형 3차원 가상환경을 의미한다. 2017년 스티븐 스필버그가 제작한 '레디 플레이어 원(Ready Player One)'이 가상세계를 잘 묘사하고 있다. '거울 세계(Mirro Worlds)'는 1991년 예일대 컴퓨터 과학자 데이비드 겔런터(David Gelernter)가 처음 사용한 용어로 실제 세계를 동일하게 3차원의 디지털 세계로 구현한 것을 말한다. 배달 앱으로 음식을 주문하거나, 에어비앤비로 숙소를 예약하는 것 등이 여기에 해당된다.

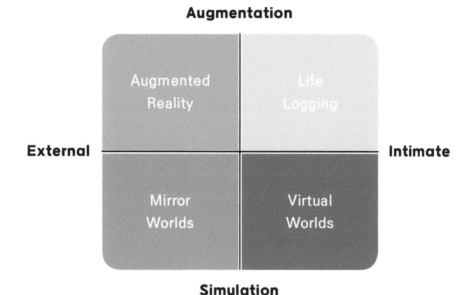

[그림 5-15] 메타버스 구분(Metaverse Types)

자료: Metaverse Roadmap (www.metaverseroadmap.org/overview/)

　　컨벤션행사에 메타버스를 적용하면 어떻게 될까? 메타버스는 참가자 수, 행사장 크기에 한계가 없으며, 원하는 것을 메타버스 플랫폼에 구현할 수가 있다. 메타버스가 활성화되려면 보안과 신뢰에 대한 문제가 이슈가 될 수 있다. 참가자 정보, 최신의 기술과 자료들, 공유된 정보를 신뢰하면서 맺어질 수 있는 네트워크 등 다양한 신뢰와 정보 보안 문제가 있다. 하지만 이러한 보안 문제와 시스템의 안정성이 보장된다면, 메타버스를 통한 컨벤션행사는 경제적, 시간적 문제로 참석하지 못하는 수많은 잠재적 참가자가 메타버스를 통해 참석이 가능하며, 대면 행사와 가상 행사 간의 격차를 줄이는데 도움이 될 것이다.

제2절 행사단계별 미팅 테크놀로지 유형

행사 단계별로 활용 가능한 미팅 테크놀로지의 유형과 선택의 팁을 살펴보면 다음과
같다.

1. 행사전(Pre-event) 활용 솔루션

1) 등록 시스템(Registration system)

컨벤션 등록 소프트웨어는 참가자 데이터 수집, 결제, 확인증 및 티켓 배포 등을 주요
기능으로 한다. 수집된 데이터는 숙박, 네트워킹, 교육 안내 및 인증 등 다양한 고객
활동을 지원하는데 활용될 수 있다. 이를 통해 컨벤션 참가자들에게 보다 원활하고
효율적인 경험을 제공할 수 있다.

2) 행사 운영 소프트웨어(Convention management software)

행사 기획 자동화 솔루션은 진행할 세부 업무 내용, 일정 관리, 참석자 관리, 장소
예약, 예산 관리 등이 포함된다. 또한, 필요한 자원 공급자와 파트너 관리, 디자인, 콘텐츠
커뮤니케이션 협력, 예산 결과보고와 평가에 이르기까지 모든 업무가 상호 유기적으로
제공된다. 이 플랫폼은 기획자와 주최 기관에게 실질적인 혜택을 제공하는데, 예를
들어, 비용 흐름의 가시화, 효율적인 자원 분배, 높은 생산성, 오류 감소 등이다.

3) 장소 조달(Venue sourcing)

행사 기획자들의 요구사항 (Specifications)에 맞춰, 호텔 및 지역 CVB 및 홍보
부서에 온라인 제안 요청서(e-RFP)를 배포하고, 이를 통해 장소와 요구사항에 대한
협의 및 사전 답사 등을 원활히 진행할 수 있는 플랫폼을 구축한다.

4) 디지털 마케팅(Digital marketing)

마케팅 솔루션은 대량 이메일 발송, 스케줄링, 소셜미디어 활동과 모니터링 등 일반적인 마케팅 업무의 툴을 제공하는 소프트웨어로 이벤트에 특화된 마케팅 솔루션은 흔하지 않지만, 통합관리 소프트웨어 및 등록 소프트웨어를 통해 활용 가능한 마케팅 도구가 증가하는 추세이다.

- 소셜네트워크: 회의 참가자들이 자신의 등록을 공유하고 다른 사람들도 등록하도록 장려하는 게시글을 랜딩(landing) 페이지로 링크
- 참가자 간 추천: 등록 단계에서 참가자들이 이메일이나 소셜 네트워크를 통해 다른 참가자를 초청하는 형태
- 전시자와 참가자 간 추천: 주최자는 전시 참가 업체에게 고객의 정보를 공유하는 조건으로 할인 코드를 제공, 등록 시스템은 코드를 추적하여 추천을 통한 신규 등록 규모를 파악
- 전시자 초청: 사전 등록자들에게 이메일 발송을 통한 전시업자의 사전 마케팅 활동
- 리타케팅(Retargeting): 온라인상에서 사용자의 검색 기록 및 방문 경로에 행사 광고가 나타나도록 하는 방식
- 가상 울타리(geo-lencing): 경쟁 행사가 개최되는 기간에 참가자 모바일로 본 행사의 광고를 제공하는 방식
- 데이터 분석: 분석된 데이터를 기반으로 특정 목표 대상을 초청하는데 활용
- 표적 리스트 구축: 소프트웨어가 사전에 조합된 DB를 바탕으로 예정 고객을 확인하고 자동 이메일로 등록을 유도하여 DB 구축

5) 연사 모집(Speaker sourcing)

행사는 보통 특정 분야의 협회, 학회, 기관들이 참여하는 행사로, 주최 측에서 희망하거나 계획한 연사를 초청하는 것이 일반적이다. 하지만 행사 프로그램이 다양해지고, 회의 세션과 주제가 많아지게 되면 주제에 맞는 전문가를 조사하고 초청하는 작업은 상당한 시간이 소요된다. 각 분야의 연사 정보가 등록된 플랫폼을 이용하게 되면 이러한

시간과 노력을 감소시킬 수 있다. 연사 모집 플랫폼은 강연자 목록을 제공하고 원하는 연사를 연결해 주는 소프트웨어로, 키워드와 필터링 기능을 통해 강연자를 검색하고 연사의 연락 정보를 찾을 수 있는 솔루션이다. 연사를 모집하기 위한 플랫폼은 시간제 혹은 전임 전문 연사의 정보만 특화하여 제공하는 플랫폼, 연사의 기본정보는 무료로 제공하고 사용자에게 광고비를 받고 연설 기회나 다른 편의시설을 제공하는 가장 전형적인 형태의 플랫폼, 또는 스피커스 뷰로(speaker's bureau)를 통해 유명 인사 등 고비용 연사를 오프라인으로 조달받는 형태의 플랫폼 등이 있다.

https://www.hooh.kr

[그림 5-16] 연사조달 플랫폼 사례

https://londonspeakerbureau.com/

2. 행사 중(At event) 활용 솔루션

행사가 진행되면 참가자에게 필요한 다양한 정보를 제공하고 체험의 기회를 제공하여 참가 목적 달성과 재미를 도모함으로써 참가 만족도를 높이는 것이 중요한 이슈가 된다. 이를 위해 적용할 수 있는 다양한 기술을 살펴보면 다음과 같다.

1) 모바일 앱(mobile event apps)

참가자들에게 행사장에서 필요한 다양한 기능을 제공하기 위해 모바일 장치에 설치되는 앱으로 ROI분석이 용이하다.

2) 증강현실과 가상현실(AR/VR)

실제 환경에 가상의 사물이나 정보를 합성하여 원래 환경에 존재하는 것처럼 보이게 하는 증강현실과 인공적으로 만든 특정 환경이나 상황을 헤드셋 등 도구로 이용하여 기술적으로 보여주는 가상현실 테크놀로지는 MICE 산업에서 활용도가 증가할 것으로 예상된다. 증강현실과 가상현실은 모두 참가자의 몰입도를 제고하는 데 활용되고 있다.

〈표 5-2〉 증강현실과 가상현실 비교

증강현실 활용	가상현실 활용
• 광고 홍보: 가상현실 특정 공간을 설치하여 홍보용 비디오 상영, 제품을 비치하여 홍보 • 여행객 표지판: 행사 안내표지판의 설치를 대신하여 가상의 이미지가 행사의 특정 장소를 안내 • 전시품 대체: 시연하기 큰 장비이거나 부스에 맞지 않는 제품의 경우 증강현실을 통해 실제 제품을 시연	• 스폰서 마케팅: 주최자가 설치한 가상현실 스튜디오에서 후원사들이 제품시연 및 홍보 활동으로 활용 • 현장 투어: 행사 기간 동안 방문하기 어려운 지역의 공장 등을 가상현실 기술을 활용하여 투어 경험 제공 • 원격참여: 실제 행사장의 모습을 가상현실로 구현하여 행사의 콘텐츠를 원거리에서도 경험

3) 참여 도구(Engagement Tools)

고객 참여 유도를 위한 솔루션은 참가자들의 행사에 대한 몰입을 높일 뿐만 아니라, 주최 측이 현장에서의 즉각적으로 대처해야 할 상황을 해결하고 프로그램의 관련성을 신속하게 판단하는 데 중요한 역할을 한다.

(1) 관객 참여(Audience Participation)

주최사가 제공하는 앱을 통해 참가자들이 쉽게 연사들의 발표에 피드백과 의견을 제시하면서 발표자와 청중 간의 상호작용 방식이 변화하고 있다.

- 세컨드 스크린 앱: 연사의 발표가 이루어지는 동안 모바일로 발표 자료를 따라가면서 연사 및 다른 참가자들과 의견을 공유할 수 있는 기능을 제공
- 투표, 여론조사 앱: 참가자가 세션 및 행사에 대한 다양한 의견을 질의응답, 순위 매기기 및 설문의 형태로 참여할 수 있는 솔루션
- 개별 마이크: 일명 던지는 마이크(throw Mic.)로, 참가자의 발표에 대한 흥미를 유발하는 도구이며, 현재 모바일 폰이 마이크의 기능으로 전환되는 소프트웨어가 개발됨

(2) 게임화(Gamification)

행사에 게임 요소를 적용하는 것은 참가자 흥미 유발을 위한 전략적 활용 도구로서 참가자의 교육, 참가자 경험의 몰입, 거래 유발, 전시 부스 혼잡도 관리, 참여자의 소셜미디어 콘텐츠 활용 증대 등 다양한 측면에서 활용할 수 있다.

- 주최자에 의해 행사 전반에 활용되는 게임(event-wide game)으로는 상식 퀴즈, 물건 찾기 게임, 스템프 투어 게임들이 대표적으로 활용되는 게임화 솔루션
- 전시 및 후원사의 부스 및 라운지에서 활용되는 게임(booth or lounge game)으로 참가자 흥미 유발과 부스 방문을 높이기 위해 키오스크 및 디지털 사이니지를 활용하여 추첨 및 퀴즈와 같은 형태로 상품을 수령 하는 이벤트

(3) 인공지능(Artificial Intelligence)

컨벤션산업에서 인공지능 기술은 AI의 빠른 처리 과정과 지능적 알고리즘을 빅데이터로 적용하면 참가자에 대한 다양한 패턴을 파악하여 그들의 행동과 의사 결정의 수준을 예측할 수 있기 때문에 행사 운영 효과를 높이는 유용한 도구가 되고 있다.

- 스마트네트워킹(Smart Networking): 참가자들이 생각이 비슷한 같은 무리의 동료, 잠재 고객을 찾아 만날 수 있는 기술
- 챗봇(chatbots) : 모바일 TM 소프트웨어를 활용하여 인공지능 알고리즘을 통해 참가자와 질의응답이 가능한 기술
- 의사소통 인터페이스(Conversational Interface) : Alexa, Siri 와 같이 목소리로 행사 전반에 대한 정보를 제공하는 등 의사소통이 가능한 기술

(4) 착용 기기(Wearables)

손이나 목에 착용하는 스마트한 장비를 통해 네트워킹, 정보의 교환, 데이터 수집, 콘텐츠 배포 및 체크인 등 다양한 기능을 활용하며 사용이 점차 증가하고 있다.

- 배지(badge): 참가자 배지에 블루투스, 비콘, RFID 칩을 장착하여 참가자 행동을 모니터링 하는 기술
- 손목밴드: NFC 칩을 장착하여 입장 관리, 결재가 가능한 기술
- 팔밴드: 연사가 간단한 손동작으로 발표 자료를 통제할 수 있는 기술
- 스마트 배지(smart badge): 개인 간 공통 관심사에 따라 매칭 컬러가 활성화되거나 혹은 개인 간 정보 교환 등 상호작용을 돕는 기술
- 스마트 이어폰: 무선 통역기에 주로 활용

(5) 얼굴인식(Facial Recognition)

주로 행사 체크인 과정에 활용되고 있으며, 참가자 얼굴과 형태, 주요 특징 등을 스캔하여 등록된 사진과 비교하여 인식하는 기술이며, 인식이 확인되면 배지가 자동 출력되는 기능으로 연결된다. 행사 기간 동안 입장 관리, 참가자 동선 추적, 개별화된 데이터 수집에 따른 맞춤형 사은품 증정 등 다양한 형태로 활용된다. 얼굴인식 기술은 신속한

체크인, 접근과 통제가 용이하고 구체적인 참가자 행동 데이터를 확보할 수 있고 부정적
행동에 대한 빠른 인식을 통해 개별화된 행사 경험 전달이 가능하여 현장에서 좋은
첫인상, 참가자 편의성을 도모할 수 있다. 이러한 얼굴인식 기술을 사용하기 위해서는
GDPR[27] 준수가 필수요건으로 사전동의가 필요하다.

(6) 거래관리(Lead Management)

행사의 주최 기관 혹은 전시 참가자들에게 가장 중요한 것은 적절한 고객을 확보하고
새로운 비즈니스의 기회를 창출하는 것이다. 거래선 관리와 관련한 솔루션은 행사 지정
등록 업체로부터 장비를 임대하여 활용하거나 보편적으로 활용되는 솔루션을 구매하
는 과정에서 이용된다.

- 모바일 앱: 참가자의 배지 스캔을 통해 방문자 정보를 유형화하여 참가기업으로
  연결
- 배지 스캔 소프트웨어 및 장비: 포켓용 스캐너로 방문객 배지 스캔
- 착용기기(스마트 배지 및 연동 USD): 정보 수집 장소 근처에서 자동 스캔 및 인식
- 챗봇: 등록데이터가 연결된 챗봇을 통해 거래 관련 정보 수집

(7) 실시간 데이터 분석(Real-time Data Analysis)

참가자 행동을 추적하여 실시간 결과를 클라우드로 연동하는 다양한 솔루션을 통해
행사 기획자들은 실시간으로 참가자 및 이해관계자들에게 최적의 ROI와 행사 경험을
제공할 수 있다.

- 비콘(Beacon): 근거리에 있는 스마트 기기를 자동으로 인식하는 기술로 착용자의
  데이터, 시간, 위치, 머무는 시간 등을 기록하고 시각화하여 보여줌으로써 동선의
  흐름, 혼잡구역, 관심도 등을 확인할 수 있는 기능
- 라이더(LIDAR)- 라이더는 라이트(light)와 레이저(Rager)의 합성어로 레이저 펄
  스를 쏘고 반사되어 돌아오는 시간을 측정하여 반사체의 위치 좌표를 측정하는

---

27) GDPR: General Data Protection Regulation의 약자이며, 일반 데이터 보호 규정을 의미한다. 유럽 연합(EU) 및
유럽 경제 지역의 데이터 보호 및 개인 정보 보호에 관한 EU 법률규정이다. GDPR은 유럽 연합(EU) 기본권 헌장 제
8 조의 중요한 구성 요소인 개인 정보 보호법 및 인권법에 해당된다.

레이더시스템으로 사람/사물이 3D로 표시되어 참가자 동선파악 및 보안에 활용 가능한 솔루션으로, 자율주행 자동차의 핵심기술로 사용

- 모바일 앱 및 챗봇: 참가자들이 앱을 통해 이용하는 정보의 양과 종류로 참가자들이 어려워하는 부분들을 파악할 수 있으며, 즉각적 불만 해결 및 도움이 가능한 솔루션
- RFID: 주파수를 통해 ID를 식별하는 방식으로 참가자 추적 및 회의실 혼잡도 여부, VIP 도착 여부 등을 파악하여 행사 운영의 효율성을 증대시킬 수 있음
- CCTV: 행사장에 설치된 비디오 카메라로 현장에 발생할 수 있는 불미스러운 일이나 긴급사항을 파악하고 해결

3. 행사 후(post event) 활용 솔루션

1) 사후 설문 조사 (Post-event survey)

B2B 행사에서 특히 중요한 요소 중 하나는 참가자의 경험을 평가하고 이를 통해 향후 행사 기획과 방향을 예측하는 것으로, 참가자로부터의 직접적인 피드백을 확보하는 것이다. 온라인 설문 조사를 통해 실시간 피드백, 폭넓은 고객 접근성, 정확성과 속도, 표준화된 결과보고서를 도출할 수 있다. 설문 조사를 위한 솔루션을 이메일, 마케팅 소프트웨어, 모바일 앱과 챗봇에 공지하여 설문을 시행할 수 있다.

2) 사후 데이터 분석(post event data analysis)

참가자의 행사 만족도를 정확하게 확인하는 방법은 직접적인 피드백이다. 그러나 직접적인 피드백이 없다면, 다양한 소스로부터 수집된 데이터 분석으로도 참가자 행동을 파악할 수 있다.

- 소셜미디어 소프트웨어: 소셜미디어 포스팅, 댓글, 키워드, 이모지(Emoji) 등을 분석하여 만족과 불만족을 유추하여 행사에 유용한 결과를 도출할 수 있음
- 챗봇: 챗봇을 통해 접수되는 질문으로 참가자들이 무엇을 원하는지 파악할 수 있음
- 근접기술: 참가자의 관심사와 선호에 대한 단서 제공
- 투표 및 질의응답; 참가자의 질문에서 관심 주제를 유추

3) 소셜미디어 커뮤니티(Social media Communities)

행사 후 행사 참가자 및 관련자들이 인스타그램(Instagram), 페이스북(facebook), 링크드인(LinkedIn), 트위터(Tweeter) 등의 온라인 커뮤니티를 통해 지속적인 관계를 유지할 수 있는 가상의 'Water Cooler(사담을 나눌 수 있는 곳)'를 만들어 행사 후에도 참가자와 소통을 효과적으로 유지한다.

제3절 컨벤션과 미팅 테크놀로지의 발전방향

한국관광공사 보고서에 따르면 세계 미팅 테크놀로지 시장 규모가 2019년 56억 9400만 달러(약 6조 343억 원)에서 2020년 114억 2900만 달러(약 13조 5148억 원)에 달해 1년 새 2배 이상 성장했다고 밝혔다. 미팅 테크놀로지를 적용하여 행사를 기획하고 운영하는 빈도가 완만하게 증가하고 있었지만, 코로나19로 인해 선택의 여지없이 미팅 테크놀로지를 수용하게 되었고, 그 편리함과 가능성을 인식하게 되었다. 특히, 전시컨 벤션행사의 특성상 최신의 정보와 기술, 지식을 공유하는 장으로서 참가자가 의도하는 정보와 지식을 잘 전달하기 위한 수단으로써, 미팅 테크놀로지는 효과적인 방법이었다. 또한, 주최자, 기획자의 입장에서도 행사를 준비하고 운영하는데 기술 사용이 효율적임을 실감하는 시기였다.

컨벤션과 전시는 행사의 특성과 목적에 차이가 있지만, 전시가 수출 상담회와 컨퍼런스 등의 회의를 함께 개최하거나, 반대로 컨벤션이 전시를 동반할 때도 있다(Rogers. 2008). 이와 같이 컨벤션과 전시가 결합함으로써 상품과 서비스를 보여주고 관련 정보와 기술이 함께 소개되어 참가자 지식 창출을 극대화할 뿐만 아니라, 행사 규모가 확대되는 시너지를 창출할 수 있다. 즉, 참가자가 많을수록 공유할 수 있는 지식이 많아지고, 네트워크 기회가 확대되어 상호 협력을 도모할 수 있어서 전시컨벤션이 지식플랫폼으로서 가치가 상승된다(정숙화, 2019). 전시컨벤션 플랫폼을 통해서 참가자는 자신들의 기술, 상품과 서비스를 소개하고, 결정권을 가진 방문자(decision maker)는 필요한 기술과 상품 및 서비스를 전시컨벤션 플랫폼에서 확인하고 비즈니스로 연결한다. 전시컨벤션은 관련 분야의 전문가들과 직접적인 소통을 가능하게 하여 문제해결과 새로운 지식을 창출할 수 있는 토대가 된다.

지식플랫폼으로서 전시컨벤션은 전통적으로 시공간을 공유하면서 면대면 만남(face-to-face interaction)을 중심으로 하는 물리적 지식플랫폼(physical knowledge platform)이 특징이다. 즉, 전시컨벤션에 참가하지 않으면 알 수 없는 수많은 정보와 인적 네트워크를 찾기 위해서 전시컨벤션에 참가했다. 하지만 ICT 기술의 발전은 전시컨벤션을 준비하는 과정과 행사 현장 그리고 행사 후 네트워크 방식에도 급격한 변화를 가져오고 있다. 이른바 웹과 모바일 플랫폼을 통해 참가자들에게 행사에 대한 정보를 사전에 공유하고 전시컨벤션 참가를 위한 절차(참가 신청, 참가비 지불, PSA[28], ODA[29] 등)를 온라인/가상플랫폼 (online/virtual platform)을 통해서 간편하게 진행할 수 있도록 환경을 제공한다. 또한, 행사 현장에서도 어플리케이션(APP), 비콘(beacon), QR코드 등의 다양한 기술이 접목되어 원하는 정보를 놓치지 않고 찾을 수 있는 환경이 되고 있다. 이러한 환경은 물리적 환경 중심이었던 전통적인 전시컨벤션 행사가 메우지 못했던 행사 후 주최자와 참가자 간 소통 단절 현상을 해소하는 방안이 되었다.

이와 같이 전시컨벤션 행사를 위한 가상의 플랫폼이 활성화됨에 따라 행사에 대한 정보가 시간과 공간의 제약 없이 공유되고 전달되기 때문에 참가자는 공유된 정보를 기반으로 참가 목표를 미리 계획하고 준비할 수 있다. 예를 들어 행사에 누가 참석하는지, 누구를 만날 것인지, 어떤 행사 프로그램에 참석할 것인지 등을 계획할 수 있다. 전시자(exhibitor)는 전시 부스를 어디에, 어떻게, 누구를 목표 대상으로 하여 운영할 것인지 등 구체적이고 자세한 계획을 수립할 수 있다. 이러한 편리함은 참가자가 행사 참가 목적을 달성하는데도 기여하고 있다.

따라서 전시컨벤션을 지식산업으로 정의할 때, 행사 참석자를 정보와 지식을 얻기 위해 참석하는 '지식 탐색자 (KS: Knowledge Seeker)'와 최신의 정보와 기술, 지식을

---

28) PSA: Pre-Scheduled Appointment
29) ODA: Online Diary Appointment

제공하고 홍보마케팅을 위해 참석한 '지식 제공자(KP: Knowledge Providers)'로 명명할 수 있다. 전시컨벤션 주최 측은 미팅 테크놀로지를 적극적으로 수용하여, 행사 운영의 편리함과 효율성을 높이는 동시에, 참가자가 희망하는 정보와 지식, 네트워크를 획득할 수 있는 지식플랫폼으로서 전시컨벤션 환경을 조성해야 한다. 대면 행사 중심의 전시컨벤션은 다양한 미팅 테크놀로지를 접목함으로써 잠재 참석자를 온·오프라인으로 적극적으로 유인할 수 있다. 특히, 주요 참석자 및 사교 프로그램 등 행사 전 전시컨벤션 준비 현황 및 행사 참석자 정보를 실시간 공유하면서 행사 참석을 고민하는 많은 잠재적 참가자에게 행사 현장에 직접 참가하고 싶은 동기부여를 제공할 것으로 기대한다. 따라서 전시컨벤션은 미팅 테크놀로지를 적극적으로 활용하여 지식플랫폼으로서 정보와 지식, 네트워크를 확대하고 새로운 비즈니스를 창출할 수 있는 환경 조성을 통해 그 역할을 강화하고 있다.

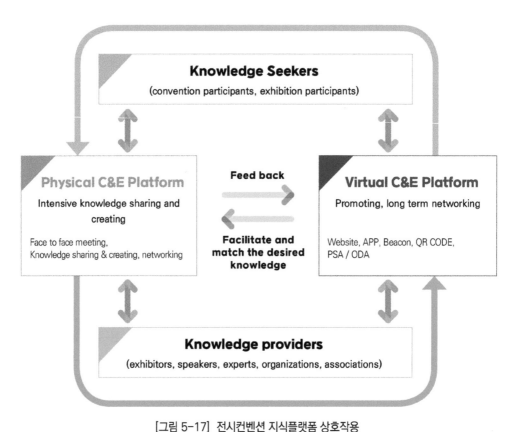

[그림 5-17] 전시컨벤션 지식플랫폼 상호작용

자료: 정숙화(2020), 전시컨벤션의 지식플랫폼으로써 역할에 관한 연구

제6장

국제행사
유치마케팅

제6장
국제행사 유치마케팅

제1절 **국제행사 유치지원제도**

1. 국제회의 유치개최 지원체계

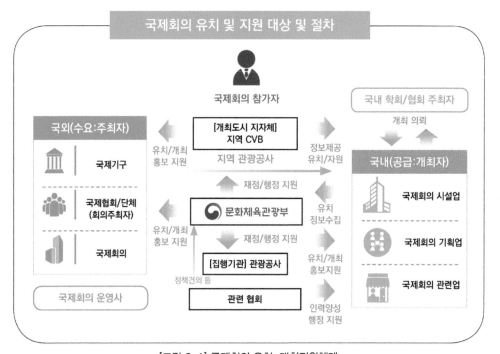

[그림 6-1] 국제회의 유치. 개최지원체계

자료: 제4차 국제회의산업 육성 기본계획수립, 문화체육관광부(2019)

1) 지원체계 및 제도

국제회의 산업과 관련된 조직 및 단체는 문화체육관광부, 한국관광공사, 지역 CVB (Convention Visitors Bureau), 관련 협회 등이 있으며, 관련 기관을 중심으로 국제회의 산업과 관련 지원 정책이 마련되어 있다. 국제회의 유치 및 지원 정책은 지자체 또는 지역 CVB를 중심으로 추진하고 있다. 정부 및 지자체의 지원은 ① 국제회의 유치와 ② 해외 홍보, ③ 국제회의 개최, ④ 국제회의 육성 단계로 나누어서 지원하고 있다. 국제회의 지원 제도의 신청자격은 국내 주최·주관단체(학회, 협회, 조직위원회 등), 국내 주최·주관단체 의 위임을 받은 국내 기관(PCO 등), 해외 주최단체의 위임을 받은 국내 기관(PCO, DMC 등)을 대상으로 한다. 지원 대상 회의는 국제회의산업육성에 관한 법률 시행령 제2조를 기준으로 하고 있으며 그 외 소형 국제회의를 별도로 규정하여 지원하고 있다.

유치지원은 국내 개최가 확정되지 않은 국제회의를 국내에 유치하기 위한 제반 활동 전개 시 지원하고 있으며, 해외 홍보 지원은 국내에서 개최가 확정된 국제회의의 전차대 회에서 홍보 활동 전개 시에 지원하고 있다. 국내에서 개최되는 국제회의에 한하여 개최 시 회의 규모(국제회의 법률 기준 또는 국제기구 기준 등)를 고려하여 개최 비용을 지원하고 있으며 하나의 국제회의에 유치, 해외 홍보, 개최 단계별로 각 1회씩 총 3회 지원이 가능하다. 국내 주관단체 대상으로 컨벤션행사 유치단계 – 해외 홍보 단계 – 개최 단계 등 단계별로 지원하고 있으며, 컨벤션 행사의 규모를 고려하거나 파급효과(기 간, 개최지역 등) 등을 고려하여 지원하며, 지원금(현금/현물) 보조 및 차등 지원 등의 형태로 구분하여 운영하고 있다. 서울을 제외한 기타 지역의 경우, 우대 및 가점 제도 등을 운영하고 있으며, 주요 국제회의 유치 및 개최 조직·실무 위원회 위원 등을 구성하 여 각종 자문 등의 수행업무를 운영하고 있다. 한국관광공사의 경우 국제회의산업육성 에 관한 법률 시행령 제2조에 근거한 국제회의를 대상으로 지원 제도를 운용하고 있으 며, 각 지역 CVB도 자체 기준을 마련하여 지원 제도를 운용하고 있다.

<표 6-1> 국제회의 지원제도 유치 및 개최 지원항목

구분		지원내용
지원자격		[국내 단체] * 단, 부가가치세법 및 소득세법 의거 사업자등록번호 또는 고유번호 보유한 단체에 한함. • 국내 주최·주관단체 (학회, 협회, 조직위원회 등) • 국내 주최·주관단체의 위임을 받은 국내 기관 (PCO 등) • 해외 주최단체의 위임을 받은 국내 기관 (PCO, DMC 등) [해외 주최단체] *위의 사항에 해당하는 국내 등록 단체가 없는 경우 • 국내 유관 사업체 (지역 CVB, 호텔, 유니크 베뉴 등)
지원대상 회의		• 국제기구, 기관, 법인 또는 단체가 개최하는 회의로서 다음 각 목의 요건을 모두 갖춘 회의 　가. 해당 회의에 3개국 이상의 외국인이 참가할 것 　나. 회의 참가자가 100명 이상, 그 중 외국인이 50명 이상일 것 　다. 2일 이상 진행되는 회의일 것
지원 유형	유치	• 유치 제안서, 유치발표 PT, 홍보물, 기념품 제작비, 대행업체 기획료 • 본부단체 VIP 사전 방한 답사(3인 이하) 및 자가격리 숙박비, 온라인 방한 답사 • 해외현장 유치 활동 경비, 본부단체 운영 사이트 광고 등 온라인 홍보 등
	해외 홍보	• 해외 홍보 일반 (* 브랜드 개발, 홍보영상물, 간행물 제작, 홈페이지 제작) • 전차대회/유사대회 연계 (* 홍보부스, Korea Night 및 기념품 제작)
	개최	• (하이브리드) 　가. 디지털 기술 활용비용 / 나. 회의장 임차료 / 다. 외국인 참가자 관광지원 　라. 외국인 참가자 공연지원, 공연 쇼케이스 　마. 방역물품, 공식 오만찬, 온오프라인 홍보물 및 제작물 • (오프라인) 하이브리드 지원항목 + 아래 내용 　가. 해외 연사 초청비 / 나. 인천공항 안내 부스 운영 / 다. 인천공항 환대광고

자료: 국제회의 지원제도, 한국관광공사(2023)

2) 유치 지원

국제회의 유치는 유치하고자 하는 국제회의 발굴을 시작으로 국내외 환경 및 타당성을 분석하고 공식적인 유치 의사를 표명한 후 적극적인 유치 활동을 진행하는 일련의 과정이다. 국제회의 유치업무 프로세스는 1. 유치계획 수립 → 2. 유치 의사표명 → 3. 유치 활동 → 4. 유치 확정 등 크게 4단계로 구분할 수 있다(한국관광공사, 2018). 이러한 유치 과정 중 국제회의 유관 기관 간 협력과 유치 단계별 지원을 통해 국제회의 유치 성공률을 높이는 것을 목적으로 한다. 유치 지원에는 유치 초기 의향서 제출을 위한 국제회의 유치 타당성 검토 및 자문, 유치 제안서 및 PT, 홍보물 제작 등 주최자의 해외 현장 유치 활동 지원 및 관광 홍보물 제공 등이 포함된다.

또한, 국제회의 본부 관계자 및 주요 의사 결정권자를 대상으로 한 방한 실사 등 다양한 형태로 국제회의 유치 지원을 운영하고 있다.

3) 해외 홍보 지원

국내에서 개최되는 국제회의의 사전 홍보를 통해 국제회의 참가자 증대를 목적으로 전차 대회 연계 홍보를 위한 회의 인쇄물, 영상 등의 홍보물 및 기념품 제작, 해외 현장 홍보 부스 운영, 공식 연회 및 공연비 등을 지원하는 해외 홍보 지원을 운영하고 있다. 개최 지원 국내 국제회의 주관단체 개최 경쟁력 강화와 참가자 만족도 제고를 목적으로 기념품 제작, 한국문화관광 홍보관 운영, 문화 예술 공연 및 공식 오·만찬 비용, 관광 및 이색체험활동, 산업 시찰 등을 통해 국제회의 개최 지원을 운영하고 있다. 국제회의 유치·홍보·개최의 프로세스는 ① 지원계획 수립·공고를 통해 ② 온라인신청 및 접수를 받고, 조건에 충족한 신청 및 접수 건에 대하여 ③ 컨벤션 지원을 승인한다. ④ 컨벤션 유치·개최 활동을 지원하여 컨벤션 유치 및 개최 활동에 따라 ⑤ 결과보고 및 지원금을 지급한다. ⑥ 만족도 조사 및 기타 의견 수렴을 통해 국제회의 유치·홍보·개최에 대한 만족도 조사와 기타 의견 등을 수렴하여 이를 지속적으로 개선하는 과정으로 시스템을 개선하여 운영 중이다. 이 외에 컨벤션 유치·개최 활성화를 위한 국내·외 유치 수요 발굴 활동, Korea MICE 앰버서더 프로그램 운영, 국제회의 전문시설 VR 콘텐츠 제작 지원 등으로 구성되어 운영되고 있다.

[그림 6-2] 국제회의 유치, 홍보, 개최 지원 프로세스

자료: 국제회의 지원제도 안내, 한국관광공사(2020)

국제행사 유치절차

본 장에서는 컨벤션뷰로, 컨벤션기획사, 지자체 관련 부서 등 관계 기관이 국가 및 지역에 국제 행사를 유치하기 위한 과정을 실무적 배경과 한국관광공사의 국제회의 유치 매뉴얼을 바탕으로 작성하였다.

국제 행사를 유치하기 위해서는 개최 예정인 협회, 기업 및 다양한 기관과 기구에서 개최하는 행사를 조사하고, 유치 가능성을 검토한 후 행사 유치를 준비하게 된다. 행사의 특성, 규모 및 지역적 범위에 따라 총회, 지역회의, 이사회, 분과회의 등이 있다.

<표 6-2> 국제회의 유치 대상 행사의 종류

구분	내용
총회 (Congress, Convention)	협·단체 소속 회원 전체가 모이는 행사로 가장 큰 규모
지역회의 (Regional Meeting)	아시아, 미주 등 지역별로 개최되는 소규모 모임
이사회 (Board of director)	협·단체의 주요 의사결정자인 이사진들의 모임
분과회의 (Committee meeting)	협·단체 소속 기능별, 역할별 분과회의

자료: 국제회의 유치 매뉴얼, 한국관광공사(2019)

이러한 행사를 유치하는 방법으로 각 국가, 또는 지역 대표가 국제 행사 유치를 제안하는 경우도 있지만 대개 국제 행사를 주최하는 협회 및 단체, 또는 기관이 행사 개최에 필요한 사항에 대하여 작성한 제안 요청서(Call for bid / Call for Proposal/ Request for proposal)를 제시하는 경우가 일반적이며, 이러한 제안 요청서를 제시할 때 특정 지역을 선택하여 비공개로 진행되거나 완전 공개경쟁으로 진행하는 경우까지 다양한 유치 제안 방식이 있다. 유치 제안 방식을 살펴보면, 첫 번째 특정 1개 국가만을 행사 개최지로 지정하여 행사 개최에 필요한 요구서를 요청하는 방식을 지정방식 (by invitation)이라고 하며, 정부 주관회의, 소규모 회의 등에서 사용된다. 대체로 주최국에서 개최 비용을 부담하는 경우가 많다. 두 번째 제한(by closed bidding)방식은 특정 지역에 한정하여 행사 개최지를 정하는 방식으로 대부분의 국제회의가 이러한 방식을 선택하고 있다. 국제 행사를 가장 많이 개최하는 협회 행사의 경우, 대륙별로 순회하거나, 몇 개의 특정 국가를 지정하여 순회하여 개최하기도 한다. 셋째, 부분 개방(by limited open bidding) 방식으로 전 세계를 대상으로 의향서를 받으나 2~3개국을 우선 협상대상자로 선정하여 개최 지역을 선택하는 방식이다. 완전 개방 방식(complete open bidding)은 전 세계 모든 회원국이 행사 유치 활동을 할 수 있는 방식이다.

〈표 6-3〉 국제회의 유치방식

구분	내용
지정 (by invitation)	특정 국가 1개만을 초청하여 진행 정부 주관 회의, 소규모 회의 등 대체로 주최국에서 개최 비용 부담
제한 (by closed bidding)	특정 지역에 한정해서 초청, 대부분의 국제회의 유치방식
부분 개방 (by limited open bidding)	전 세계를 대상으로 의향서를 받으나, 2~3개국을 우선 협상대상자로 선정
완전 개방 (complete open bidding)	전 세계 모든 회원국 개방

자료: 국제회의 유치 매뉴얼, 한국관광공사(2019)

행사 유치를 위한 일반적인 절차는 행사를 개최하는 주최 측의 개최 제안요청서(REF)를 접수하고, 유치조건 및 타당성을 확인한 후 유치 결정 여부를 선택하게 된다. 행사 유치를 결정했다면 유치의향서를 제출하고 유치 제안서를 작성한 후 공식 경쟁 발표를 하고, 개최 홍보 활동을 통해 개최지가 결정된다. 이러한 일련의 과정을 다음과 같이 도식화할 수 있다.

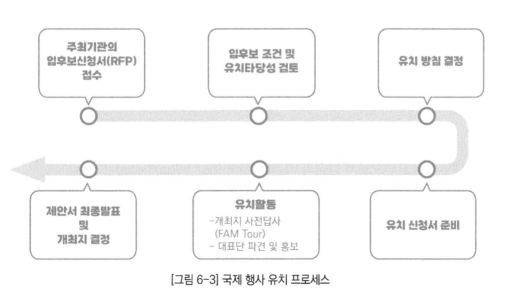

[그림 6-3] 국제 행사 유치 프로세스

1. 유치조건 검토

1) 개최 제안요청서 (Call for bid / Call for Proposal/Request for proposal)

국제 행사를 유치하고자 하는 국가나 도시, 지역을 대상으로 입찰에 응찰하는 제안서를 요청하는 공식문서를 말한다. 국제 행사의 대략적이고 전체적인 내용과 요청사항이 들어가 있으며, 이를 기준으로 유치 제안서를 작성한다. 개최 제안요청서에는 행사에 대한 개요(introduction), 개최지 선정 조건(bid requirements), 개최지 선정 방식(decision-making criteria), 행사 프로그램 및 개최 지역 지원 프로그램 등에 대한 내용과 예산안 제안을 요청한다. 유치를 희망하는 국가, 지역 및 도시는 행사 주최 단체에 대한 조사 및 이해가 필요하며, 전차 대회의 준비 과정과 결과를 살펴보고, 참가자 규모 및 문화적 특성을 파악해야 한다. 그리고 장소 사용의 규모, 예산 규모를 파악한 후 유치 조건이 타당할 경우, 유치 제안서를 준비하게 된다.

2) 유치 지역 개최 역량 검토

행사 개최 제안요청서(RFP)를 검토한 후 유치 국가 및 지역에서는 내부 경쟁력을 파악하여 (SWTO분석) 유치 가능성을 검토하게 된다.

(1) 외부환경 요인으로서 기회, 위협요인(Opportunities/ Threats)

환율, 물가, 정치적 안정성, 테러위험, 세계 주요 이슈 등에 관해 유치 국가의 상황을 파악하는 것이 필요하며, 특히, 우리나라의 경우, 남북한 대치상황은 국제 행사 유치에 위협요인이 되며, ICT 강국, 오랜 역사와 문화적 우수성 등은 기회 요인이 된다.

(2) 내부환경 요인으로서 강점과 약점(Strengths/ Weakness)

유치하고자 하는 국제기구 및 기관과 연계된 조직이 지역 내에 있는지, 그리고 그 지역에서 어떤 역할을 할 수 있는지 등에 대한 고려가 필요하다. 개최 시설, 숙박 시설, 국제 행사 개최 경험, 관광 매력도, 기온 등 다양한 내부 요소를 통해 강·약점을 도출하고 강점을 강조하고 약점을 보완할 수 있는 요소를 전략적으로 제안서에 기술할 필요가

있다. 뿐만 아니라 유치 지역의 유명 인사가 행사 유치 및 홍보 활동에 적극 참여할
수 있는지 여부도 판단하여 계획하여 유치 제안서의 경쟁력을 높일 수 있다. 이러한
유명 인사가 행사 유치 및 개최에 적극 참여하는 프로그램을 '앰버서더 프로그램
(Embassador program)'이라고 한다. 그 외 유치 타당성을 검토하기 위한 요건은
아래의 표를 참고할 수 있다.

〈표 6-4〉 유치조건 및 타당성 검토요건

항목		체크 포인트	고려사항
유치 조건	회의 규모	과거 국제회의 참가자 규모	연도별 참가자 수 파악
		회의 규모, 성격에 맞는 장소	컨벤션센터/호텔/대학교
		회의에 필요한 전문장비 보유	통역 시설, 화상회의 등
	개최 시기	참가율을 높일 수 있는 시기	국제본부와의 의견 조율 필요
		관광 및 숙박 성수기/비수기	행사 기간의 날씨 등
		유사성격의 회의와의 일정고려	학회는 방학 중 선호
	숙박 시설	행사장과의 거리	
		다양한 수준의 호텔 확보 가능성	수용 규모, 객실료 등
	교통	행사장, 공항, 호텔 간의 이동성	이동수단 검토
	문화/프로그램	관광자원, 문화자원	역사유적지, 박물관 등
		산업 시찰 가능 여부	참가자들이 흥미로워할 곳
개최 역량	주최측 조직력	과거 국제회의 개최실적	유사행사 실적
		해외에 영향력 있는 국내 위원	유치, 연사 섭외 등에서 영향력 필요
		개최확정 시 해외 프로모션 계획	
		국내 동원 가능한 참가자 수	
		우수한 인적자원 확보 가능 여부	
	예산 계획	전차대회 참가자 및 수지분석	
		추정예산을 통한 수지분석	개최 조건 검토 시 중요 사항
		등록비 이외의 수입확보 방안	
기타	출입국	참가자 비자, 출입국 상 문제	정치, 사회, 보건 상황 고려
	VIP	VIP 영접, 경호문제	의전 사안 확인 필요
		국내 VIP 행사 참석문제	소관 부처와 협의
		유치 경쟁국과의 장단점 비교	

자료: 국제회의 유치 매뉴얼, 한국관광공사(2019),

2. 유치방침 결정

국제회의 유치에 대한 내외부 요소를 검토한 이후, 타당성이 판단될 경우, 행사 유치를 위하여 정부 부처, 유치 지원기관, 국제회의 산업체 등과 유기적으로 협의하여 진행하게 된다. 대규모 국제 행사를 유치할 경우, 유치 조직위원회를 구성하고 분과 또는 위원회별로 역할을 분담하여 진행하기도 한다.

3. 유치업무 실행

1) 유치 의향서 제출(LOI: Letter of Intent)

행사 개최를 희망한다는 의사를 공식적으로 표명하는 형식이며, 유치 지역의 개최 역량, 행사 지원 범위 등 유치 지역의 장점을 작성한 공식 서신이다. 유치의향서는 유치를 희망하는 국가의 정부 기구, 협회, 학회 등의 책임자 명의로 작성하며, 관련 분야에 해당 정부 부처의 적극적인 지지와 후원 의사를 포함한다. 또한, 행사 개최지의 시설, 숙박, 재정 지원 등의 내용을 작성하여 개최지로서의 장점을 부각한다.

2) 유치 제안서 제출(Bidding paper)

유치 제안서는 국제 행사 유치를 희망하는 국가, 도시, 지역의 열의와 의지를 보여주는 공식 기획서로, 전략적으로 지역을 홍보하고 주최 기관의 요구 사항 등이 효과적으로 반영되어야 한다. 유치 제안서에는 다음의 내용이 포함된다.

(1) 유치 희망 국가 및 도시, 지역 소개

유치를 희망하는 국가 및 도시, 지역이 행사 개최를 위한 충분한 인프라시설을 가지고 있음을 보여주어야 한다. 행사 개최 시설인 컨벤션센터, 참자가의 다양한 요구를 충족시킬 수 있는 숙박 시설, 세계 어느 곳에서 참가하든 편리하게 갈 수 있는 항공, 교통 시설, 기타 인프라 등을 소개해야 한다. 또한, 다양한 관광 자원과 유니크 베뉴, 관련 분야의 전문 견학 시설을 부각하여, 행사 개최지로서 적합성과 우수성을 입증해야 한다.

행사 시설 및 인프라의 우수성 이외에도, 유치를 희망하는 국가 및 도시와 지역 주민들이 행사 개최에 대한 열의를 가지고 있음을 강조하고, 정부와 자자체의 행사 개최 의지가 확고함을 적극적으로 드러내도록 제안서를 작성한다. 이러한 지역의 유치 희망을 보여주는 방법으로는 유치 지역의 단체장, 관련 정부 부처의 최고 책임자, 개최 예정 시설의 대표 등이 작성한 유치 희망 서신을 동봉할 수도 있다.

(2) 개최 제안요청서(RFP)에 근거한 프로그램 제안

개최 제안요청서에서 요구하는 다양한 조건에 대하여, 개최 지역의 여건에 맞게 요구사항을 효율적으로 처리할 수 있음을 설명하는 것도 중요하다. 예를 들어 2,000명의 참가자가 참석할 경우를 대비하여 숙박 시설 지정 및 관리방안, 공항에서 숙소까지의 이동 동선 계획, 숙소에서 행사장까지의 참가자 이동 계획 등을 가능한 상세히 제공하는 것이 필요하다. 또한, 다양한 문화적 배경을 가진 참가자에게 제공할 식음료 관리 계획, 예를 들어, 채식주의자를 위한 메뉴 선정, 식음료 재료의 수급 방법과 환경 친화적인 행사 개최 방안 등도 포함해야 한다. 주최 측에서 요구한 사항뿐만 아니라 지역의 강점을 살릴 수 있는 행사 제안서를 작성하는 것이 필요하다.

(3) 유치 제안서 제출 방법

유치 제안서는 공식 제안서(Bidding Document) 형식과 비공식 제안서(서신 형태)가 있으며, 공식 제안서일 경우 국제기구 사무국, 또는 주최 측 공식 사무소로 제출한다. 비공식 제안서일 경우 개최 장소 결정권자에게 직접 제출하면 된다 (한국관광공사, 2019).

3) 유치 홍보 활동

유치 제안서를 제출한 이후, 해외 유관 행사와 주최 측 주관의 다른 행사에 적극적으로 참여하여 투표권을 가진 회원에게 유치 의사를 적극적으로 홍보한다. 이러한 홍보 활동의 일환으로 관련 행사에서 한국 홍보관을 운영하고, 만찬, 커피 브레이크 등 행사를 후원하여 잠재적 행사 개최 지역으로서의 인지도를 높일 수 있다. 한국의 경우, 한국관광공사 및 기타 유관부서에서 "한국의 밤(Korean Night)"이라는 만찬 프로그램을 기획하여 한국의 전통 공연, 한식 또는 퓨전 한식을 제공하면서 국제 행사 개최지로서 한국을 적극적으로 홍보한다.

공식적으로 개최지를 홍보하는 기회로는 주최 측에서 개최 희망 지역을 방문하여 현장을 답사하는 팸투어(FAM Tour: Familiarization Tour)가 있다. 팸투어에 참석하는 일행은 행사 지역을 결정할 수 있는 결정권자이거나, 행사 장소를 결정하는데 결정적인 보고서를 작성하는 사람들이기 때문에, 팸투어의 일정, 프로그램, 주최 측 방문단에 대한 개최 지역의 환대가 행사 장소 결정에 중요한 역할을 한다.

4) 최종 프레젠테이션

유치 제안서 제출 이후 주최 기관의 회원 및 의사 결정자들을 대상으로 홍보 활동이 진행되고, 이후 마지막 단계로 최종 발표(presentation)가 진행된다. 발표 형태는 파워포인트를 사용하여 설명하지만, 개최 도시와 개최에 필요한 시설을 보여줄 수 있는 영상을 활용하기도 한다. 발표자는 주최 측에 인지도가 높은 인사, 또는 CVB 담당자, PCO 담당자 및 전문 발표자가 진행한다. 1인이 전담할 수도 있고, 여러 명이 전략적으로 돌아가면서 발표할 수도 있다.

5) 개최지 결정

개최 희망 국가, 도시 및 지역이 개최지로 결정되면, 주최 기관과 최종적으로 의견을 조율하는 과정이 있다. 주최 기관의 요구 조건을 확인하고, 추가 요건이 발생할 경우 그 수용 가능 여부 등을 조율하여 개최지를 확정한다. 이는 이러한 요구 조건이 변경되거나 추가될 경우 행사 개최 예산과 연동되기 때문에, 개최국에서 주최 기관의 요구를 수용 가능한지를 검토하고 확인한 이후에 진행해야 하기 때문이다.

주최기관과 개최 지역 간 권리와 책임, 업무 분장에 대한 명확한 이해를 상호 확인한 후, 계약을 체결하고 행사 기획 및 운영을 위한 조직위원회가 개최지에 구성된다. 조직위원회를 구성하는 이유는 주최 기관과 원활한 소통을 위한 것으로, 해당 조직의 선례나 규정에 따라 진행된다. 일반적으로 총회의 안건 및 개최에 관한 내용은 주최 측에서 진행하고, 개최국, 도시 및 지역에서는 주최 기관과 협의하여 학술회의 주제, 연사 선정, 관광 프로그램 등을 준비한다. 개최국, 도시 및 지역에서는 부대행사를 기획하고 운영할 수 있으며, 부대행사에 대한 계획은 주최 기관과 협의 후 공식 행사와 조화롭게 자율적으로 진행할 수 있다.

조직위원회는 분과위원회를 구성하여 행사의 각 분과별 세부 실행계획과 운영을 책임지게 한다. 각 분과별 진행 사항에 대하여 주최 기관의 분과담당자와 협의를 진행할 수 있어 행사 준비를 효과적으로 진행할 수 있다.

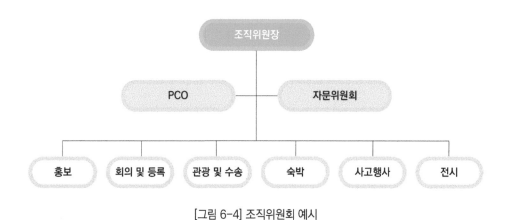

[그림 6-4] 조직위원회 예시

제7장

컨벤션
기획 및 운영

제7장
컨벤션기획 및 운영

제1절　기획 및 홍보

1. 컨벤션 기획

컨벤션 주최자 및 행사 기획자는 성공적인 행사를 기획하기 위하여 참가자의 참가 목적을 잘 파악하고, 그 목적이 달성될 수 있는 환경을 조성하는 것이 필요하다. 따라서 행사 기획에 앞서 행사의 성격과 특징을 파악하고, 참석 대상자에 대한 정보를 수집하며, 행사 개최 목적과 참가자의 목적이 달성될 수 있도록 해야 한다.

컨벤션산업의 소비자, 즉 행사 주최자는 크게 네 가지로 분류할 수 있다. 기업 (corporate), 협회 및 학회(association/academy), 정부(government), 민간 부분의 스머프(SMERF: social, military, educational, religious, fraternal) 시장으로 구분할 수 있으며, 각각의 시장 특성을 잘 파악하여 행사 유치와 운영을 계획해야 한다.

기업(corporate)회의는 빈번하게 개최되며, 개최 장소가 지정된 경우가 많다. 기획자는 기업 회의의 목표가 직원 직무 교육인지, 판매 제고를 위한 활동인지, 인센티브 행사인지 등의 목적을 확인하고 행사 기획을 진행해야 한다. 참석 대상자는 거의 정해져 있으며 의무 참석이 대부분이기 때문에 행사 기획과 운영을 잘하면 성공적인 행사가 될 수 있다.

협회/학회행사는 참석자가 자발적으로 참석하기 때문에 개최 장소의 매력도, 관련 분야의 유명 인사 초청, 최신의 기술과 서비스를 직접 체험할 수 있는 프로그램을 기획하여 참석률을 높이는 것이 필요하다.

정부 행사는 관련 행사의 의전, 보안등이 중요하며, 관련 정부 부처와 긴밀한 협력을 통해 행사를 기획하고 운영하는 것이 우선된다.

스머프(SMERF) 행사는 다른 행사에 비해 주최자와 참석자 모두 친목 도모와 네트워킹을 우선으로 한다. 사람들이 모여서 즐거운 추억을 쌓을 수 있도록 다양한 사회적 프로그램을 기획하고, 참석자 간 네트워킹이 활발하게 이루어질 수 있는 환경을 조성하는 것이 필요하다. 또한, 개최 장소의 매력도와 효율적인 예산 운영이 중요한 요소로 작용한다.

이와 같이 행사 개최 주최의 특성을 파악하고 나면, 행사 개최의 목적, 개최 시기, 개최 장소, 예산에 대한 기획이 진행된다. 따라서 누가(who), 왜(why), 언제(when), 어디서(where), 무엇을(what), 어떻게(how) 할 것인가를 설계하고 운영하는 것이 기획이다.

1) 개최 목적(Why)

주최자의 행사 개최 목적을 정확하게 이해하는 것이 컨벤션 기획의 첫걸음이다. 컨벤션을 개최하는 목적을 정확하게 파악하고 이해해야 개최 목적에 맞게 행사를 기획할 수 있기 때문이다.

기업 행사의 개최 목적은 최신 상품과 서비스 판매 촉진 및 홍보를 통해 기업 이미지를 제고, 상품에 대한 의견 교류하는 것이다. 또한, 우수 사원 포상(인센티브)을 통해 직원들의 기업에 대한 충성도를 높이며, 이러한 활동을 통해 기업의 전반적인 이미지를 제고하는 것을 목표로 한다.

협회/학회의 경우는 회원 모임을 통한 단합, 단체의 위상 제고, 학문적 발전을 도모하고 정보 교류를 위한 것이다.

정부 행사는 국가 이미지 제고, 외교 관계 발전, 관광객 유치 및 지역사회 발전을 위한 투자 유치 등이 목적이며, SMERF는 친목 도모를 목적으로 회원간 네트워킹을 강화하기 위한 목적이다. 행사 개최 목적을 다음과 같이 정리할 수 있다.

<표 7-1> 컨벤션 개최 목적

목적	연구자료
정보 공유(information sharing)	McComas(2003)
교육(training)	Clark(1998)
브레인스토밍(brainstorming)	Reinig & Shin (2002)
문제 해결/결정사항논의 (proble m solving/decision making)	McComas, Tuit, Waks, & Sherman (2007)
친목/사교(socializing)	Horan (2002)
공동체 의식 고취(developing sense of community)	Tracy & Dimock (2003)
조직의 비전 정의/재정의 (defining/redefining firm vision)	Ballard and Gomez (2006)

자료: Hansen and Allen(2015)

2) 참가 대상(Who)

참가자의 컨벤션 참가 목적이 컨벤션의 개최 목적과 부합하는지 고려해야 하며, 참가 목적이 달성될 수 있는 환경을 조성하는 것이 중요하다.

참가자는 자발적 참가자와 비자발적 참가자로 나눌 수 있다. 비자발적 참석자는 대개 기업 행사에 의무적으로 참석하는 경우와 업무와 연계된 출장으로 행사에 참석한 경우 이며, 자발적 참가자는 관심 있는 분야의 최신의 정보와 지식을 얻기 위해서 참석하거나 친목 도모를 위하여 참석하는 경우이다. 따라서 기획 단계에서는 참가자 유치를 위한 타킷 시장을 조사하고, 다양한 목적과 동기를 가진 참석자의 욕구와 선호도를 잘 파악하여 행사를 기획하는 것이 필요하다.

3) 개최 시기(When)와 개최 장소(Where)

개최 시기는 개최 장소와 밀접한 관련이 있다. 왜냐하면 개최지의 국경일, 날씨, 관광 성수기를 고려하여 행사 개최 시기를 조율해야하기 때문이다. 개최 시기가 결정되면, 접근성, 관광 매력도, 물가, 정치 안정성, 지역 명성(브랜드) 등을 고려하여 개최 장소를 결정하고, 결정된 장소에서 사용할 컨벤션시설, 호텔, 매력적인 관광지 및 기타 장소에 대한 답사, 예약, 계약 등이 진행되어야 한다. 이후, 행사 장소에 적합한 행사를 기획한다. 개최 시기와 장소는 자발적 참가자의 수에 직접적인 영향을 준다.

4) 행사 프로그램(What)

행사 프로그램은 행사 개최 목적과 참가자 목적에 부합되게 기획되어야 한다. 예를 들어, 비즈니스 중심의 행사일 경우, 행사 전 참가자 간 정보를 공유하여 사전 미팅 일정을 잡을 수 있도록 PSA(Pre-scheduled appointment) 프로그램을 마련한다거나, 행사 현장에서도 실시간 미팅 일정을 잡을 수 있도록 ODA(Online Diary Appointments) 프로그램을 운영하는 등이다.

친목 도모 및 사교 활동을 중심으로 하는 행사일 경우, 환영 만찬, 후원 행사, 환송 만찬 등 연회 프로그램을 다양하게 기획할 수 있으며, 행사 전, 후 관광 프로그램을 제공하여 참가자 만족도를 높일 수 있다.

관련 분야의 최신 정보와 트렌드 확산을 위한 교육 목적의 행사일 경우, 관련 분야의 유명 인사를 초청하여 강연회를 열거나, 최신의 상품과 서비스를 전시하는 특별공간을 마련하여 참가 목적이 달성될 수 있도록 프로그램을 기획할 수도 있다.

5) 행사 운영(How)

행사 개최 목적과 참가자의 목적이 달성될 수 있도록 효율적으로 자원을 배분하고 운영하기 위한 계획이 필요하다. 행사 예산, 회의, 등록, 숙박, 식음료, 수송, 의전 등 컨벤션 행사 운영을 위하여 주최자, 참가자 모두가 만족할 수 있는 행사기획을 위해 다양한 변수와 상황에 대한 고민과 세심한 고려가 필요하다.

2. 컨벤션 홍보

컨벤션 행사의 홍보 목적은 두 가지로 나눌 수 있다. 첫째는 행사 참가자 유치를 위한 홍보이고, 둘째는 회의 개최지에서 회의 개최 홍보를 통해 국민의 관심을 유도하기 위한 것이다. 행사 참가자 유치홍보를 진행할 때는 관련 분야의 협·단체의 회원을 대상으로 행사 홍보 브로셔, 리플릿 등의 홍보 제작물을 우편으로 보내거나 온라인 이써큘러 (e-circular) 등의 형식으로 배포할 수 있다.

행사 개최지에서 행사 관련 홍보를 위해 TV, 라디오, 신문 등의 언론 광고와 거리 배너, LED 전광판 광고 등을 진행할 수 있으며, 이를 통해 국민의 관심을 유도하고, 행사 참가자에게는 소속감과 자부심을 느끼게 한다. 행사 기간에는 언론사 및 기자단을 위한 '프레스룸(press room)'을 설치하여 행사의 주요 논의 내용 및 결과를 실시간 전달하고 기사화될 수 있도록 한다. 이때 프레스룸에는 전화, 복사기, 컴퓨터, 인터넷 등 사무 및 통신기기를 갖추어 무료로 제공하며, 간단한 음료 등도 준비해둔다. 언론사 및 기자단에는 행사장 출입이 자유로울 수 있도록 프레스 명찰을 제공하여 편의를 도모한다.

- **홍보 목적: 참가자 유치/ 회의 개최 홍보/ 국민 관심 유도**
- **홍보대상: 해당 전문 분야 인사/ 관련 업계/ 일반 국민**
- **홍보 방법**
  - 전문 매체(전문잡지 등)/ 대중 매체(TV, 라디오,신문, 등)
  - 다큐멘터리,기사,인터뷰, 광고
  - On-line 홍보(홈페이지 구축/ e-Newsletter 배포)
  - Off-line 홍보(안내 브로슈어 배포/ 홍보탑/ 육교현판/현수막 등 설치
  - 프레스룸 설치 운영

제2절   등록·숙박

1. 등록

등록은 참가자가 행사 참석을 위한 공식적 절차를 시작하는 단계이다. 컨벤션은 참가자에 대한 관리가 중요하기 때문에 등록은 가장 기본적이고 중요한 분야라고 할 수 있다. 등록 시스템(registration system)과 등록 과정의 편리성에 따라 등록의 성공 여부가 결정된다. 등록 과정은 참가자와 긴밀하게 커뮤니케이션하는 업무이고 특히, 현장 등록일 경우, 등록 데스크는 참가자에게 행사의 첫인상(first impression)을 결정짓는 중요한 과정이다. 따라서 효율적인 등록 절차를 위해 주최자 및 기획사는 참가자가 등록 절차를 진행할 때, 기입해야 할 정보를 빠짐없이 작성할 수 있도록 등록 서식을 체계적으로 만들어야 한다.

〈표 7-2〉 등록 업무별 절차

업무 내용		업무 절차
등록비 계획	등록비 결정	등록비/환불 정책 검토
		등록비 확정
		환불 조건 결정
	등록비 결제 계획 수립	등록비 결제수단 결정
		전자 결제 시스템 구축
		계좌 개설
참가 독려	발송 계획 수립	관련 리스트 확보
		주소 및 연락처 확인
		예상 참가자 DB 구축
		발송 시기 및 횟수 결정
	등록 신청서 제작	등록 신청서 포함 항목 결정
	발송/반송 관리	등록 신청서 시안작성
		등록 신청서 시안 제작 및 검토
		등록 신청서 최종 확정
		등록 신청서 발송

업무 내용		업무 절차
		반송 우편물 정리
		예상 참가자 DB update
등록 접수 관리	사전 등록 접수	온라인 등록 서식 게재
		온라인 등록 프로그램 구축
		사전 등록 신청서 접수
		등록 확인서 발송
		등록비 결제 확인 및 영수증 발송
		사전 등록자 리스트업
	현장 등록 접수	현장 등록 접수, 등록비 결제, 영수증 발급
		현장 등록자 최종 리스트 작성
등록 운영 준비 및 운영 관리	참가자용 물품준비	참가자 명찰 제작
		Congress kit 제작
		기념품 제작
	등록 부스 설치	등록장소 결정, 등록 부스 , Fill-up Desk 등
		등록 데스크 디자인, layout 결정
		기자재 임차
	등록 운영 관리	등록 요원 교육/배치
		사전 등록, 현장 등록 부스 운영
		일일 등록 현황 정리
사후보고	등록 보고	일일 등록 보고
		최종 등록 보고

자료: 성은희(2019), 컨벤션기획실무

예를 들어 참석자 기본 정보, 등록 자격 확인, 사교 행사 및 관광 프로그램 참석 여부, 채식주의 여부 등을 등록 과정에 미리 확인할 수 있다. 뿐만 아니라 등록비 환불 규정을 고지하는 등 등록 절차가 편리하고 효율적으로 운영될 수 있도록 준비를 해야 한다.

ABC Forum

March 1-3, 2024 Jeju, Republic of Korea
Tel : +82-64-123-4567   E-mail : info@abcforum.org
ABC Forum Secretariat

REGISTRATION

1. Participant

First name(For badge)	Family Name
Company or Organization	Professional Title
Mailing Address	
Zip or Postal Code	Country
Phone	Fax E-mail

2. Registration Category

Governor / Major	☐
Delegate	☐
Accompany Person	☐
Reporter	☐

3. Social Program

Welcome Reception (Mar.1)	☐
Gala Dinner (Mar.2)	☐
Optional Tour (Mar.3)	☐
Accompanying Persons Program	☐

4. Request for MEAL

Non-Vegetarian	☐
Vegetarian	☐

5. Tour Program

Mar.1 (13:00~17:30)	☐
Mar.2 (14:30~17:30) / (16:30~17:40)	☐
Mar.3 (08:00~15:00)	☐

(Tour program details)

March 1	VIP (13:00~17:30)	Golf Tour
	Delegate (13:00~17:30)	Technical Tour(MICE Facilities, ICC JEJU) + Jusangjeolli Tour
March 2	VIP (14:30~17:30)	Yacht Tour + Technical Tour(MICE Facilities, ICC JEJU)
	Delegate (16:30~17:40)	Olle Trekking
March 3	VIP&Delegate (08:00~15:00)	Manjang Cave + Smart grid Tour + Seongsan Sunrising Park

6. Souvenir for participant (size check)

Male		Female	
M 66(95)	☐	S 55(90)	☐
L 77(100)	☐	M 66(95)	☐
XL 88(105)	☐	L 77(100)	☐

[그림 7-1] 등록 서식 예시

등록 업무는 예상 참가자를 분석한 후 등록비를 결정하고 등록비 결제를 위한 전자결제 시스템 구축을 위한 계획이 필요하다. 등록비는 모든 참가자가 동일한 것이 아니라 자격 조건(회원, 비회원, 동반자)과 등록 시기(사전등록, 현장등록)에 따라 차등을 두게 된다. 그리고 참가 독려를 위하여 등록 신청서를 제작하여 사전 등록을 독려할 수 있는 다양한 홍보 마케팅을 진행한다. 그리고 현장 등록 계획을 수립하여 등록 부스를 사전 등록과 현장 등록으로 구분하고, 회원과 비회원으로 구분함으로써 현장 등록의 혼잡함을 최소화해야 한다.

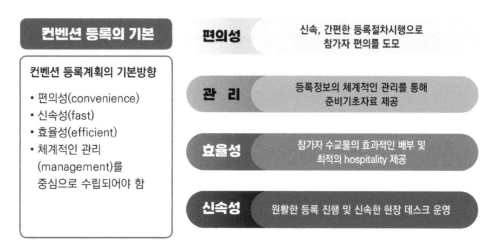

[그림 7-2] 등록의 기본 방향

등록 부스는 등록 업무뿐만 아니라 행사와 관련된 다양한 정보를 참가자에게 제공한다. 또한, 행사 참가자의 피드백을 접수할 수 있는 곳이기 때문에 등록 업무가 끝난 후 매일 등록 현장에서 있었던 일을 논의하고 정리하는 일일 보고가 진행된다.

등록은 등록 시기에 따라 조기 등록(early bird registration), 사전 등록(pre-registration), 현장 등록(on-site registration)으로 구분되며, 등록 자격에 따라 회원, 비회원, 동반자로 구분할 수 있다. 등록 방법에 따라 온라인 등록과 현장 등록으로 구분된다.

1) 사전 등록

사전 등록은 행사 시작 전 일정 기간 동안 참가자가 행사 참가를 위한 등록을 완료하는 절차이다. 행사 주최 측과 행사 기획사는 사전 등록을 독려하기 위하여 등록비에 대한 할인 혜택을 제공하여 더 많은 참가자가 사전 등록을 마치도록 유도한다. 사전 등록자가 많은 경우, 행사 기획과 운영에 다음과 같은 장점이 있기 때문이다.

첫째, 사전 등록자를 통해 주최 측이 예상했던 행사 참가자 수와 비교하여 참가 인원이 예상 인원보다 적을 경우, 홍보마케팅 활동을 적극적으로 진행하여 참가자 증대를 꾀할 수 있다. 둘째, 사전 등록자 정보를 통해 컨벤션 행사 준비에 필요한 다양한 요소, 예를 들어 식음료 기호(채식주의 등) 파악, 숙박 시설 사용에 관한 정보 등을 예측하고 준비할 수 있다. 셋째, 사전 등록으로 행사 수입금액의 일부가 충당되기 때문에 행사 준비를 위한 지출이 원활해진다. 넷째, 현장 등록의 혼잡함을 크게 줄일 수 있다. 다섯째, 참석자를 위한 다양한 물품, 예를 들어 행사 책자, 기념품, 행사 가방, 명찰 등 다양한 물품을 원활히 준비할 수 있다.

사전 등록은 등록 일정에 따라 조기 등록(Early bird registration)과 사전 등록(pre-registration)으로 구분할 수 있다.

조기 등록은 일찍 등록하는 참가자에게 특별한 혜택(주로 할인된 등록 비용)을 제공하며, 한정된 기간 동안 선착순 등록이나 특정 기간 내에 등록하는 참가자에게 가장 높은 등록비 할인율을 적용한다.

사전 등록은 일반적으로 이벤트나 행사 시작 전에 참가자들이 등록하는 것으로, 행사 주최자가 참가자들의 정보를 사전에 수집하고 행사 운영을 원활하게 하기 위한 목적으로 진행된다. 조기 등록보다 등록비의 할인이 크지 않다.

- 가장저렴
- 참가독려
- 행사 수입원 미리 확보

- 할인된 가격
- 자금운영에 융통성이 큼
- 행사규모를 예상할 수 있음

- 사전등록에 비해 1.5~2배 높은 가격으로 책정
- 줄을 서서 기다리는 불편함

[그림 7-3] 등록 일정에 따른 특성

•WGC 2022 등록비 예시

	Early bird 23 May 2021 – 31 March 2022	Full Rate 1 April 2022 – 22 April 2022	Onsite Online: 23 April 2022 – 17 May 2022 Onsite: 22 May 2022 – 27 May 2022
Delegate	$3,995	$4,495	$4,995
Accompanying Person		$930	
Young Leaders		$985	

2) 현장 등록

현장 등록은 사전 등록을 하지 않은 회원, 비회원 및 동반자 등의 참가자가 등록 절차를 밟는 과정으로, 이 과정의 운영에서 가장 중요한 점은 참가자의 기다리는 시간을 줄이면서 편리하게 등록이 이루어질 수 있도록 준비하고 운영하는 것이다. 이를 위해서 등록 부스의 위치, 구성, 등록 인원 배치 등에 대한 계획이 중요하다. 등록 부스는 참가자가 쉽게 찾을 수 있는 행사장 입구에 위치하는 것이 좋으며, 행사 진행에 방해가 되지 않도록 등록 부스와 등록대를 설치하고 운영해야 한다. 등록 부스는 사전 등록, 현장 등록으로 구분하고, 대규모 참가자가 예상되는 행사일 경우, 사전 등록과 현장 등록으로 구분하는 것에 추가하여 회원, 비회원, 학생, 동반자, 전시자 등 참가자 분류를 통해서 등록 절차를 효율적으로 진행할 수 있다.

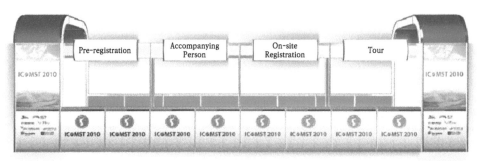

[그림 7-4] 등록부스

〈표 7-3〉 등록구분

No	구분	표기	색상	출입구역
1	초청자	Speaker	빨강	전 행사장
2	회원	Delegate	파랑	전 행사장
3	학생	Student	노랑	전 행사장
4	동반자	Accompanying Person	보라	회의장 출입 제한
5	사무국	Organizer	연두	전 행사장
6	전시	Exhibitor	회색	회의장 출입 제한
7	운영요원	Staff	갈색	담당업무 구역

[그림 7-5] 등록 명찰 구분예시

3) 온라인 등록

인터넷을 이용한 온라인 플랫폼이 발전하기 시작한 2000년대부터 컨벤션 행사의 홍보와 등록 절차가 이메일이나 행사 웹사이트를 통해서 이루어지는 빈도가 급속도로 증가하였다. 팩스나 우편으로 행사 홍보 및 참가 신청서를 배포하고 접수하는 방법이 전혀 없다고는 할 수 없지만, 대다수의 행사는 온라인을 통한 등록이 이루어진다. 특히, 스마트폰의 보급으로 모바일 등록이 가능해져서 언제, 어디서든 등록 절차를 마무리할 수 있다.

온라인 등록은 사전 등록뿐만 아니라 현장 등록에서도 가능해졌다. 현장에서 등록 데스크에서 참가신청서를 작성하지 않고 모바일 등록을 통해 간편하게 등록 절차를 마치면, 등록 데스크에서 명찰과 컨퍼런스 관련 용품을 받아서 행사장으로 입장하게 된다. 다양한 ICT 기술의 접목으로 온라인 등록이 어디서나 가능해짐에 따라 현장 등록 업무가 간소화되고 있다.

2. 숙박

행사 참가자를 위한 다양한 객실을 확보하고 제공하는 것은 주최 측과 기획사의 중요한 업무 중의 하나이다. 따라서 행사 일정, 장소 및 개최 시설이 확정되면 행사 개최 시설 주변을 중심으로 호텔, 리조트 등의 여러 등급의 숙박 시설을 확보하여 본부 호텔(main hotel)과 행사 지정호텔을 선정하고 객실 확보(room block)를 위한 계약을 체결한다. 이후 숙박 신청서를 접수하고 객실 배정을 한 이후 숙박 현장을 운영하게 된다.

1) 객실 확보(Room block)

객실 확보는 주최 측 및 기획사가 참가 인원을 예상하여 행사장을 중심으로 주변의 호텔 및 다양한 숙박 시설의 객실을 일정 기간 동안 확보하는 활동이다. 호텔 및 기타 숙박 시설의 담당 매니저에게 행사 소개 및 예상 참석 인원을 설명하고 특정 기간 동안 정해진 객실 수를 확보한다는 계약을 진행하게 된다. 이때, 확보할 수 있는 객실 수, 숙박료, 주최 측에 제공할 수 있는 무료 객실 수 등에 대하여 협의를 진행한다. 약속된 기간이 지나면 객실 블럭은 해제된다. 따라서 참가자의 숙박 예약을 독려하기 위하여 호텔 측과 협의한 특별 할인가격(convention rate, special rate)을 일정 기간 동안 제공한다. 예를 들어 객실 가격을 할인하는 기간을 특정하여 공지하고 기간이 끝나게 되면 할인 혜택은 사라지고 정상가격으로 객실 예약이 진행된다. 객실 블럭 해제 일정은 주최 측 또는 기획사와 호텔 간의 협상에 따라 달라지며, 특정일을 지정하여 1차 50% 블록 해제, 2차 100% 해제 등 다양한 협상 조건으로 숙박 운영이 진행된다.

<표 7-4> 객실 요율 분류

객실요율 구분	내용
Rack rate	• 공식 객실 가격 요율 • 호텔 경영진이 책정
Convention/ group rate	• 그룹에 적용되는 협상 객실 요율 • 그룹과 호텔 사이에 사전에 합의
Government rate	• 객실 요율이 낮으며 적용횟수가 제한 • 공무원에게만 적용 • 그룹 적용이 거의 불가능
Corporate rate	• 단체 요금(group rate) 보다는 높지만 표준 요금(rack rate)보다는 낮음
Flat rate	• 그룹 요율 중 최고 요금과 최저 요금의 평균가격으로 선정 • 스위트 룸을 제외한 모든 객실에 적용
Day rate or Use rate	• 낮시간 사용 요금의 50%
Complimentary rate	• 주최 측에 무료로 제공되는 객실

2) 숙박 운영방법

객실 확보에 대한 계약이 정리된 후, 참가 신청서를 받을 때, 숙박 정보를 공지한 후 신청서를 받게 된다. 이때 객실 예약 및 관리를 어떻게 할 것인가에 대한 방법은 크게 주최 측(행사 개최 기관 및 기획사)에서 진행할지 또는 참가자에게 호텔에 대한 정보만 제공하고 객실 예약 및 관리는 호텔에서 진행할지를 선택해야 한다. 주최 측이 진행할 경우 직접 진행할 것인지 아니면 숙박 운영을 담당할 대행사(housing bureau)에 맡길지를 선택해야 한다.

(1) 주최 측 직접 운영

주최 측 및 기획사가 직접 숙박 업무를 진행할 경우, 행사의 규모, 특성에 따라 숙박 운영 방법은 달라진다. 대규모 참가자가 예상되는 행사일 경우, 숙박 운영 및 관리 업무를 주최 측에서 진행하기에 다소 부담이 있을 수 있다. 왜냐하면 객실 예약이 한번으로 끝나면 좋겠지만 참가자의 일정 변경, 참가자의 숙박 시설 선호도 변경 등 다양한 변수로 인해 객실 예약 업무는 행사가 마무리 될 때까지 변경 업무를 관리해야 한다. 이러한 업무를 주최 측이 담당할 때 생길 수 있는 업무의 복잡성은 핵심 업무에 방해가 될 수 있다. 따라서 대규모 행사를 진행할 때는 두 가지의 방법으로 숙박 운영 업무를 진행할 수 있다.

첫째, 주최 측이 행사 숙박 시설에 대한 홍보와 정보를 제공하고 참가자가 직접 선택한 호텔에 예약을 진행하게 하여 행사 호텔의 담당자가 직접 예약 관리를 진행하는 경우이다. 호텔에서 객실 예약을 관리할 때, 주최 측과 정보 공유가 원활하지 못할 경우 발생할 수 있는 다양한 이슈를 최소화하기 위해서 행사 호텔은 행사 전담 인원을 배치하고 정기적으로 행사 관련 객실 예약상황을 공유해야 한다.

둘째, 주최 측은 전문 숙박 업무 대행사(housing bureau)를 선정하여 숙박 관련 업무를 일임하여 진행할 수 있다. 숙박 업무 대행사를 선정하여 진행을 결정했다면, 숙박 시설 조사, 객실 확보 등 숙박 업무에 대한 행사 기획 과정에서부터 숙박 업무 대행사가 참여하도록 하여 행사에 대한 이해도를 높일 수 있고, 주최 측의 업무 부담을 경감시켜 효율적으로 행사를 준비할 수 있다. 숙박 업무 대행사는 객실 예약 데이터

정리, 일일 보고, 변동 사항에 대한 실시간 공유 등 업무 협조가 원활하지만, 숙박 업무에 대한 대행비가 발생하기 때문에 예산 편성 시 고려할 필요가 있다.

(2) 호텔 숙박 운영

컨벤션 행사에서 호텔이 직접 숙박 운영을 담당할 경우, 주최 측은 호텔에서 행사 운영을 담당할 매니저 지정을 요청하고, 객실 홍보를 위한 마케팅 작업을 호텔 측에 요청할 수도 있다. 본부 호텔(main hotel/headquarter hotel)로 선정된 숙박 시설은 행사 운영을 위한 다양한 서비스를 제공하며, 이러한 활동을 통해 호텔 홍보와 마케팅 활동을 진행한다. 또한, 본부 호텔은 일반 객실 요금보다 할인된 컨벤션 객실 가격 (convention rate, special rate)을 제공하고, VIP 객실 무료 제공, 환영선물 제공 (welcome gift) 등을 통해 호텔을 홍보하고 이미지를 제고할 수 있다. 또한 행사 후원 기관으로 참여하거나, 행사 홍보물에 본부 호텔 로고를 사용하여 홍보 효과를 극대화할 수 있다. 주최 측은 사무국에서 숙박 운영을 담당할 담당자를 지정하고, 호텔 담당자들과 긴밀하게 소통할 수 있도록 해야 한다.

〈표 7-5〉 컨벤션 숙박 운영방법

담당	운영방법	문제점
사무국 (주최 측)	• 등록과 함께 일괄적으로 사무국에서 담당	• 대규모 행사일 경우 업무량의 증대로 효율적이지 못함
호텔	• 참가자가 주최 측이 지정한 호텔로 직접 신청하여 예약하는 경우	• 사무국에서 현황을 파악하지 못하므로 업무 진행의 어려움 야기 • 철저한 호텔 관리가 필요(잘못된 업무 진행으로 행사에 대한 이미지 실추 우려됨)
Housing bureau	• 별도의 숙박대행사(여행사)에서 숙박에 대한 예약 및 운영을 담당하며 대형행사에 적합	• 소규모 행사의 경우, 운영비의 남발과 업무의 비효율성 유발 • 대행사에 대한 관리 필요

자료: 성은희(2019), 컨벤션기획실무

제3절   공식 행사와 사교 행사

1. 공식 행사

컨벤션행사에서 모든 참가자가 모여 진행하는 공식 행사로 개막식과 폐막식이 있다. 개막식은 행사 개최에 대한 목적과 취지를 설명하고 행사의 시작을 알리며, 폐막식은 행사 진행 과정에서 논의되었던 중요한 이슈 및 논의 결과를 공표하고 다음 행사를 기약하는 행사이다.

개·폐막식이 특히 중요시되는 행사는 정부 주최 행사로 각국을 대표하는 참석자에게 주최국의 위상을 보여주는 기회로써, 행사 시작을 알리는 다양한 축하 공연이 함께 진행되는 경우가 많다. 개막식은 모든 참가자가 참석하는 행사이기 때문에 모든 인원을 수용할 수 있는 공간이 필요하며, 행사 진행에 필요한 각종 시설 및 장비가 갖추어진 장소가 선호된다. 폐막식 행사는 개막식에 비해 참석자 수가 줄어드는 편이다. 기획사는 이러한 패턴을 이해하고, 참석자가 폐막식까지 행사에 남아 있도록 다양한 행사 프로그램을 기획하고 운영해야 한다.

[그림 7-6] 행사 개막식 및 기자회견

▌사진은 2,000 여명이 참석한 정부 주최 국제 행사의 개막식과 개막식 축하 공연 모습이다.
   그리고 개막식 직후 VIP 및 사무총장이 기자회견을 하는 모습이다.

자료: UCLG 2007 행사자료

2. 사교 행사

컨벤션행사는 관련 분야의 최신 정보와 기술을 습득하고, 석학 및 전문가 세미나를 통해 궁금한 사항을 직접 듣고 질의응답을 할 수 있는 기회의 장이다. 이러한 공식 회의 프로그램을 통해서 많은 정보와 지식을 얻을 수 있다. 또한, 사교 행사를 통해 편안한 분위기에서 관련 분야의 사람들과 심도 있는 대화와 직접적인 교류를 할 수 있으며, 참석자는 의도하지 않은 더 많은 관련 정보와 지식을 얻을 수 있다. 네트워킹을 통해 새로운 비즈니스를 창출하는 기회도 제공한다. 사교 행사에는 환영 연회(welcome reception/dinner), 송별 연회(farewell reception/dinner), 후원 기관 연회(sponsor reception/dinner) 등이 있다. 이들은 보통 주최 측에서 준비하는 환영 연회 및 환송 연회 행사와 개최 지역 정부 또는 유관 기관의 후원으로 개최되는 사교 행사로 구성된다. 개최 지역에서 후원하는 사교 행사는 지역을 홍보하고 지역 브랜드를 고취하는데 기여하며, 참가자에게는 지역에 대한 좋은 이미지를 심어줄 수 있다.

1) 환영 연회(Welcome Reception/ Dinner)

환영 연회는 공식 행사 전날 또는 행사 첫날 저녁에 참가자의 친목을 도모하고 행사 분위기를 제고하기 위해 주최 측에서 제공하는 사교 행사이다. 환영 연회는 풀 리셉션 (full reception) 및 만찬 형식으로 진행할 수 있다. 리셉션 형식으로 진행할 경우, 와인 (적포도주, 백포도주, 드라이 백포도주, 로제 포도주 등)을 손님이 선택해 마실 수 있도록 준비하며, 식사류(카나페, 샌드위치, 커틀렛, 치즈, 작은 패티, 칵테일 등)가 제공된다. 개최지의 전통 공연 및 음악 공연이 간단하게 진행되어 행사 분위기를 조성하고 참가자 간 네트워킹이 자유롭게 진행될 수 있도록 하며, 연회 시간은 2시간 내로 진행된다.

2) 환송 만찬(Farewell Dinner)

환송 만찬은 행사 결과를 알리고, 참가자의 노고와 성과를 기념하기 위해 개최되는 행사이다. 환송 만찬은 행사 마지막 날 또는 전날 저녁에 진행되며, 행사의 여운을 남기고 기분 좋은 추억을 만들 수 있는 다양한 공연과 프로그램이 기획되고 운영된다.

식사는 환송 만찬 장소에 따라 달라질 수 있지만, 보통 정식 만찬이 진행되며 드레스

코드(dress code)를 요구하는 경우도 있다.

3. 식음료(F&B: Food and Beverage)

1) 메뉴 선정을 위한 참가자 분석

컨벤션 행사에는 다양한 문화적 배경을 가진 사람들이 참석한다. 참가자의 나이, 종교 및 식습관을 파악하여 행사의 식음료를 준비해야 한다. 이를 위해 컨벤션 참가자 등록 서식에 식습관에 관한 질문이 포함된다. 예를 들어 참가자가 채식주의자인지, 그리고 어떤 종류의 채식주의자인지 등이다. 프루테리언(fruitarian)은 극단적인 채식주의자로 채식 중에서도 과일, 견과류만 허용하고, 식물의 뿌리와 잎은 먹지 않고 열매인 과일과 곡식만 섭취한다. 비건(vegan)은 완전 채식주의자로 육식을 모두 거부하며 식물성 식품만 섭취한다. 락토베 지테리언(lacto-vegetarian)은 육류와 어패류, 동물의 알 등은 먹지 않고 우유, 유제품, 꿀은 먹는다. 오보베지테리언(ovo-vegitarian)은 달걀은 섭취하는 채식주의자이며, 락토오 보베지테리언(lato-ovo- vegetarian)은 달걀, 우유, 꿀 등 동물에게서 나오는 음식은 먹은 채식주의자이다. 페스코 베지테리언(pesco-vegetarian)은 유제품, 가금류의 알, 어류는 섭취하는 채식주의자이고, 폴로베지테이런(pollo-vegetarian)은 우유, 달걀, 생선, 닭고 기는 섭취한다. 마지막으로 플렉시테리언(flexitarian)은 아주 가끔 육식을 겸하는 준 채식 주의자라고 할 수 있다.

〈표 7-6〉 채식주의 유형

유형	과일/곡식	채소	유제품	달걀	어패류	가금류	육류
프루테리언	○	×	×	×	×	×	×
비건	○	○	×	×	×	×	×
락토	○	○	○	×	×	×	×
오보	○	○	×	○	×	×	×
락토오보	○	○	○	○	×	×	×
페스코	○	○	○	○	○	×	×
폴로	○	○	○	○	○	○	×
플렉시테리언	평소에는 비건이며, 상황에 따라 육식						

문화적 배경을 바탕으로 식습관 또는 관습적으로 피하는 음식 재료를 확인할 수 있다. 예를 들어 인도에서는 소고기를 먹지 않고, 이슬람 문화에서는 돼지고기를 먹지 않는 것 등을 파악하여 행사 식음료 계획에 반영할 필요가 있다. 특히, 참가자 대부분이 이슬람 문화권에서 온다면 할랄(Halal)식품을 준비하는 것이 좋다.

할랄 식품은 이슬람교에서 먹을 수 있도록 규정한 음식으로, 세계 식품 시장의 20% 정도를 차지할 만큼 큰 시장을 형성하고 있다. 할랄 인증은 '허락된 것'을 뜻하는 아랍어로, 무슬림이 먹을 수 있도록 이슬람 율법에 따라 도살, 처리, 가공된 식품에만 부여되는 인증 마크다.

2) 식음료 운영 방식

(1) 식음료 행사 계약

행사 기획사는 연회 지배인과 예상 식수 인원, 행사 메뉴 및 서비스 운영 방식을 논의하며 참가자가 만족할 수 있는 방안을 모색한다. 환영 연회, 환송 연회, 리셉션 등 사교 행사에서 참가자의 취향을 분석하여 메뉴를 선정하고, 신선한 식재료 수급 요청, 서비스 방식을 협의한다. 이를 통해 식음료 서비스 운영 방식에 대한 전체 내용을 공유할 수 있어야 한다. 식음료 서비스 방식 중에서 Sit-down 서비스와 Buffet 서비스 선택, 음료와 주류 품목 선택, 음료 및 주류의 외부 반입 여부와 외부 반입 시 음료 반입 요금(corkage charge) 금액 협상, 테이블 세팅 방안 등 다각도로 협의한다.

식수 인원을 보증하는 문제는 컨벤션 기획사와 연회 담당자와 사이에서 가장 중요한 문제가 될 수 있다. 식수 인원은 식재료 준비, 테이블 세팅, 식음료 서비스 인원 준비 등 모든 식음료 준비의 기준이 되며, 컨벤션 기획자에게는 지출 금액, 연회 담당자에게는 수입 금액의 증감에 직접적인 영향을 준다. 식수 인원에 대한 보증은 대개 최종적으로 행사 48시간 전에 마무리되며, 이후 식수 인원이 줄어들어도 보증된 식수 인원만큼 컨벤션 기획사는 금액을 지불해야 한다. 연회 담당자는 보장된 식수 인원보다 5% 정도 초과 인원의 식사를 준비하여 변동상황에 대비하는 것이 일반적이다.

식음료 행사 당일에는 연회 담당자에게 행사 진행 순서인 큐시트(Q-Sheet)를 제공하여 식사 제공 및 운영 시간에 맞춰 빈틈없는 행사를 진행할 수 있도록 해야 한다.

(2) 칵테일 리셉션(Cocktail Reception)

칵테일 리셉션은 보통 환영 만찬, 환송 만찬 등 본 행사가 시작되기 전에 참석자가 가볍게 음료와 술을 마시면서 사교 활동을 하는 기회를 제공한다. 이때 음료 및 술을 제공하는 방식을 살펴보면 다음과 같다.

〈표 7-7〉 음료 및 주류 제공방식

구분		내용
Open bar		무료로 식음료를 제공하는 바이며, 계산은 주최 측이 총괄적으로 지불한다.
Cash bar		참가자가 직접 음료 가격을 부담하는 형태로 직접 바텐더에게 돈을 지불하거나 주최 측에서 구입한 티켓으로 구매한다.
Hosted bar	per person	참가자 1인당 일정 금액을 지불하면 모든 음료 소비가 가능하다.
	per drink	참가자가 소비한 각각의 음료에 대해 비용을 지불한다.
	per bottle	- 어떤 음료가 제공되었는지 상관없이 개봉된 병의 수에 대해서만 지급한다. - 일부만 개봉된 병은 행사가 끝난 후 회의 단체의 재산이 된다.

자료: 손정미(2015), 컨벤션 경영전략과 기획

제4절 관광·수송

1. 관광

컨벤션 기획 및 운영에서 관광은 두 가지 측면에서 중요한 의미를 가진다. 첫째, 주최자 관점에서 매력적인 관광 프로그램을 기획하여 더 많은 참가자를 유치하고, 관광을 통해 참가자에게 휴식 및 휴양을 제공할 수 있다.

둘째, 참가자 관점에서는 컨벤션 행사 참석은 비즈니스와 연관된 활동으로, 행사 참석을 통한 결과를 만들어야 한다는 긴장감이 있지만, 관광을 통해서 긴장감을 완화하고 휴식을 취할 수 있으며, 참석자들과 편안한 교류의 시간을 가질 수 있다. 따라서 컨벤션 관광 프로그램은 시기별로 행사 전, 행사 기간, 행사 후 프로그램으로 기획할 수 있고, 대상별로는 공식 참가자 관광, 동반자 관광, 주제별로 테크니컬 투어(technical tour), 생태 관광, 체험 관광 등 다양한 방식으로 기획하여 운영할 수 있다.

1) 행사 전 관광(Pre tour)

행사 전 참가자 입국 및 도착 일정이 집중되는 것을 분산시키고, 개최지에서 더 많은 시간을 보낼 수 있도록 개최지의 매력적인 관광지를 소개하거나 주최 측에서 관광 프로 그램을 제공하기도 한다. 일반적으로 주최 측에서는 개최 지역의 관광 정보를 참가자에 게 제공하고, 참가자가 자비로 관광 프로그램을 선택해서 진행한다.

2) 행사 기간 중 관광

컨벤션 행사 기간 동안 다양한 관광 프로그램이 운영된다. 대규모 국제 행사일 경우, 일반적으로 여행사를 지정해서 행사장 내에 관광 안내 부스를 설치하고 행사 기간 동안 개인적으로 관광을 희망하는 참가자를 전담한다. 중·소규모 국제 행사일 경우, 등록 데스크에서 관광 관련 정보를 제공하기도 한다. 행사 기간 동안 진행되는 관광 프로그램 은 다음과 같다.

(1) 공식 관광(Official tour)

주최 측에서 전체 참가자를 대상으로 제공되는 관광으로 행사 기간이 4일 이하면 반나절 공식관광으로 5일 이상이면 반나절 또는 하루를 관광으로 진행하는 경우가 많다. 주최 측에서 관광 버스, 음료 및 간식 등을 준비하며, 전일을 관광할 경우에는 식사를 제공하기도 한다.

(2) 동반자 관광(Accompanying persons' program)

동반자 관광은 참가자가 공식 일정에 참석하는 동안 동반자를 위해서 실시하는 문화, 쇼핑, 스포츠, 레저 등의 사교 및 관광 프로그램이다. 동반자 등록비가 있는 행사일 경우, 동반자 관광은 무료로 제공되며, 그렇지 않은 경우는 관광 참가자가 직접 비용을 부담한다. 동반자 체험 프로그램으로 김치 만들기, 다도체험, 템플 스테이, 한방 건강체험 등이 있다.

(3) 산업 시찰(Technical tour)

산업 시찰은 개최되는 컨벤션 주제와 관련된 기관 및 사업장을 방문하는 현장 답사 개념의 관광 프로그램이다. 예를 들어 행사의 주제가 물과 관련된 주제일 경우, 삼다수 공장 또는 지역 정수사업소 등을 방문하거나, 환경 관련 주제일 때는 창녕 우포늪이나 주남 저수지 등을 방문할 수도 있다. 보통 주최 측이 산업 시찰 프로그램을 제공한다.

3) 행사 후 관광(Post tour)

컨벤션 행사가 끝나고 진행되는 관광 프로그램으로 행사 참석자가 공식 일정을 마무리한 후 마음 편히 관광을 즐길 수 있다. 관광 일정도 사전 관광보다 여유가 있어서 원거리 관광도 가능하다. 예를 들어 행사가 부산에서 개최되었다면 사후 관광지는 제주, 서울 등의 국내 관광지 뿐만 아니라 일본이나 중국 등 개최지에서 멀지 않은 해외까지 연계하여 관광 프로그램을 제공할 수 있다. 행사 후 관광은 참가자가 비용을 부담한다.

2. 수송

수송은 컨벤션 참가자가 목적지에 오기 위한 다양한 교통수단과 행사 기간 동안 필요한 교통수단을 주최 측에서 제공하는 것이다. 수송은 항공 수송과 공항, 행사장, 호텔(숙박 시설) 및 관광을 위한 지상 교통에 의한 수송으로 구분할 수 있다. 그밖에도 VIP를 위한 공항 영접 및 영송을 위한 의전차량 운행, 운영 요원 및 자원 봉사자를 위한 차량 운행도 수송에 포함된다.

1) 항공 수송

컨벤션 행사는 일반적으로 규모 있는 국제 행사이고, 참가자는 대부분은 항공교통을 이용해서 행사 개최지에 도착한다. 주최 측은 참가자의 편의를 도모하기 위해 '공식 항공사'를 지정하기도 한다. 항공사는 행사의 위상, 참가 규모, 국가별 참가자 수 등 다양한 요소를 고려하며, 행사 참여가 홍보마케팅에 도움이 되는지 판단한 후 공식 항공사로의 활동을 결정한다.

선정된 공식 항공사는 참가자를 위한 항공료 할인, 공항에 행사 예약 데스크 운영, 회의 및 전시 항공 화물 운송 할인, 주최 측과 행사 VIP를 위한 무료 항공권 등을 제공한다.

주최 측은 공식 항공사를 통해 실시간 항공 예약과 출·도착에 대한 현황을 제공받기 때문에 행사 준비에 효율성을 높일 수 있다.

공식 항공사는 국제 항공 네트워크에 가입되어 있어서 참가자가 항공 예약, 환승 및 경유가 편리하도록 서비스를 제공한다. 국적기가 가입된 국제 항공사 얼라이언스를 살펴보면 다음과 같다.

(1) 스타 얼라이언스

1997년 미주, 유럽, 아시아의 5개 항공사가 최초의 글로벌 항공 동맹으로 스타 얼라이언스를 설립했다. 국적기 아시아나항공이 소속된 항공 네트워크이다. 주요 회원사는 루프트한자(독일), 에어캐나다, 유나이티드항공(미국) 등이 있다.

[그림 7-7] 스타얼라이언스 회원사

자료: https://www.staralliance.com/ko/home

(2) 스카이팀

2006년 설립된 글로벌 항공사 네트워크로 대한항공, 델타항공, 아에로멕시코, 에어프랑스 등 4개 사의 주도로 창설되었다. 현재 전 세계 19곳의 항공사가 정회원으로

활동하며, 스카이팀에 속한 항공사들은 라운지 이용 및 마일
리지 적립 등의 서비스를 공동으로 제공한다.

[그림 7-8] 스카이팀 회원사

자료: https://www.skyteam.com/en

2) 지상 수송

주최 측과 기획사는 항공사 및 호텔과의 정보 공유를 통해 수집된 참가자 일정을 바탕으
로 공항, 행사장, 호텔간 이동을 위한 셔틀버스 운행 노선, 횟수, 운행 시간을 결정하여
진행한다. 지상 수송에 대한 계획이 수립되면 운영 요원을 교육하여 참가자들의 이동에
불편이 없도록 운영하며, 실시간으로 사무국과 연락을 진행하여 수송 진행에 차질이 없도
록 해야 한다. VIP 참가자는 의전 차량을 별도로 준비하고 관리한다. 원만한 행사 운영을
위해 운영 요원의 출퇴근 및 행사장 이동을 위한 별도의 수송 차량을 준비한다.

제5절　　회의·전시

컨벤션은 개회식, 폐회식, 각종 회의, 기자회견, 사교 행사, 전시 등 다양한 종류의
프로그램 집합체이며, 그 가운데 회의와 전시는 컨벤션에서 정보와 지식을 공유하는
중심 행사로 역할을 한다. 회의와 전시는 원래 각각의 산업으로 발전했지만, 회의 행사를
개최하면서 회의 주제와 관련된 상품과 서비스를 전시하게 되었다. 전시는 관련 상품과
서비스를 전시하면서 관련 분야의 회의가 함께 개최하는 경우가 일반화되었다. 그 결과,

회의와 전시는 관련 분야의 상품과 서비스 전시와 함께 전문가 세미나, 토론회 등 연관 회의가 함께 개최되면서 지식 공유와 확산의 장으로서 역할이 확대되었다. 회의와 전시는 지식 창출의 플랫폼으로서 참가자의 목적에 맞는 장소 구성과 배치가 필요하며, 이러한 장소 구성 기획은 사회적 관계를 증진하고 행사 목적 달성에도 큰 영향을 미친다. 효과적인 지식 창출을 위한 회의실과 전시장 구성에 대하여 알아보자.

1. 회의

회의 프로그램은 참가자 전원을 대상으로 하는 개회식, 폐막식 및 전체회의 (plenary/general session)와 동시에 개최되는 다양한 주제 회의인 동시 세션 (parallel/ concurrent session)으로 구분할 수 있다.

회의 참가자의 특성, 인원수, 회의실 규모 및 구조 등을 고려하여 회의실 좌석 배치가 달라지며, 구성 방법에 따라 교실식, 극장식, 연회식, 기타 회의 형태로 구분된다.

1) 회의실 좌석 배치 분류

(1) 교실식(Classroom style)과 극장식(Theater style) 세팅

교실식과 극장식은 책상이 세팅되는지에 따라 달라지는 배치다. 교실식은 메모가 가능하도록 책상이 세팅되고, 극장식은 책상 없이 의자만 배치된다. 교실식과 극장식 구성은 한정된 공간에 대규모 참가자를 위한 세팅에 적합하다. 주로 컨벤션 행사 개막식과 폐막식에 사용되는 형태이며, 무대 상단 방향으로 세팅되어 행사에 집중할 수 있다. 이 방식은 대규모 참석자를 대상으로 정보전달이 용이하다.

아래의 그림은 개막식을 위한 극장식 세팅과 회의 진행을 위한 교실식 세팅 도면이며, 필요 물품을 따로 정리한 자료이다.

필요물품	수량
포디움	1
사회대	1
무전기	1
노트북	1
스탠딩마이크	1
유무선마이크	1
빔 프로젝터	1
포인터	1
스크린	1
조명/음향시스템	1
중계카메라시스템	1
인터넷선	1
발표시간제어기	1
의사봉	1
동시통역리시버	500

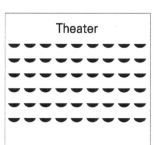

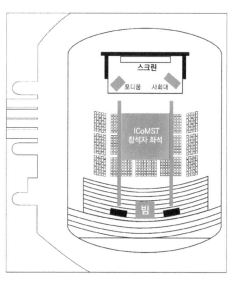

[그림 7-9] 극장식 개막식 세팅 및 구비 물품

필요물품	수량
세미나책상	150
세미나의자	450
의자(좌상)	1
테이블(빔,좌장)	2
포디움	1
무전기	1
노트북	1
스탠딩마이크	1
유무선마이크	1
델리게이션마이크	1
빔 프로젝터	1
포인터	1
스크린	1
인터넷선	1
발표시간제어기	1

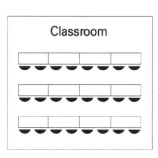

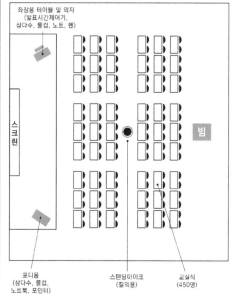

[그림 7-10] 교실식 회의장 세팅과 구비물품

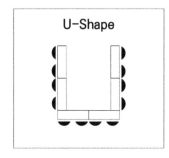

(2) U자형 배치(U-shape)

U자형 세팅은 최대 25명이 참가하는 소규모 회의형태로, 발표, 영상회의, 질의응답에 적합한 세팅이다. 또한, 참가자 간 의견을 교환하기에도 편리하며 메모하기에 적합한 배열이다. 다른 표현으로 Horseshoe-shape 이라고도 한다.

(3) 속이 빈 사각형 배치(Hollow square style)

속이 빈 사각형 세팅 방식은 20명 이하의 소규모 회의에 적합한 형태로 닫힌 U자형 세팅이라고도 한다. 특별 주제에 대해 논의하고 해결책을 모색하는 회의에 자주 사용되며, 회의 주재자(moderator)는 테이블을 자유롭게 돌아다니며 의견을 교환하고 문제를 해결하는 자유로운 토론의 장으로 적합한 회의 세팅 방법이다.

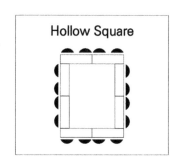

(4) 회의실 형식의 배치 (Boardroom/Conference style)

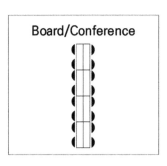

회의실 형식의 세팅 방식은 전통적인 방식으로 최대 25명에 적합한 배치이다. 이 배치는 토론을 촉진하고 비즈니스 미팅, 예를 들어 브레인스토밍, 소규모 팀 회의 등에 적합하다. 하지만 긴 시간 발표가 필요한 회의에는 적합하지 않다.

(5) 연회식 배치(Banquet style)

연회식 세팅은 주로 오찬, 만찬 등 식음료 행사에 자주 사용되는 배치이다. 만약 회의 프로그램에서 연회식 배치를 한다면 주로 사람들이 어울려서 알아갈 수 있는 네트워킹 세션에서 주로 사용된다. 테이블당 최대 8명 좌석이 적합하다.

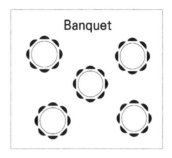

(6) 기타 회의실 배치방법

컨벤션 규모와 목적에 따라 다양한 방식으로 행사장을 세팅함으로써, 참가자가 목적하는 정보와 지식을 원활하게 획득하고, 네트워크를 확장할 수 있는 적절한 환경을 조성하고 있다. 교실식, 극장식, U자 형태, 회의실 형태, 속이 빈 사각형 형태, 연회식 세팅 이외에도 회의 참가자가 집중할 수 있는 쉐브론 형태Chevron style)의 세팅과 참가자 간 네트워킹을 촉진하는 카바레 세팅(Cabaret style)도 있다.

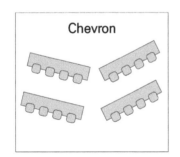
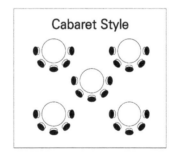

[그림 7-11] 기타 회의 세팅

2. 전시

전시는 참가업체 및 관련 기관이 전시 부스를 구매하여 상품과 서비스를 홍보하고, 기업과 기관의 이미지를 제고하는 장이다. 전시 참관객은 관련 분야의 정보, 시장 흐름, 전문가 노하우 등을 알기 위해서 전시에 참석하며, 직접 상품과 서비스를 경험하고 체험해 볼 수 있고, 상품에 대한 명확한 의견을 제시할 수 있다. 전시는 현장에서 전시 참가 기업 및 기관과 참관객 간의 실시간 피드백을 공유할 수 있는 환경을 제공한다. 이러한 활동으로 기업은 고객의 피드백을 개발한 상품에 반영하여 품질 향상을 꾀할 수 있고, 전시 참관객은 관련 분야의 최신 동향을 파악할 수 있다. 따라서 행사 주최 측 및 기획사는 전시 참가업체 및 기관이 최대한 참관객과의 접점을 높일 수 있도록 전시장 배치를 기획해야 하며, 전시 참가업체와 기관은 전략적으로 전시 부스 위치와 부스 디자인 등을 고려해야 한다.

1) 전시 부스 할당

전시 부스를 판매할 때, 부스 위치를 정하는 것은 전시 참가자에게 상당히 민감한 부분이다. 부스 가격 조건은 행사 주최자에 따라 다양하지만, 보통은 위치와 관계없이 가격이 일정하다. 따라서 참관객에게 많이 노출될 수 있는 장소를 선점하는 것이 중요하며, 이러한 민감한 과정을 조율할 수 있는 부스 할당 방법은 크게 4가지로 구분된다.

○ **선착순 (first comes, first served)**
가장 일반적인 부스 배정 방법으로 먼저 전시 부스를 계약하고 입금하는 전시자가 원하는 장소를 차지한다.

○ **점수제(point system)**
점수제는 신용카드를 사용할수록 포인트가 쌓이는 것처럼, 전시에 참여한 횟수나 부스 사용 개수 등 과거 전시 참여 활동을 기준으로 우대하여 부스 위치를 할당하는 방법이다.

○ **추첨식(Lottery system)**

전시 참가 신청이 마감된 후 추첨을 통해 일괄적으로 부스를 배정하는 방법이다.

○ **사전판매**

현재 열리고 있는 전시에 참석한 참가 업체와 기관을 중심으로 차기 행사에 미리 참가 신청을 받는 방법으로, 주최 측은 미리 전시 참가자를 확보할 수 있으며, 전시 참가업체는 가장 큰 할인율을 받을 수 있는 이점이 있다.

2) 참관객 유치와 관리

전시에 출품하는 상품과 서비스는 저작권과 관련된 신기술, 신제품 및 새로운 트렌드를 선보이는 곳이다. 따라서 주최 측과 전시 기획사는 잠재 참관객을 대상으로 행사 정보와 자료를 제공하여 행사에 대한 관심을 고취시키고, 전시를 통해 얻을 수 있는 다양한 정보와 네트워크의 중요성을 강조할 필요가 있다. 특히, 전문 전시(trade show)는 일반 관람객보다 관련 분야의 관계자가 참관객으로 참석하는 것이 중요하다. 이러한 참관객을 유치를 위해 비즈니스 창출, 네트워크 확대, 전문 정보와 지식을 공유하고 확대할 수 있는 환경을 조성하는 것이 중요하다. 따라서 주최 측과 기획사는 주요 전시 참가자, 유명 전문가, 최신 기술 관련 세미나 등을 적극적으로 홍보하고 관련 분야의 잠재 고객을 유치하는 것이 필요하다.

세계적으로 인정받는 섬유 전문 전시인 'Premiere Vision'은 프랑스에서 매년 개최되는 행사로, 세계 섬유 및 패션 산업의 트렌드를 선도하는 전문 전시회이다. 이 전시회에서는 지적 재산권을 보호하기 위하여 업계 관련 일을 하지 않는 사람의 출입이 제한되며, 전시 상품 및 서비스의 무단 복제를 막기 위해서 사진 촬영이 금지되어 있다. 이와 같이 전시가 지식플랫폼으로서 역할이 강화되는 한 측면에는 전시되는 상품과 서비스의 지식 자산을 보호하기 위한 다양한 조치가 필요하다.

3) 전시 부스 종류

전시 부스는 전시 참가 기업 및 기관이 참관객과 만나는 장소로 전시장에서의 위치, 디자인, 디스플레이 방법 등에 따라 전시 참가 활동의 결과가 달라질 수 있다. 전시자는 자신들의 전시 참가 목적이 비즈니스 창출(lead generation)인지, 아니면 신상품 출시(product launch) 또는 브랜드 제고(brand awareness)인지에 따라 부스의 크기와 디자인을 선택하고 홍보마케팅 활동을 진행한다. 전시 부스는 비용, 재질, 부스 형태, 위치에 따라 다양하게 분류된다.

먼저 전시 부스의 판매방식에 따라 "기본 부스"와 "독립 부스"로 나눌 수 있다. 기본 부스는 주최 측에서 정해진 규격과 디자인된 부스이다. 나라마다 또는 행사에 따라 기본 부스의 사이즈가 다를 수 있다. 우리나라에서는 보통 3m x 3m를 기본으로 제작되며 벽체 구조물, 조명, 안내 데스크, 콘센트, 상호 간판을 기본으로 제공한다. 미국의 경우 벽면, 커튼과 테이블, 의자가 기본으로 제공되는 2m x 3m의 부스나 4m x 4m를 사용하기도 한다.

독립 부스는 주최 측이 전시 공간(raw space)을 판매를 하고, 전시자는 부스 설치에 관련된 일체를 책임지고 제작하는 방식이다.

전시 부스는 형태에 따라 인라인 부스(Inline booth), 코너 부스(Corner booth), 페닌슐라 부스(Peninsular booth), 아일랜드 부스(Island booth)로 분류할 수 있다.

(1) 인라인 부스(Inline booth)

인라인 부스는 리니어 부스(linear booth) 또는 로부스(row booth)라고도 하며, 부스 한 면을 개방한 형태이다.

(2) 코너 부스(Corner booth)

코너 부스는 부스의 두 면이 개방된 형태로 대개 통로(aisle) 끝에 위치한다. 코너 부스와 인라인 부스의 가장 큰 차이점은 개방된 면의 수로 인라인은 한 면만 개방되어 있고, 코너 부스는 수평 통로와 수직 통로를 따라 개방되어 있기 때문에 참관객에게 상품과 서비스를 노출할 수 있는 기회가 크다.

(3) 페닌슐라 부스(Peninsular booth)

페닌슐라(peninsular)는 영어로 반도라는 뜻으로 삼면이 바다로 둘러싸이고 한 면은 육지에 이어진 땅을 의미한다. 마찬가지로 페닌슐라 부스도 삼면이 개방되어 참관객이 편하게 부스에 들어와서 정보를 볼 수 있는 형태이다. 나머지 한쪽 면은 다른 부스와 맞닿아 있다.

(4) 아일랜드 부스(Island booth)

아일랜드 부스는 섬이라는 뜻처럼, 사방이 개방된 부스이다. 모든 면에서 참관객의 접근성이 높고, 전시자의 상품과 서비스 및 전시 정보를 쉽게 공유할 수 있다.

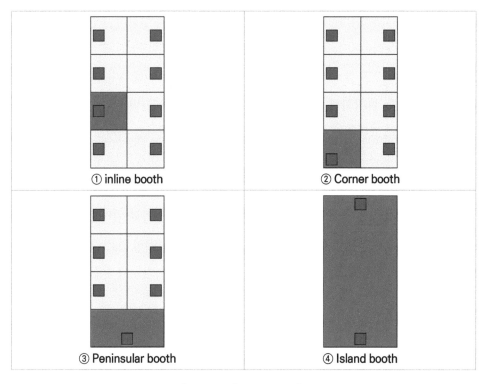

[그림 7-12] 전시 부스 유형

4) 지식 창출의 플랫폼으로서 전시 운영

전시 주최 측과 전시 기획사는 전시자와 참관객이 정보와 지식을 원활하게 습득하고 공유할 수 있도록 전시장을 구성해야 한다. 참관객이 쉽게 원하는 정보와 기업을 찾을 수 있도록 주제별 구성, 국가별 구성 등으로 전시장을 배치하고 광고 제작물을 적절히 설치하여 행사장 현황을 알릴 수 있어야 한다.

전시 기간 동안 전시자와 참관객, 그리고 전시자 간의 심도 있는 대화, 비즈니스 창출 및 네트워킹이 자연스럽게 이루어질 수 있도록 전시장에는 전시 부스 이외에도 카페테리아, 비즈니스 라운지, 세미나실 등이 배치된다. 이때 카페테리아, 비즈니스 라운지, 세미나실의 위치는 대개 전시자와 참관객이 자연스럽게 모이고 흩어지는 장소에 설치할 수 있다. 또한, 사람들의 동선을 유도하여 자칫 전시장에서 구석진 곳 또는 외진 곳으로 인식되어 참관객이 오지 않을 수 있는 공간을 활성화하는 방안으로 카페테리아나 비즈니스 라운지 등을 배치할 수도 있다. 기획자는 전시장 전체가 물 흐르듯 자연스럽게 사람들이 오고 갈 수 있도록 다양하게 소통의 공간을 창출해야 한다. 이렇듯 기획자는 지식 창출을 활성화하는 촉진자(facilitator) 역할을 한다.

다음 장의 그림은 서울 국제와인 & 주류박람회의 전시장 배치도를 기반으로, 전시장에서 지식을 공유하고 확대할 수 있는 소통의 공간을 어떻게 조성하고 있는지 사례를 정리한 도면이다. 전시장에서 맥주관, 국내관, 국제관으로 구역을 설정하여 참관객이 원하는 정보를 쉽게 찾을 수 있도록 주제별로 전시장을 배치하였고, 다양한 소통의 공간이 전시장에 배치된 모습도 보인다. 특히, 주 출입구에서 먼 거리에 있는 다소 구석진 곳으로 인식될 수 있는 곳을 소통의 공간으로 만들어 사람들의 발길을 자연스럽게 유도하는 배치를 확인할 수 있다.

그리고 다음 장의 도면에는 전시 부스의 공간 배치와 더불어 네 가지 전시 부스 형태를 확인할 수 있도록 표시하였다.

집중적인 지식공유, 네트워크 확장의 장

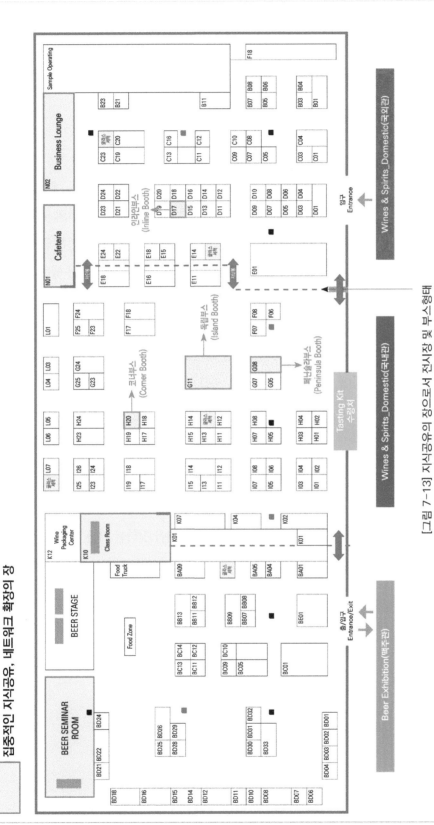

[그림 7-13] 지식공유의 장으로서 전시장 및 부스형태

자료: 서울국제와인 & 주류박람회 전시배치도를 참고하여 재작성

전시컨벤션산업론

1. 의전의 정의

의전은 사전적 의미로 예를 갖추어 베푸는 각종 행사 등에서 행해지는 예법을 의미하며 조직이나 국가 간에 이루어지는 예절을 의미한다. 의전은 좁은 의미의 국가 의전과 넓은 의미의 사교 의례로 구분하여 정의할 수 있다. 좁은 의미에서 의전은 국가 의전을 의미하며, 국가·외교 행사, 국가원수 및 고위급 인사의 방문과 영접에서 행해지는 국제적 예의를 의미한다. 국가 의전은 국가 행사 시 의전, 주권 국가 간 외교행사에 있어 행해지는 의전, 외교사절의 파견과 접수, 국가원수 및 고위급 인사의 방문과 영접에 따른 의전으로 구분될 수 있다. 의전의 넓은 의미로는 사회구성원으로서 개개인이 지켜야 할 건전한 상식에 입각한 예의범절로 사교 의례라고도 한다.

2. 컨벤션 의전

의전은 개인 간, 조직간, 국가 간의 관계에 있어서 상호 원활히 지낼 수 있는 윤활유 역할을 한다. 국제 행사에 참석한 행사 참석자 간의 서열을 무시할 경우 상대 국가, 조직 또는 개인에 대한 모욕으로 생각할 수 있다. 서열을 정하는 기준, 그 기준에 따라서 행사를 진행하는 것이 의전이다. 컨벤션도 사람이 모여서 정보와 지식을 공유하고 네트워크를 확대하는 지식플랫폼으로서 다양한 국가, 문화적 배경을 가진 사람들이 참석하며, 사회적 지위, 전직과 현직 등 다방면으로 고려하여 의전을 준비해야 한다. 컨벤션과 관련된 주요한 의전은 의전서열, 국기계양, 사교 의례, 연회, 식탁 예절, 여성 예우 등에 관한 것이다.

---

30) 외교부 홈페이지 참고

(1) 의전서열

컨벤션행사는 세계 주요 인사들이 대거 참석하는 특징이 있다. 특히 정부 행사의 경우는 국가를 대표하는 다양한 직급의 사람들이 참석하기 때문에 참석자의 서열을 확인하고 신분에 합당한 예우를 해야 한다. 서열을 결정할 때 현 직위 이외에도 다양한 요소를 고려하는데 참가자의 전직, 연령, 행사와의 관련성 등이다. 공식적인 서열을 가지고 있지 않은 사람이 공식행사나 연회에 참석할 경우는 그 사람의 개인적, 사회적 지위와 연령 등을 고려해서 결정한다.

○ **우리나라의 공식서열**

대통령 → 국회의장 → 대법원장 → 국무총리 → 국회부의장 → 감사원장 → 부총리 → 외교통상부 장관 → 외국특명전권대사, 국무위원, 국회 상임위원장, 대법원판사 → 3부 장관급, 국회의원, 검찰총장, 합참의장, 3군 참모총장 → 차관, 차관급이다.

○ **미국의 공식서열**

대통령 → 부통령 → 하원의장 → 대법원장 → 전직 대통령 → 국무장관 → 유엔사무총장 → 외국 대사 → 전직 대통령 미망인 → 공사급 외국 공관장 → 대법관 순이다.

○ **영국의 공식서열**

국왕(여왕) → 귀족 → 켄터베리 대주교 → 대법관 → 요크 대주교 → 총리 → 하원의원 → 국새상서 → 각국 대사 → 시종 장관 → 대법원장

관례상 서열을 살펴보면, 국가원수를 대행하여 행사에 참석하는 정부 각료는 외국 대사에 우선하며, 부부동반의 경우 부인의 서열은 남편과 동급이다. 참가자가 2개 이상의 사회적 지위를 갖고 있다면 상위직을 기준 지위로 한다. 기타 서열로는 여자가 남자보다, 연장자가 연소자보다, 외국인이 내국인보다 서열을 높게 대우한다.

(2) 국기게양

국기는 그 나라를 상징하는 만큼 국기게양을 잘못할 경우, 큰 외교적 결례가 될 수 있다. 컨벤션행사에서 다양한 국적의 국기를 사용하는 경우 "대한민국 국기에 관한 규정" [국기법 법률 제8272호, 2007.1.26. 제정]에 근거하여 진행한다.

○ **대한민국 국기에 관한 규정 제17조 (국기의 게양 위치)**
- 국기는 정면에서 보아 중앙 또는 왼쪽에 위치하도록 설치한다.
- 국기와 외국기를 함께 게양할 때, 알파벳 순서로 게양하되 홀수일 경우 국기를 중앙에, 짝수일 경우 앞에서 보아 맨 왼쪽에 게양한다.

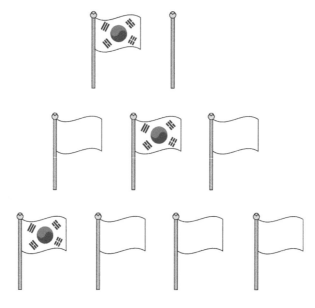

[그림 7-14] 국기 게양위치

자료: 외교통상부

○ 대한민국 국기에 관한 규정 제18조 (국기와 외국기의 게양)

- 국기는 정면에서 보아 중앙 또는 왼쪽에 위치하도록 게양한다.
- 외국기의 게양 순위는 외국 국가 명칭의 알파벳 순서를 따르되, 기수가 홀수인 경우, 국기는 가장 윗자리 중앙에, 짝수인 경우에는 왼쪽 첫 번째에 게양한다.
- 교차 게양의 경우, 왼쪽에 태극기가 오도록 하고(깃대 윗부분부터 건곤이감이 오도록 하고) 그 깃대는 외국기의 깃대 앞쪽 위치한다.
- 국제연합기, 태극기, 외국기 순으로 국제연합기를 가장 윗자리에 게양한다.

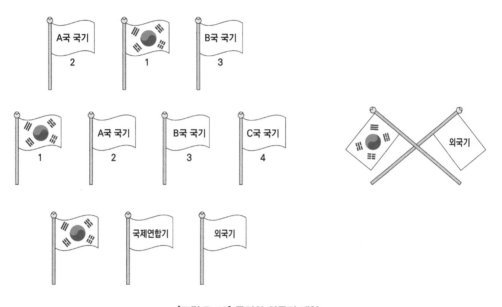

[그림 7-15] 국기와 외국기 게양

자료: 외교통상부

(3) 사교 의례

컨벤션에서는 사람과의 만남과 교류가 활발하게 일어나며, 자신을 소개하거나 지인을 소개하는 등의 다양한 방법으로 사람들과 교류하게 된다. 이와 같은 상황에서 국제관습에 맞게 행동할 수 있어야 관계 형성과 네트워크 확대가 원활할 수 있다.

○ **소개방법**

연장자나 상위자에게 직책을 부른 후 연소자나 하위자를 소개한다. 남자와 여자가 있을 때는 남자를 여자에게 소개한다. 이는 서열의 일반원칙에 따른 것이다.

○ **악수**

아랫사람이 먼저 악수를 청해서는 안되며 윗사람이 먼저 손을 내밀었을 때만 악수한다. 악수는 서양식 인사이므로 악수를 하면서 우리식으로 절까지 할 필요는 없다. 신사가 숙녀의 손에 입술을 가볍게 대는 것을 Kissing hand라 하며, 이 경우 여자는 손가락을 밑으로 향하도록 손을 내민다. 유럽의 프랑스, 이탈리아 등 라틴계나 중동 아시아지역 사람들의 친밀한 인사 표시로 포옹을 하는 경우도 있다.

(4) 연회 및 식사 예절

○ **초청**

초청객 선정은 주빈(Guest of Honor)보다 직위가 높거나 너무 낮은 인사는 피하고, 좌석 배치 시 적절히 배합할 수 있도록 초청객을 선정한다.

○ **초청장**

초청장은 통상 행사 2-3주 전에 발송하는 것이 관례이며, 참석 여부를 통지하는 R.S.V.P. (Repondez, s'il vous plait)는 초청장 좌측 하단에 표시하며, 그 아래에 초청자의 연락처(주소 또는 전화번호)를 쓴다. 초청장을 받은 사람은 R.S.V.P를 요구할 경우, 꼭 참석 여부를 사전에 통지하여 주최자가 연회 준비에 차질 없게 하는 것이 예의이다. 규모가 큰 리셉션처럼 모든 손님의 참석 여부를 정확하게 알 필요가 없을 때에는 "R.S.V.P." 대신에 "Regret Only"(초청을 수락하지 못할 때에만 회신 요망)라고 표시

한다.

초청장은 각료급 이상의 인사에 대해서는 직책만 표기하고 기타 인사는 성명과 직책을 적절히 쓰되 부인 동반의 경우는 "동 영부인"을 함께 표기한다.

○ **복장**

초청장 우측 하단에 드레스 코드(Dress code)를 표시하여 참석자가 고려할 수 있도록 한다. 행사에는 보통 White tie, Black tie, Lounge suit 등이 드레스 코드로 사용된다.

- 야회복(White tie) : 상의의 옷자락이 제비 꼬리 모양을 하고 있어 '연미복(tail coat)'이라고도 하는데 무도회나 정식 만찬 또는 저녁 파티 등에 사용
- 약식 야회복(Black tie) : 일종의 만찬복인 black tie는 19세기 영국의 dinner coat를 뉴욕의 Tuxedo Club에서 연미복 대신에 착용한 데서 유래된 것인데, 예식적인 정식 만찬 이외의 모든 저녁 파티, 극장의 첫 공연, 음악회, 고급 레스토랑이나 유람선에서의 만찬 등에 입는 편리한 약식 야회복임
- 평복(Lounge suit, Sack suit, Business suit) : Lounge suit의 경우 'informal'이라고도 하며 예전 같으면 예복을 입어야 할 경우 즉, 방문, 오찬, 다과회, 만찬, 결혼식 뿐만 아니라 일상 업무의 경우에도 상기 평복을 입어도 무방한 것으로 점차 변해가고 있음. 평복의 색깔은 진한 회색이나 감색이 적합하며, 저고리와 바지의 색깔이 다른 것을 입어서는 안됨.
- 블랙타이(Tuxedo, Smoking 또는 Dinner Jacket이라고도 함)는 야간 리셉션과 만찬 시 주로 착용하기 때문에 '만찬복'이라고 불리며 흑색 상하의, 흑색 허리띠, 백색 셔츠(주름 무늬), 흑색 양말, 흑색 구두가 1조를 이룸. 고유의상이나 제복, 예복 착용 가능함.

○ 좌석 배열

좌석 배열은 연회 준비 사항 중에서 가장 중요한 부분으로 세심한 주의가 필요하다. 참석자가 좌석을 미리 확인할 수 있도록 연회장 입구에 행사 배치판(seating chart)를 만들고, 좌석 명패(place card)를 식탁 위 각자의 자리에 놓아둔다.

좌석 배열은 행사의 주빈(guest of honor)이 입구에서 먼 쪽에 앉도록 하고 연회장에 좋은 전망이 있을 경우, 전망이 바로 보이는 좌석에 주빈이 앉도록 배치한다. 직책으로 배치하는 경우를 제외하고 여성이 테이블의 끝에 앉지 않도록 좌석을 배열한다.

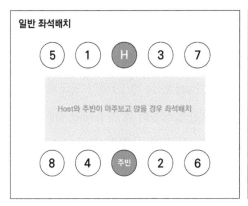

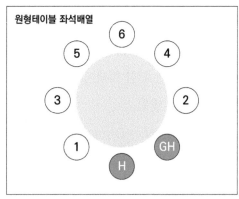

[그림 7-16] 연회 좌석배열 예시

자료: 외교부

부록

[국내외 전시컨벤션 유관 기관]

국내 컨벤션 유관기관

1. 컨벤션 전담조직

조직명	웹사이트
한국관광공사 Korea MICE 뷰로	k-mice.visitkorea.or.kr
서울컨벤션뷰로	korean.miceseoul.com
부산관광공사	www. bto.or.kr
대구컨벤션뷰로	www.daegucvb.com
인천관광공사	cvb.visitincheon.or.kr
광주관광재단	www.gjto.or.kr
대전관광공사	www.daejeontourism.com
울산관광재단	www.ueco.or.kr
경기관광공사	www.gmice.or.kr
강원도관광재단	www.gwto.or.kr
전남관광재단	www.ijnto.or.kr
경남관광재단	www.gnto.or.kr
제주컨벤션뷰로	www.jejucvb.or.kr
고양컨벤션뷰로	www.goyangcvb.com
수원컨벤션뷰로	www.scc.or.kr
경주화백컨벤션뷰로	www.crowncity.kr
강릉관광개발공사	www.gtdc.or.kr
전북마이스뷰로	www.jbct.or.kr

2. 지방자치단체 컨벤션 관련부서

부서명	웹사이트
서울시청 컨벤션산업팀	www.seoul.go.kr
인천광역시청 MICE산업과	www.incheon.go.kr
대전광역시청 국제협력담당관	www.daejeon.go.kr
대구광역시청 문화체육관광국	www.daegu.go.kr
울산광역시청 문화관광체육국	www.ulsan.go.kr
부산광역시청 문화관광국	www.visitbusan.net
경기도청 국제통상과	www.gg.go.kr
강원도청 문화관광체육국	www.provin.gangwon.kr
충북도청 문화체육관광국	www.chungbuk.go.kr
충청남도청 문화체육관광국	www.chungnam.net
경상북도청 문화관광체육국	www.gb.go.kr
경상남도청 문화관광체육국	www.gyeongnam.go.kr
전라북도청 문화체육관광국	www.jeonbuk.go.kr
전라남도청 관광문화체육국	www.jeonnam.go.kr
제주도청 관광정책과	www.jeju.go.kr
고양시 마이스산업과	www.goyang.go.kr
창원시 관광과	www.changwon.go.kr
경주시청 관광컨벤션과	www.gyeongju.go.kr
수원시 관광과 특수관	www.suwon.go.kr

3. 컨벤션센터

센터명	웹사이트
코엑스(COEX)	www.coex.co.kr
벡스코(BEXCO)	www.bexco.co.kr
대구전시컨벤션센터(EXCO)	www.exco.co.kr
송도컨벤시아(Songdo Convensia)	songdoconvensia.visitincheon.or.kr
김대중컨벤션센터(KDJ Center)	www.kdjcenter.or.kr
대전컨벤션센터(DCC)	www.dcckorea.or.kr
킨텍스(KINTEX)	www.kintex.com
수원컨벤션센터(SCC)	www.scc.or.kr
평창알펜시아컨벤션센터(Alpensia)	www.alpensia.com/convention
군산새만금컨벤션센터(GSCO)	www.gsco.kr
경주화백컨벤션센터	www.crowncity.kr
창원컨벤션센터(CECO)	www.ceco.co.kr
제주국제컨벤션센터(ICC Jeju)	www.iccjeju.co.kr

4. 전시유관기관

기관명	웹사이트
산업통상자원부	www.motie.go.kr
KOTRA	www.kotra.or.kr
한국무역협회	www.kita.net
한국전시산업진흥회	www.akei.or.kr
한국전시주최자협회	www.keoa.org
한국전시디자인설치협회	www.keda.in
한국전시서비스업협회	www.kespa.org
글로벌 전시포털	www.gep.or.kr

5. 컨벤션 관련 협회

기관명	웹사이트
한국MICE협회	http://www.micecontents.or.kr
한국PCO 협회	http://www.kapco.or.kr

부록

해외컨벤션 유관기관

1. 해외 컨벤션센터

국가	기관명	웹사이트
미국	Greater Boston Convention & Visitors Bureau	www.bostonusa.com
	Choose Chicago	www.choosechicago.com
	Las Vegas Convention & Visitors Authority	www.lvcva.com
	New York City's Official Convention & Visitors Bureau	www.nycgo.com
	Washington, DC Convention & Tourism Corporation (WCTC)	www. washington.org
독일	German Convention Bureau (GCB)	www.gcb.de
	Berlin Convention Office\	www. convention.visitberlin.de
프랑스	Paris Convention & Visitors Bureau	www.convention.parisinfo.com
	ONLY LYON Tourist Office and Convention Bureau	lyon-france.com
	Nice Côte d'Azur Metropolitan Convention and Visitors Bureau	nicetourisme.com
브라질	The Brazilian Tourist Board (Embratur)	www.embratur.com.br
	VISIT SÃO PAULO	visitesaopaulo.com
스페인	Barcelona Convention Bureau (BCB)	www.barcelonaconventionbureau.com
	Madrid Convention Bureau	www.esmadrid.com
영국	LONDON Convention Bureau	www.conventionbureau.london
	Convention Edinburgh	www.meetingedinburgh.com
	Glasgow Convention Bureau	glasgowconventionbureau.com
	Liverpool Convention Bureau	www.liverpoolconventionbureau.com
이탈리아	Firenze Convention Bureau	www.conventionbureau.it
	Roma e Lazio Convention Bureau	www.conventionbureauromaelazio.it
캐나다	Tourism Montreal	meetings.mtl.org
	Tourism Toronto	www.seetorontonow.com
	The Metro Vancouver Convention and Visitors Bureau	www.tourismvancouver.com

국가	부록명	웹사이트
네덜란드	I amsterdam	www.iamsterdam.com
오스트리아	Vienna Convention Bureau	www.vienna.convention.at
일본	Kobe Convention Bureau	kobe-convention.jp
	Kyoto Convention & Visitors Bureau	meetkyoto.jp
	Osaka Convention & Tourism Bureau	osaka-info.jp
	Sapporo Convention Bureau	www.conventionsapporo.jp
	Tokyo Convention & Visitors Bureau (TCVB)	www.tcvb.or.jp
	Yokohama Convention & Visitors Bureau	business.yokohamajapan.com
중국	Hong Kong Tourism Board	mehongkong.com
	Shanghai Municipal Administration of Culture and Tourism	www.meet-in-shanghai.net
호주	Brisbane Marketing	www.brisbanemarketing.com.au
	Melbourne Convention Bureau	www.melbournecb.com.au
	Business Events Perth	www.businesseventsperth.com
	BESydney	www.besydney.com.au
뉴질랜드	Auckland Convention Bureau (ACB)	www.aucklandnz.com
남아프리카공화국	Cape Town & Western Cape Convention Bureau	www.wesgro.co.za
아랍에미리트	Dubai Convention Bureau	dubaiconventionbureau.com
싱가폴	Singapore Exhibition & Convention Bureau (SECB)	www.visitsingapore.com
스웨덴	Visit Stockholm AB	www.visitstockholm.com
포르투갈	Lisboa Convention Bureau	www.visitlisboa.com
덴마크	Wonderful Copenhagen	www.wonderfulcopenhagen.com
스위스	Switzerland Convention & Incentive Bureau	meetings.myswitzerland.com

2. 주요연사시전시컨벤션센터

국가	센터명	웹사이트
독일	Messe Berlin/ICC Berlin	www.messe-berlin.com
	Messe Dusseldorf GmbH	www.messe-duesseldorf.com
	Messe Munchen GmbH	www.messe-muenchen.de
	Messe Frankfurt GmbH	www.messefrankfurt.com
	Deutshe Messe AG Hannover	www.messe.de
	Internationales Congress Centrum Berlin	www.messe-berlin.com
미국	Hawaii Convention Center	www.meethawaii.com/convention-center/
	Washingtion State Convention Center	www.wscc.com
	San Diego Convention Center	visitsandiego.com
	McCormick Place, Chicago	www.mccormickplace.com
	JACOB K. JAVITS Convention Center of NY	www.javitscenter.com
	Kay Bailey Hutchison Convention Center Dallas	www.dallasconventioncenter.com
	Orange Country Convention Center	www.occc.net
	Las Vegas Convention and Visitors Authority	www.lvcva.com
	Los Angeles Convention Center	www.lacclink.com
벨기에	Palais des Congres de Liege	www.palaisdescongresliege.be
스페인	Centro Kursaal	www.kursaal.org
	Barcelona International Convention Centre	www.ccib.es
	IFEMA	www.ifema.es
싱가포르	Singapore EXPO	www.singaporeexpo.com.sg
	SUNTEC Singapore Convention & Exhibition Centre	www.suntecsingapore.com
태국	Queen Sirikit National Convention Center	www.qsncc.co.th
필리핀	Philippine International Convention Center	www.picc.gov.ph
인도네시아	Balai Sidang Jakarta Convention Center	www.jcc.co.id
영국	International Convention Centre Birmingham	www.theicc.co.uk

국가	센터명	홈사이트
	Scottish Event Campus (SEC)	www.sec.co.uk
	QE ll Centre London	www.qeiicentre.london
	Central Hall Westminster	www.c-h-w.com
	Olympia London	www.olympia.london
	National Exhibition Centre (NEC)	www.thenec.co.uk
	Edinburgh International Conference Centre(EICC)	www.eicc.co.uk
일본	Tokyo International Forum	www.t-i-forum.co.jp
	Kyoto International Conference Center	www.icckyoto.or.jp
	Toki Messe	www.tokimesse.com/english
	INTEX Osaka	www.intex-osaka.com
	Makuhari Messe	www.m-messe.co.jp
	Tokyo Big Sight	www.bigsight.jp
오스트리아	Austria Center Vienna	www.acv.at
이탈리아	Firenze Fiera Congress & Exhibition Center	www.firenzefiera.it
캐나다	Montreal Convention Center	www.congresmtl.com
	Toronto Congress Centre	www.torontocongresscentre.com
스위스	International Conference Centre Geneva	www.cicg.ch
	China World Trade Center	www.cwtc.com
중국	China National Convention Center	www.cnccchina.com
	Shanghai INTEX Exhibition	www.shanghai-intex.com
	Shanghai New International Exhibition Center (SNIEC)	www.sniec.net
	China International Exhibition Center	www.ciec-expo.com
프랑스	Palais des Festivals et des Congres	www.palaisdesfestivals.com
홍콩	Hong Kong Convention & Exhibition Centre (HKCEC)	www.hkcec.com
호주	Cairns Convention Centre	www.cairnsconvention.com.au
	ICC Sydney	www.iccsydney.com.au

3. 컨벤션 전문매체

잡지명	대상지역	웹사이트
Meeting Professionals International	전세계 (구미주중심)	www.mpi.org
Successful Meetings	전세계 (구미주중심)	www.successfulmeetings.com
Tagungs-wirtschaft	독일 및 유럽	www.expodatabase.de/en/home/brand/tw-media
Meeting News	전세계	www.northstarmeetingsgroup.com
Meetings & Conventions	전세계 (구미주중심)	www.meetings-conventions.com
TTG Mice	아시아 태평양	www.ttgmice.com
Association Meetings International and Intellectual Capitals	영국	www.amimagazine.global
CEI Asia	아시아 태평양	www.campaignasia.com
Convene	미주	www.pcma.org/convene

4. 컨벤션 유관기관

협회명		본부위치	웹사이트
국문	영문		
국제컨벤션 협회	ICCA International Congress & Convention Association	네덜란드 암스테르담	www.iccaworld.org
국제협회연합	UIA Union of International Associations	벨기에 브뤼셀	www.uia.org
국제컨벤션 기획사협회	IAPCO The International Association of Professional Congress Organisers	IAPCO는 스위스에 등록되어 있으며 원격 사무국 서비스에서 관리됨	www.iapco.org
국제도시 마케팅협회	DI Destination International	미국 워싱턴 DC	www.destinationsinternational.org
국제인센티브 전문가협회	SITE Society of Incentive & Travel Executives	미국 시카고	www.siteglobal.com

협회명		본부위치	웹사이트
국문	영문		
미국 어소시에이션 경영자 협회	ASAE American Society of Association Executives	미국 워싱턴 DC	www.asaecenter.org
이벤트산업 위원회	EIC Events Industry Council	미국 워싱턴 DC	www.conventionindustry.org
국제전시 이벤트협회	IAEE International Association of Exhibitions & Events	미국 텍사스 달라스	www.iaee.com
국제회의 기획가협회	MPI Meeting Professionals International	미국 텍사스 달라스	www.mpiweb.org
컨벤션 전문경영자 협회	PCMA Professional Convention Management Association	미국 시카고	www.pcma.org
국제회의 통역사협회	AIIC Association Internationale des Interpretes de Conference	스위스 제네바	www.aiic.net
정부회의 전문가협회	SGMP Society of Government Meeting Professionals	미국 버지니아 알렉산드리아	www.sgmp.org
이벤트서비스 전문가협회	ESPA Event Service Professionals Association	미국 뉴저지 프린스턴	espaonline.org
세계전시 컨벤션 센터협회	AIPC Association Internationale des Palais de Congrès	벨기에 브뤼셀	www.aipc.org
의료컨벤션 전시업체협회	HCEA Healthcare Convention & Exhibitors Association	미국 버지니아 맥린	www.hcea.org

부록

275

협회명		본부위치	웹사이트
국문	영문		
국제약사회 자문협회	IPCAA International Pharmaceutical Congress Advisory Association	스위스 바젤	www.ipcaa.org
공동 회의 산업 협의회	JMIC Joint Meetings Industry Council	-	www.themeetingsindustry.org

5. 전시 유관기관

협회명		본부위치	웹사이트
전시기획자협회	AEO Association of Exhibition Organizers	영국 하트퍼드셔	www.aeo.org.uk
독일무역전시산업협회	AUMA Association of the German Trade Fair Industries	독일 베를린	www.auma.de
전시산업연구센터	CEIR Center for Exhibition Industry Research	미국 달라스	www.ceir.org
전시디자인제작자협회	EDPA Exhibition Design & Producers Association	미국 뉴사우즈웨일즈	www.edpa.com
국제 전시이벤트협회	IAEE International Association for Exhibitions and Events	미국 달라스	www.iaee.com

[컨벤션 관련법률]

1. 국제회의산업 육성에 관한 법률 (약칭: 국제회의산업법)

[시행 2023. 5. 16.] [법률 제19411호, 2023. 5. 16., 타법개정]

문화체육관광부(융합관광산업과) 044-203-2880

제1조(목적) 이 법은 국제회의의 유치를 촉진하고 그 원활한 개최를 지원하여 국제회의산업을 육성·진흥함으로써 관광산업의 발전과 국민경제의 향상 등에 이바지함을 목적으로 한다.

[전문개정 2007. 12. 21.]

제2조(정의) 이 법에서 사용하는 용어의 뜻은 다음과 같다. 〈개정 2015. 3. 27., 2022. 9. 27.〉

1. "국제회의"란 상당수의 외국인이 참가하는 회의(세미나·토론회·전시회·기업회의 등을 포함한다)로서 대통령령으로 정하는 종류와 규모에 해당하는 것을 말한다.

2. "국제회의산업"이란 국제회의의 유치와 개최에 필요한 국제회의시설, 서비스 등과 관련된 산업을 말한다.

3. "국제회의시설"이란 국제회의의 개최에 필요한 회의시설, 전시시설 및 이와 관련된 지원시설·부대시설 등으로서 대통령령으로 정하는 종류와 규모에 해당하는 것을 말한다.

4. "국제회의도시"란 국제회의산업의 육성·진흥을 위하여 제14조에 따라 지정된 특별시·광역시 또는 시를 말한다.

5. "국제회의 전담조직"이란 국제회의산업의 진흥을 위하여 각종 사업을 수행하는 조직을 말한다.

6. "국제회의산업 육성기반"이란 국제회의시설, 국제회의 전문인력, 전자국제회의체제, 국제회의 정보 등 국제회의의 유치·개최를 지원하고 촉진하는 시설, 인력, 체제, 정보 등을 말한다.

7. "국제회의복합지구"란 국제회의시설 및 국제회의집적시설이 집적되어 있는 지역으로서 제15조의2에 따라 지정된 지역을 말한다.

8. "국제회의집적시설"이란 국제회의복합지구 안에서 국제회의시설의 집적화 및 운영 활성화에 기여하는 숙박시설, 판매시설, 공연장 등 대통령령으로 정하는 종류와 규모에 해당하는 시설로서 제15조의3에 따라 지정된 시설을 말한다.

[전문개정 2007. 12. 21.]

제3조(국가의 책무) ① 국가는 국제회의산업의 육성·진흥을 위하여 필요한 계획의 수립 등 행정상·재정상의 지원조치를 강구하여야 한다.

② 제1항에 따른 지원조치에는 국제회의 참가자가 이용할 숙박시설, 교통시설 및 관광 편의시설 등의 설치·확충 또는 개선을 위하여 필요한 사항이 포함되어야 한다.

[전문개정 2007. 12. 21.]

제4조 삭제 〈2009. 3. 18.〉

제5조(국제회의 전담조직의 지정 및 설치) ① 문화체육관광부장관은 국제회의산업의 육성을 위하여

부록

필요하면 국제회의 전담조직(이하 "전담조직"이라 한다)을 지정할 수 있다. 〈개정 2008. 2. 29.〉

② 국제회의시설을 보유·관할하는 지방자치단체의 장은 국제회의 관련 업무를 효율적으로 추진하기 위하여 필요하다고 인정하면 전담조직을 설치·운영할 수 있으며, 그에 필요한 비용의 전부 또는 일부를 지원할 수 있다. 〈개정 2016. 12. 20.〉

③ 전담조직의 지정·설치 및 운영 등에 필요한 사항은 대통령령으로 정한다.

[전문개정 2007. 12. 21.]

제6조(국제회의산업육성기본계획의 수립 등) ① 문화체육관광부장관은 국제회의산업의 육성·진흥을 위하여 다음 각 호의 사항이 포함되는 국제회의산업육성기본계획(이하 "기본계획"이라 한다)을 5년마다 수립·시행하여야 한다. 〈개정 2008. 2. 29., 2017. 11. 28., 2020. 12. 22., 2022. 9. 27.〉

1. 국제회의의 유치와 촉진에 관한 사항
2. 국제회의의 원활한 개최에 관한 사항
3. 국제회의에 필요한 인력의 양성에 관한 사항
4. 국제회의시설의 설치와 확충에 관한 사항
5. 국제회의시설의 감염병 등에 대한 안전·위생·방역 관리에 관한 사항
6. 국제회의산업 진흥을 위한 제도 및 법령 개선에 관한 사항
7. 그 밖에 국제회의산업의 육성·진흥에 관한 중요 사항

② 문화체육관광부장관은 기본계획에 따라 연도별 국제회의산업육성시행계획(이하 "시행계획"이라 한다)을 수립·시행하여야 한다. 〈신설 2017. 11. 28.〉

③ 문화체육관광부장관은 기본계획 및 시행계획의 효율적인 달성을 위하여 관계 중앙행정기관의 장, 지방자치단체의 장 및 국제회의산업 육성과 관련된 기관의 장에게 필요한 자료 또는 정보의 제공, 의견의 제출 등을 요청할 수 있다. 이 경우 요청을 받은 자는 정당한 사유가 없으면 이에 따라야 한다. 〈개정 2017. 11. 28.〉

④ 문화체육관광부장관은 기본계획의 추진실적을 평가하고, 그 결과를 기본계획의 수립에 반영하여야 한다. 〈신설 2017. 11. 28.〉

⑤ 기본계획·시행계획의 수립 및 추진실적 평가의 방법·내용 등에 필요한 사항은 대통령령으로 정한다. 〈개정 2017. 11. 28.〉

[전문개정 2007. 12. 21.]

제7조(국제회의 유치·개최 지원) ① 문화체육관광부장관은 국제회의의 유치를 촉진하고 그 원활한 개최를 위하여 필요하다고 인정하면 국제회의를 유치하거나 개최하는 자에게 지원을 할 수 있다. 〈개정 2008. 2. 29.〉

② 제1항에 따른 지원을 받으려는 자는 문화체육관광부령으로 정하는 바에 따라 문화체육관광부장관에게 그 지원을 신청하여야 한다. 〈개정 2008. 2. 29.〉

[전문개정 2007. 12. 21.]

제8조(국제회의산업 육성기반의 조성) ① 문화체육관광부장관은 국제회의산업 육성기반을 조성하기 위하여 관계 중앙행정기관의 장과 협의하여 다음 각 호의 사업을 추진하여야 한다. 〈개정 2008. 2. 29., 2022. 9. 27.〉

　　1. 국제회의시설의 건립

　　2. 국제회의 전문인력의 양성

　　3. 국제회의산업 육성기반의 조성을 위한 국제협력

　　4. 인터넷 등 정보통신망을 통하여 수행하는 전자국제회의 기반의 구축

　　5. 국제회의산업에 관한 정보와 통계의 수집 · 분석 및 유통

　　6. 국제회의 기업 육성 및 서비스 연구개발

　　7. 그 밖에 국제회의산업 육성기반의 조성을 위하여 필요하다고 인정되는 사업으로서 대통령령으로 정하는 사업

　　② 문화체육관광부장관은 다음 각 호의 기관 · 법인 또는 단체(이하 "사업시행기관"이라 한다) 등으로 하여금 국제회의산업 육성기반의 조성을 위한 사업을 실시하게 할 수 있다. 〈개정 2008. 2. 29.〉

　　1. 제5조제1항 및 제2항에 따라 지정 · 설치된 전담조직

　　2. 제14조제1항에 따라 지정된 국제회의도시

　　3. 「한국관광공사법」에 따라 설립된 한국관광공사

　　4. 「고등교육법」에 따른 대학 · 산업대학 및 전문대학

　　5. 그 밖에 대통령령으로 정하는 법인 · 단체

　　[전문개정 2007. 12. 21.]

제9조(국제회의시설의 건립 및 운영 촉진 등) 문화체육관광부장관은 국제회의시설의 건립 및 운영 촉진 등을 위하여 사업시행기관이 추진하는 다음 각 호의 사업을 지원할 수 있다. 〈개정 2008. 2. 29.〉

　　1. 국제회의시설의 건립

　　2. 국제회의시설의 운영

　　3. 그 밖에 국제회의시설의 건립 및 운영 촉진을 위하여 필요하다고 인정하는 사업으로서 문화체육관광부령으로 정하는 사업

　　[전문개정 2007. 12. 21.]

제10조(국제회의 전문인력의 교육 · 훈련 등) 문화체육관광부장관은 국제회의 전문인력의 양성 등을 위하여 사업시행기관이 추진하는 다음 각 호의 사업을 지원할 수 있다. 〈개정 2008. 2. 29.〉

　　1. 국제회의 전문인력의 교육 · 훈련

　　2. 국제회의 전문인력 교육과정의 개발 · 운영

　　3. 그 밖에 국제회의 전문인력의 교육 · 훈련과 관련하여 필요한 사업으로서 문화체육관광부령으로 정하는 사업

　　[전문개정 2007. 12. 21.]

제11조(국제협력의 촉진) 문화체육관광부장관은 국제회의산업 육성기반의 조성과 관련된

부록

국제협력을 촉진하기 위하여 사업시행기관이 추진하는 다음 각 호의 사업을 지원할 수 있다. 〈개정 2008. 2. 29.〉

　　1. 국제회의 관련 국제협력을 위한 조사·연구

　　2. 국제회의 전문인력 및 정보의 국제 교류

　　3. 외국의 국제회의 관련 기관·단체의 국내 유치

　　4. 그 밖에 국제회의 육성기반의 조성에 관한 국제협력을 촉진하기 위하여 필요한 사업으로서 문화체육관광부령으로 정하는 사업

　　[전문개정 2007. 12. 21.]

　　제12조(전자국제회의 기반의 확충) ① 정부는 전자국제회의 기반을 확충하기 위하여 필요한 시책을 강구하여야 한다.

　　② 문화체육관광부장관은 전자국제회의 기반의 구축을 촉진하기 위하여 사업시행기관이 추진하는 다음 각 호의 사업을 지원할 수 있다. 〈개정 2008. 2. 29.〉

　　1. 인터넷 등 정보통신망을 통한 사이버 공간에서의 국제회의 개최

　　2. 전자국제회의 개최를 위한 관리체제의 개발 및 운영

　　3. 그 밖에 전자국제회의 기반의 구축을 위하여 필요하다고 인정하는 사업으로서 문화체육관광부령
　　　으로 정하는 사업

　　[전문개정 2007. 12. 21.]

　　제13조(국제회의 정보의 유통 촉진) ① 정부는 국제회의 정보의 원활한 공급·활용 및 유통을 촉진하기 위하여 필요한 시책을 강구하여야 한다.

　　② 문화체육관광부장관은 국제회의 정보의 공급·활용 및 유통을 촉진하기 위하여 사업시행기관이 추진하는 다음 각 호의 사업을 지원할 수 있다. 〈개정 2008. 2. 29.〉

　　1. 국제회의 정보 및 통계의 수집·분석

　　2. 국제회의 정보의 가공 및 유통

　　3. 국제회의 정보망의 구축 및 운영

　　4. 그 밖에 국제회의 정보의 유통 촉진을 위하여 필요한 사업으로 문화체육관광부령으로 정하는 사업

　　③ 문화체육관광부장관은 국제회의 정보의 공급·활용 및 유통을 촉진하기 위하여 필요하면 문화체육관광부령으로 정하는 바에 따라 관계 행정기관과 국제회의 관련 기관·단체 또는 기업에 대하여 국제회의 정보의 제출을 요청하거나 국제회의 정보를 제공할 수 있다. 〈개정 2008. 2. 29., 2022. 9. 27.〉

　　[전문개정 2007. 12. 21.]

　　제14조(국제회의도시의 지정 등) ① 문화체육관광부장관은 대통령령으로 정하는 국제회의도시 지정기준에 맞는 특별시·광역시 및 시를 국제회의도시로 지정할 수 있다. 〈개정 2008. 2. 29., 2009. 3. 18.〉

　　② 문화체육관광부장관은 국제회의도시를 지정하는 경우 지역 간의 균형적 발전을 고려하여야 한다.

〈개정 2008. 2. 29.〉

　③ 문화체육관광부장관은 국제회의도시가 제1항에 따른 지정기준에 맞지 아니하게 된 경우에는 그 지정을 취소할 수 있다. 〈개정 2008. 2. 29., 2009. 3. 18.〉

　④ 문화체육관광부장관은 제1항과 제3항에 따른 국제회의도시의 지정 또는 지정취소를 한 경우에는 그 내용을 고시하여야 한다. 〈개정 2008. 2. 29.〉

　⑤ 제1항과 제3항에 따른 국제회의도시의 지정 및 지정취소 등에 필요한 사항은 대통령령으로 정한다.

　[전문개정 2007. 12. 21.]

　제15조(국제회의도시의 지원) 문화체육관광부장관은 제14조제1항에 따라 지정된 국제회의도시에 대하여는 다음 각 호의 사업에 우선 지원할 수 있다. 〈개정 2008. 2. 29.〉

　1. 국제회의도시에서의 「관광진흥개발기금법」 제5조의 용도에 해당하는 사업

　2. 제16조제2항 각 호의 어느 하나에 해당하는 사업

　[전문개정 2007. 12. 21.]

　제15조의2(국제회의복합지구의　지정　등)　① 특별시장·광역시장·특별자치시장·도지사·특별자치도지사(이하 "시·도지사"라 한다)는 국제회의산업의 진흥을 위하여 필요한 경우에는 관할구역의 일정 지역을 국제회의복합지구로 지정할 수 있다.

　② 시·도지사는 국제회의복합지구를 지정할 때에는 국제회의복합지구 육성·진흥계획을 수립하여 문화체육관광부장관의 승인을 받아야 한다. 대통령령으로 정하는 중요한 사항을 변경할 때에도 또한 같다.

　③ 시·도지사는 제2항에 따른 국제회의복합지구 육성·진흥계획을 시행하여야 한다.

　④ 시·도지사는 사업의 지연, 관리 부실 등의 사유로 지정목적을 달성할 수 없는 경우 국제회의복합지구 지정을 해제할 수 있다. 이 경우 문화체육관광부장관의 승인을 받아야 한다.

　⑤ 시·도지사는 제1항 및 제2항에 따라 국제회의복합지구를 지정하거나 지정을 변경한 경우 또는 제4항에 따라 지정을 해제한 경우 대통령령으로 정하는 바에 따라 그 내용을 공고하여야 한다.

　⑥ 제1항에 따라 지정된 국제회의복합지구는 「관광진흥법」 제70조에 따른 관광특구로 본다.

　⑦ 제2항에 따른 국제회의복합지구 육성·진흥계획의 수립·시행, 국제회의복합지구 지정의 요건 및 절차 등에 필요한 사항은 대통령령으로 정한다.

　[본조신설 2015. 3. 27.]

　제15조의3(국제회의집적시설의　지정　등)　① 문화체육관광부장관은 국제회의복합지구에서 국제회의시설의 집적화 및 운영 활성화를 위하여 필요한 경우 시·도지사와 협의를 거쳐 국제회의집적시설을 지정할 수 있다.

　② 제1항에 따른 국제회의집적시설로 지정을 받으려는 자(지방자치단체를 포함한다)는 문화체육관광부장관에게 지정을 신청하여야 한다.

　③ 문화체육관광부장관은 국제회의집적시설이 지정요건에 미달하는 때에는 대통령령으로 정하는 바에 따라 그 지정을 해제할 수 있다.

④ 그 밖에 국제회의집적시설의 지정요건 및 지정신청 등에 필요한 사항은 대통령령으로 정한다.

[본조신설 2015. 3. 27.]

제15조의4(부담금의 감면 등) ① 국가 및 지방자치단체는 국제회의복합지구 육성·진흥사업을 원활하게 시행하기 위하여 필요한 경우에는 국제회의복합지구의 국제회의시설 및 국제회의집적시설에 대하여 관련 법률에서 정하는 바에 따라 다음 각 호의 부담금을 감면할 수 있다.

1. 「개발이익 환수에 관한 법률」 제3조에 따른 개발부담금

2. 「산지관리법」 제19조에 따른 대체산림자원조성비

3. 「농지법」 제38조에 따른 농지보전부담금

4. 「초지법」 제23조에 따른 대체초지조성비

5. 「도시교통정비 촉진법」 제36조에 따른 교통유발부담금

② 지방자치단체의 장은 국제회의복합지구의 육성·진흥을 위하여 필요한 경우 국제회의복합지구를 「국토의 계획 및 이용에 관한 법률」 제51조에 따른 지구단위계획구역으로 지정하고 같은 법 제52조제3항에 따라 용적률을 완화하여 적용할 수 있다.

[본조신설 2015. 3. 27.]

제16조(재정 지원) ① 문화체육관광부장관은 이 법의 목적을 달성하기 위하여 「관광진흥개발기금법」 제2조제2항제3호에 따른 국외 여행자의 출국납부금 총액의 100분의 10에 해당하는 금액의 범위에서 국제회의산업의 육성재원을 지원할 수 있다. 〈개정 2008. 2. 29.〉

② 문화체육관광부장관은 제1항에 따른 금액의 범위에서 다음 각 호에 해당되는 사업에 필요한 비용의 전부 또는 일부를 지원할 수 있다. 〈개정 2008. 2. 29., 2015. 3. 27.〉

1. 제5조제1항 및 제2항에 따라 지정·설치된 전담조직의 운영

2. 제7조제1항에 따른 국제회의 유치 또는 그 개최자에 대한 지원

3. 제8조제2항제2호부터 제5호까지의 규정에 따른 사업시행기관에서 실시하는 국제회의산업 육성기반 조성사업

4. 제10조부터 제13조까지의 각 호에 해당하는 사업

4의2. 제15조의2에 따라 지정된 국제회의복합지구의 육성·진흥을 위한 사업

4의3. 제15조의3에 따라 지정된 국제회의집적시설에 대한 지원 사업

5. 그 밖에 국제회의산업의 육성을 위하여 필요한 사항으로서 대통령령으로 정하는 사업

③ 제2항에 따른 지원금의 교부에 필요한 사항은 대통령령으로 정한다.

④ 제2항에 따른 지원을 받으려는 자는 대통령령으로 정하는 바에 따라 문화체육관광부장관 또는 제18조에 따라 사업을 위탁받은 기관의 장에게 지원을 신청하여야 한다. 〈개정 2008. 2. 29.〉

[전문개정 2007. 12. 21.]

제17조(다른 법률에 따른 허가·인가 등의 의제) ① 국제회의시설의 설치자가 국제회의시설에 대하여 「건축법」 제11조에 따른 건축허가를 받으면 같은 법 제11조제5항 각 호의 사항 외에 특별자치도지사·시장·군수 또는 구청장(자치구의 구청장을 말한다. 이하 이 조에서 같다)이 다음 각

호의 허가 · 인가 등의 관계 행정기관의 장과 미리 협의한 사항에 대해서는 해당 허가 · 인가 등을 받거나 신고를 한 것으로 본다. 〈개정 2008. 3. 21., 2009. 6. 9., 2011. 8. 4., 2017. 1. 17., 2017. 11. 28., 2021. 11. 30., 2023. 5. 16.〉

    1. 「하수도법」 제24조에 따른 시설이나 공작물 설치의 허가

    2. 「수도법」 제52조에 따른 전용상수도 설치의 인가

    3. 「소방시설 설치 및 관리에 관한 법률」 제6조제1항에 따른 건축허가의 동의

    4. 「폐기물관리법」 제29조제2항에 따른 폐기물처리시설 설치의 승인 또는 신고

    5. 「대기환경보전법」 제23조, 「물환경보전법」 제33조 및 「소음 · 진동관리법」 제8조에 따른 배출시설 설치의 허가 또는 신고

② 국제회의시설의 설치자가 국제회의시설에 대하여 「건축법」 제22조에 따른 사용승인을 받으면 같은 법 제22조제4항 각 호의 사항 외에 특별자치도지사 · 시장 · 군수 또는 구청장이 다음 각 호의 검사 · 신고 등의 관계 행정기관의 장과 미리 협의한 사항에 대해서는 해당 검사를 받거나 신고를 한 것으로 본다. 〈개정 2008. 3. 21., 2009. 6. 9., 2017. 1. 17., 2023. 5. 16.〉

    1. 「수도법」 제53조에 따른 전용상수도의 준공검사

    2. 「소방시설공사업법」 제14조제1항에 따른 소방시설의 완공검사

    3. 「폐기물관리법」 제29조제4항에 따른 폐기물처리시설의 사용개시 신고

    4. 「대기환경보전법」 제30조 및 「물환경보전법」 제37조에 따른 배출시설 등의 가동개시(稼動開始) 신고

③ 제1항과 제2항에 따른 협의를 요청받은 행정기관의 장은 그 요청을 받은 날부터 15일 이내에 의견을 제출하여야 한다. 〈개정 2023. 5. 16.〉

④ 제1항부터 제3항까지에서 규정한 사항 외에 허가 · 인가, 검사 및 신고 등 의제의 기준 및 효과 등에 관하여는 「행정기본법」 제24조부터 제26조까지를 따른다. 이 경우 같은 법 제24조제4항 전단 중 "20일"은 "15일"로 한다. 〈개정 2023. 5. 16.〉

[전문개정 2007. 12. 21.]

[제목개정 2023. 5. 16.]

제18조(권한의 위탁) ① 문화체육관광부장관은 제7조에 따른 국제회의 유치 · 개최의 지원에 관한 업무를 대통령령으로 정하는 바에 따라 법인이나 단체에 위탁할 수 있다. 〈개정 2008. 2. 29.〉

② 문화체육관광부장관은 제1항에 따른 위탁을 한 경우에는 해당 법인이나 단체에 예산의 범위에서 필요한 경비(經費)를 보조할 수 있다. 〈개정 2008. 2. 29.〉

[전문개정 2007. 12. 21.]

부칙 〈제19411호, 2023. 5. 16.〉 (행정법제 혁신을 위한 관광진흥개발기금법 등 6개 법률의 일부개정에 관한 법률)

제1조(시행일) 이 법은 공포한 날부터 시행한다.

제2조(이의신청에 관한 일반적 적용례) 이의신청에 관한 개정규정은 이 법 시행 이후 하는 처분부터 적용한다.

제3조 및 제4조 생략

제5조(「국제회의산업 육성에 관한 법률」의 개정에 관한 적용례) 다른 법률에 따른 허가·인가 등 의제를 위한 행정청 간 협의 간주에 관한 사항은 이 법 시행 이후 허가·인가 등 의제에 관한 협의를 요청하는 경우부터 적용한다.

제6조 및 제7조 생략

2. 국제회의산업 육성에 관한 법률 시행령 (약칭: 국제회의산업법 시행령)

[시행 2022. 12. 28.] [대통령령 제33127호, 2022. 12. 27., 일부개정]

문화체육관광부(융합관광산업과) 044-203-2880

문화체육관광부(융합관광산업과 – 국제회의산업법 관련 정책수립 및 제도개선) 044-203-2879

제1조(목적) 이 영은 「국제회의산업 육성에 관한 법률」에서 위임된 사항과 그 시행에 필요한 사항을 규정함을 목적으로 한다.

[전문개정 2011. 11. 16.]

제2조(국제회의의 종류·규모) 「국제회의산업 육성에 관한 법률」(이하 "법"이라 한다) 제2조제1호에 따른 국제회의는 다음 각 호의 어느 하나에 해당하는 회의를 말한다. 〈개정 2020. 11. 10., 2022. 12. 27.〉

1. 국제기구, 기관 또는 법인·단체가 개최하는 회의로서 다음 각 목의 요건을 모두 갖춘 회의
   가. 해당 회의에 3개국 이상의 외국인이 참가할 것
   나. 회의 참가자가 100명 이상이고 그 중 외국인이 50명 이상일 것
   다. 2일 이상 진행되는 회의일 것

2. 삭제 〈2022. 12. 27.〉

3. 국제기구, 기관, 법인 또는 단체가 개최하는 회의로서 다음 각 목의 요건을 모두 갖춘 회의
   가. 「감염병의 예방 및 관리에 관한 법률」 제2조제2호에 따른 제1급감염병 확산으로 외국인이 회의장에 직접 참석하기 곤란한 회의로서 개최일이 문화체육관광부장관이 정하여 고시하는 기간 내일 것
   나. 회의 참가자 수, 외국인 참가자 수 및 회의일수가 문화체육관광부장관이 정하여 고시하는 기준에 해당할 것

[전문개정 2011. 11. 16.]

제3조(국제회의시설의 종류·규모) ① 법 제2조제3호에 따른 국제회의시설은 전문회의시설·준회의시설·전시시설·지원시설 및 부대시설로 구분한다. 〈개정 2022. 12. 27.〉

② 전문회의시설은 다음 각 호의 요건을 모두 갖추어야 한다.

1. 2천명 이상의 인원을 수용할 수 있는 대회의실이 있을 것

2. 30명 이상의 인원을 수용할 수 있는 중·소회의실이 10실 이상 있을 것

3. 옥내와 옥외의 전시면적을 합쳐서 2천제곱미터 이상 확보하고 있을 것

③ 준회의시설은 국제회의 개최에 필요한 회의실로 활용할 수 있는 호텔연회장·공연장·체육관 등의 시설로서 다음 각 호의 요건을 모두 갖추어야 한다.

1. 200명 이상의 인원을 수용할 수 있는 대회의실이 있을 것

2. 30명 이상의 인원을 수용할 수 있는 중·소회의실이 3실 이상 있을 것

④ 전시시설은 다음 각 호의 요건을 모두 갖추어야 한다.

1. 옥내와 옥외의 전시면적을 합쳐서 2천제곱미터 이상 확보하고 있을 것

2. 30명 이상의 인원을 수용할 수 있는 중·소회의실이 5실 이상 있을 것

⑤ 지원시설은 다음 각 호의 요건을 모두 갖추어야 한다. 〈신설 2022. 12. 27.〉

1. 다음 각 목에 따른 설비를 모두 갖출 것

  가. 컴퓨터, 카메라 및 마이크 등 원격영상회의에 필요한 설비

  나. 칸막이 또는 방음시설 등 이용자의 정보 노출방지에 필요한 설비

2. 제1호 각 목에 따른 설비의 설치 및 이용에 사용되는 면적을 합한 면적이 80제곱미터 이상일 것

⑥ 부대시설은 국제회의 개최와 전시의 편의를 위하여 제2항 및 제4항의 시설에 부속된 숙박시설·주차시설·음식점시설·휴식시설·판매시설 등으로 한다. 〈개정 2022. 12. 27.〉

[전문개정 2011. 11. 16.]

제4조(국제회의집적시설의 종류와 규모) 법 제2조제8호에서 "숙박시설, 판매시설, 공연장 등 대통령령으로 정하는 종류와 규모에 해당하는 시설"이란 다음 각 호의 시설을 말한다. 〈개정 2022. 8. 2.〉

1. 「관광진흥법」 제3조제1항제2호에 따른 관광숙박업의 시설로서 100실(「관광진흥법」 제19조 제1항에 따라 같은 법 시행령 제22조제2항의 4성급 또는 5성급으로 등급결정을 받은 호텔업의 경우에는 30실) 이상의 객실을 보유한 시설

2. 「유통산업발전법」 제2조제3호에 따른 대규모점포

3. 「공연법」에 따른 공연장으로서 300석 이상의 객석을 보유한 공연장

4. 그 밖에 국제회의산업의 진흥 및 발전을 위하여 국제회의집적시설로 지정될 필요가 있는 시설로서 문화체육관광부장관이 정하여 고시하는 시설

[본조신설 2015. 9. 22.]

제5조 삭제 〈2011. 2. 25.〉

제6조 삭제 〈2011. 2. 25.〉

제7조 삭제 〈2011. 2. 25.〉

부록

제8조 삭제 〈2011. 2. 25.〉

제9조(국제회의 전담조직의 업무) 법 제5조제1항에 따른 국제회의 전담조직은 다음 각 호의 업무를 담당한다.

    1. 국제회의의 유치 및 개최 지원

    2. 국제회의산업의 국외 홍보

    3. 국제회의 관련 정보의 수집 및 배포

    4. 국제회의 전문인력의 교육 및 수급(需給)

    5. 법 제5조제2항에 따라 지방자치단체의 장이 설치한 전담조직에 대한 지원 및 상호 협력

    6. 그 밖에 국제회의산업의 육성과 관련된 업무

    [전문개정 2011. 11. 16.]

제10조(국제회의 전담조직의 지정) 문화체육관광부장관은 법 제5조제1항에 따라 국제회의 전담조직을 지정할 때에는 제9조 각 호의 업무를 수행할 수 있는 전문인력 및 조직 등을 적절하게 갖추었는지를 고려하여야 한다.

    [전문개정 2011. 11. 16.]

제11조(국제회의산업육성기본계획의 수립 등) ① 문화체육관광부장관은 법 제6조에 따른 국제회의산업육성기본계획과 국제회의산업육성시행계획을 수립하거나 변경하는 경우에는 국제회의산업과 관련이 있는 기관 또는 단체 등의 의견을 들어야 한다.

    ② 문화체육관광부장관은 법 제6조제4항에 따라 국제회의산업육성기본계획의 추진실적을 평가하는 경우에는 연도별 국제회의산업육성시행계획의 추진실적을 종합하여 평가하여야 한다.

    ③ 문화체육관광부장관은 제2항에 따른 국제회의산업육성기본계획의 추진실적 평가에 필요한 조사·분석 등을 전문기관에 의뢰할 수 있다.

    [전문개정 2018. 5. 28.]

제12조(국제회의산업 육성기반 조성사업 및 사업시행기관) ① 법 제8조제1항제7호에서 "대통령령으로 정하는 사업"이란 다음 각 호의 사업을 말한다. 〈개정 2022. 12. 27.〉

    1. 법 제5조에 따른 국제회의 전담조직의 육성

    2. 국제회의산업에 관한 국외 홍보사업

    ② 법 제8조제2항제5호에서 "대통령령으로 정하는 법인·단체"란 국제회의산업의 육성과 관련된 업무를 수행하는 법인·단체로서 문화체육관광부장관이 지정하는 법인·단체를 말한다.

    [전문개정 2011. 11. 16.]

제13조(국제회의도시의 지정기준) 법 제14조제1항에 따른 국제회의도시의 지정기준은 다음 각 호와 같다.

    1. 지정대상 도시에 국제회의시설이 있고, 해당 특별시·광역시 또는 시에서 이를 활용한 국제회의산업 육성에 관한 계획을 수립하고 있을 것

    2. 지정대상 도시에 숙박시설·교통시설·교통안내체계 등 국제회의 참가자를 위한 편의시설이

갖추어져 있을 것

3. 지정대상 도시 또는 그 주변에 풍부한 관광자원이 있을 것

[전문개정 2011. 11. 16.]

제13조의2(국제회의복합지구의 지정 등) ① 법 제15조의2제1항에 따른 국제회의복합지구 지정요건은 다음 각 호와 같다. 〈개정 2022. 8. 2.〉

1. 국제회의복합지구 지정 대상 지역 내에 제3조제2항에 따른 전문회의시설이 있을 것

2. 국제회의복합지구 지정 대상 지역 내에서 개최된 회의에 참가한 외국인이 국제회의복합지구 지정일이 속한 연도의 전년도 기준 5천명 이상이거나 국제회의복합지구 지정일이 속한 연도의 직전 3년간 평균 5천명 이상일 것. 이 경우 「감염병의 예방 및 관리에 관한 법률」에 따른 감염병의 확산으로 「재난 및 안전관리 기본법」 제38조제2항에 따른 경계 이상의 위기경보가 발령된 기간에 개최된 회의에 참가한 외국인의 수는 회의에 참가한 외국인의 수에 문화체육관광부장관이 정하여 고시하는 가중치를 곱하여 계산할 수 있다.

3. 국제회의복합지구 지정 대상 지역에 제4조 각 호의 어느 하나에 해당하는 시설이 1개 이상 있을 것

4. 국제회의복합지구 지정 대상 지역이나 그 인근 지역에 교통시설 · 교통안내체계 등 편의시설이 갖추어져 있을 것

② 국제회의복합지구의 지정 면적은 400만 제곱미터 이내로 한다.

③ 특별시장 · 광역시장 · 특별자치시장 · 도지사 · 특별자치도지사(이하 "시 · 도지사"라 한다)는 국제회의복합지구의 지정을 변경하려는 경우에는 다음 각 호의 사항을 고려하여야 한다.

1. 국제회의복합지구의 운영 실태

2. 국제회의복합지구의 토지이용 현황

3. 국제회의복합지구의 시설 설치 현황

4. 국제회의복합지구 및 인근 지역의 개발계획 현황

④ 시 · 도지사는 법 제15조의2제4항에 따라 국제회의복합지구의 지정을 해제하려면 미리 해당 국제회의복합지구의 명칭, 위치, 지정 해제 예정일 등을 20일 이상 해당 지방자치단체의 인터넷 홈페이지에 공고하여야 한다.

⑤ 시 · 도지사는 국제회의복합지구를 지정하거나 지정을 변경한 경우 또는 지정을 해제한 경우에는 법 제15조의2제5항에 따라 다음 각 호의 사항을 관보, 「신문 등의 진흥에 관한 법률」 제2조제1호가목에 따른 일반일간신문 또는 해당 지방자치단체의 인터넷 홈페이지에 공고하고, 문화체육관광부장관에게 국제회의복합지구의 지정, 지정 변경 또는 지정 해제의 사실을 통보하여야 한다.

1. 국제회의복합지구의 명칭

2. 국제회의복합지구를 표시한 행정구역도와 지적도면

3. 국제회의복합지구 육성 · 진흥계획의 개요(지정의 경우만 해당한다)

4. 국제회의복합지구 지정 변경 내용의 개요(지정 변경의 경우만 해당한다)

5. 국제회의복합지구 지정 해제 내용의 개요(지정 해제의 경우만 해당한다)

부록

[본조신설 2015. 9. 22.]

제13조의3(국제회의복합지구 육성 · 진흥계획의 수립 등) ① 법 제15조의2제2항 전단에 따른 국제회의복합지구 육성 · 진흥계획(이하 "국제회의복합지구 육성 · 진흥계획"이라 한다)에는 다음 각 호의 사항이 포함되어야 한다.

1. 국제회의복합지구의 명칭, 위치 및 면적

2. 국제회의복합지구의 지정 목적

3. 국제회의시설 설치 및 개선 계획

4. 국제회의집적시설의 조성 계획

5. 회의 참가자를 위한 편의시설의 설치 · 확충 계획

6. 해당 지역의 관광자원 조성 · 개발 계획

7. 국제회의복합지구 내 국제회의 유치 · 개최 계획

8. 관할 지역 내의 국제회의업 및 전시사업자 육성 계획

9. 그 밖에 국제회의복합지구의 육성과 진흥을 위하여 필요한 사항

② 법 제15조의2제2항 후단에서 "대통령령으로 정하는 중요한 사항"이란 국제회의복합지구의 위치, 면적 또는 지정 목적을 말한다.

③ 시 · 도지사는 수립된 국제회의복합지구 육성 · 진흥계획에 대하여 5년마다 그 타당성을 검토하고 국제회의복합지구 육성 · 진흥계획의 변경 등 필요한 조치를 하여야 한다.

[본조신설 2015. 9. 22.]

제13조의4(국제회의집적시설의 지정 등) ① 법 제15조의3제1항에 따른 국제회의집적시설의 지정요건은 다음 각 호와 같다.

1. 해당 시설(설치 예정인 시설을 포함한다. 이하 이 항에서 같다)이 국제회의복합지구 내에 있을 것

2. 해당 시설 내에 외국인 이용자를 위한 안내체계와 편의시설을 갖출 것

3. 해당 시설과 국제회의복합지구 내 전문회의시설 간의 업무제휴 협약이 체결되어 있을 것

② 국제회의집적시설의 지정을 받으려는 자는 법 제15조의3제2항에 따라 문화체육관광부령으로 정하는 지정신청서를 문화체육관광부장관에게 제출하여야 한다.

③ 국제회의집적시설 지정 신청 당시 설치가 완료되지 아니한 시설을 국제회의집적시설로 지정받은 자는 그 설치가 완료된 후 해당 시설이 제1항 각 호의 요건을 갖추었음을 증명할 수 있는 서류를 문화체육관광부장관에게 제출하여야 한다.

④ 문화체육관광부장관은 법 제15조의3제3항에 따라 국제회의집적시설의 지정을 해제하려면 미리 관할 시 · 도지사의 의견을 들어야 한다.

⑤ 문화체육관광부장관은 법 제15조의3제1항에 따라 국제회의집적시설을 지정하거나 같은 조 제3항에 따라 지정을 해제한 경우에는 관보, 「신문 등의 진흥에 관한 법률」 제2조제1호가목에 따른 일반일간신문 또는 문화체육관광부의 인터넷 홈페이지에 그 사실을 공고하여야 한다.

⑥ 제1항부터 제5항까지에서 규정한 사항 외에 설치 예정인 국제회의집적시설의 인정 범위 등

국제회의집적시설의 지정 및 해제에 필요한 사항은 문화체육관광부장관이 정하여 고시한다.

[본조신설 2015. 9. 22.]

제14조(재정 지원 등) 법 제16조제2항에 따른 지원금은 해당 사업의 추진 상황 등을 고려하여 나누어 지급한다. 다만, 사업의 규모·착수시기 등을 고려하여 필요하다고 인정할 때에는 한꺼번에 지급할 수 있다.

[전문개정 2011. 11. 16.]

제15조(지원금의 관리 및 회수) ① 법 제16조제2항에 따라 지원금을 받은 자는 그 지원금에 대하여 별도의 계정(計定)을 설치하여 관리해야 하고, 그 사용 실적을 사업이 끝난 후 1개월(제2조제3호에 따른 국제회의를 유치하거나 개최하여 지원금을 받은 경우에는 문화체육관광부장관이 정하여 고시하는 기한) 이내에 문화체육관광부장관에게 보고해야 한다. 〈개정 2020. 11. 10.〉

② 법 제16조제2항에 따라 지원금을 받은 자가 법 제16조제2항 각 호에 따른 용도 외에 지원금을 사용하였을 때에는 그 지원금을 회수할 수 있다.

[전문개정 2011. 11. 16.]

제16조(권한의 위탁) 문화체육관광부장관은 법 제18조제1항에 따라 법 제7조에 따른 국제회의 유치·개최의 지원에 관한 업무를 법 제5조제1항에 따른 국제회의 전담조직에 위탁한다.

[전문개정 2011. 11. 16.]

부칙 〈제33127호, 2022. 12. 27.〉

이 영은 2022년 12월 28일부터 시행한다.

부록

[전시 관련 법률]

전시산업발전법

[시행 2022. 12. 1.] [법률 제18522호, 2021. 11. 30., 타법개정]

산업통상자원부(무역진흥과) 044-203-4033

제1장 총칙

제1조(목적) 이 법은 전시산업의 경쟁력을 강화하고 그 발전을 도모하여 무역진흥과 국민경제의 발전에 이바지함을 목적으로 한다.

제2조(정의) 이 법에서 사용하는 용어의 뜻은 다음과 같다. 〈개정 2011. 3. 30., 2013. 3. 23., 2015. 2. 3.〉

1. "전시산업"이란 전시시설을 건립·운영하거나 전시회 및 전시회부대행사를 기획·개최·운영하고 이와 관련된 물품 및 장치를 제작·설치하거나 전시공간의 설계·디자인과 이와 관련된 공사를 수행하거나 전시회와 관련된 용역 등을 제공하는 산업을 말한다.

2. "전시회"란 무역상담과 상품 및 서비스의 판매·홍보를 위하여 개최하는 상설 또는 비상설의 견본상품박람회, 무역상담회, 박람회 등으로서 대통령령으로 정하는 종류와 규모에 해당하는 것을 말한다.

3. "전시회부대행사"란 전시회와 관련된 홍보 및 판매촉진을 위하여 개최되는 설명회, 시연회, 국제회의 및 부대행사 등을 말한다.

4. "전시시설"이란 전시회 및 전시회부대행사의 개최에 필요한 시설과 관련 부대시설로서 대통령령으로 정하는 종류와 규모에 해당하는 것을 말한다.

5. "전시사업자"란 전시산업과 관련된 경제활동을 영위하는 자로서 다음 각 목에서 규정하는 자를 말한다.

   가. 전시시설사업자 : 전시시설을 건립하거나 운영하는 사업자

   나. 전시주최사업자 : 전시회 및 전시회부대행사를 기획·개최 및 운영하는 사업자

   다. 전시디자인설치사업자 : 전시회와 관련된 물품 및 장치를 제작·설치하거나 전시공간의 설계·디자인과 이와 관련된 공사를 수행하는 사업자

   라. 전시서비스사업자 : 전시회와 관련된 용역 등을 제공하는 사업자

6. "사이버전시회"란 인터넷 등 정보통신망을 활용하여 사이버 공간에서 개최하는 전시회로서 산업통상자원부령으로 정하는 조건에 해당하는 것을 말한다.

제2장 전시산업 발전계획

제3조(전시산업 발전계획의 수립) ① 산업통상자원부장관은 전시산업의 발전을 위하여 다음 각 호의 사항이 포함되는 전시산업 발전계획을 수립·시행하여야 한다. 〈개정 2013. 3. 23., 2016. 1. 27.〉

1. 전시산업 발전 기본 방향

2. 전시산업 시장규모 및 현황

3. 전시산업의 국내외 여건 및 전망

4. 전시시설의 수급에 관한 사항

5. 국제수준의 무역전시회 육성

6. 지역전략산업과 연계한 전시회 활성화 방안

7. 전시산업 기반구축을 위한 사항

8. 그 밖에 전시산업 발전을 위하여 필요한 사항

② 산업통상자원부장관은 전시산업 발전계획을 수립 또는 변경하려는 때에는 제5조에 따른 전시산업발전협의회의 협의절차를 거쳐야 한다. 〈개정 2013. 3. 23., 2016. 1. 27.〉

③ 산업통상자원부장관은 관계 중앙행정기관의 장과 협의하여 전시산업 발전계획에 따라 전시산업 발전을 위한 사업(이하 "전시산업 발전사업"이라 한다)을 실시하고 이를 위하여 필요한 제도와 기준을 정할 수 있다. 〈개정 2013. 3. 23.〉

④ 전시산업 발전계획의 수립 및 시행 등에 필요한 사항은 대통령령으로 정한다.

제4조(전시산업 발전사업 주관기관) ① 산업통상자원부장관은 전시산업 발전사업을 효율적으로 추진하기 위하여 다음 각 호의 기관·법인 또는 단체를 전시산업 발전사업 주관기관(이하 "주관기관"이라 한다)으로 선정할 수 있다. 〈개정 2009. 5. 21., 2013. 3. 23., 2014. 5. 20., 2018. 12. 31.〉

1. 특별시, 광역시, 특별자치시, 도, 특별자치도

2. 시, 군, 자치구

3. 「고등교육법」에 따른 대학, 산업대학, 전문대학

4. 「대한무역투자진흥공사법」에 따라 설립된 대한무역투자진흥공사

5. 「중소기업진흥에 관한 법률」에 따라 설립된 중소벤처기업진흥공단

6. 「중소기업협동조합법」에 따라 설립된 중소기업중앙회

7. 삭제 〈2015. 2. 3.〉

8. 그 밖에 대통령령으로 정하는 법인 또는 단체

② 산업통상자원부장관은 주관기관이 거짓이나 그 밖의 부정한 방법으로 주관기관으로 선정된 때에는 그 선정을 취소하여야 한다. 〈개정 2013. 3. 23.〉

③ 산업통상자원부장관은 주관기관이 전시산업 발전사업을 추진하는 데 사용되는 비용의 전부 또는 일부를 예산의 범위에서 지원할 수 있다. 〈개정 2013. 3. 23.〉

④ 제1항 및 제2항에 따른 주관기관의 선정 및 취소와 제3항에 따른 지원금의 교부, 사용 및 관리에 관하여 필요한 사항은 대통령령으로 정한다.

제5조(전시산업발전협의회 설치·운영) ① 전시산업의 발전에 관한 다음 각 호의 사항을 관계 중앙행정기관 등과 협의하기 위하여 산업통상자원부장관 소속으로 전시산업발전협의회(이하 이 조에서 "협의회"라 한다)를 둔다. 〈개정 2013. 3. 23., 2016. 1. 27.〉

부록

1. 제3조에 따른 전시산업 발전계획

2. 제11조에 따른 전시시설 건립(증설을 포함한다. 이하 같다)계획

3. 전시산업 경쟁력 제고를 위하여 필요한 사항

4. 그 밖에 산업통상자원부장관이 필요하다고 인정하여 부의하는 사항

② 삭제 〈2016. 1. 27.〉

③ 협의회의 효율적 운영을 위하여 관련 전문가로 구성된 자문단을 운영할 수 있다. 〈개정 2016. 1. 27.〉

④ 협의회와 자문단의 구성 · 운영 등에 필요한 사항은 대통령령으로 정한다. 〈개정 2016. 1. 27.〉

[제목개정 2016. 1. 27.]

제6조(전시산업의 시장현황조사 및 수요조사) ① 산업통상자원부장관은 제3조에 따른 전시산업발전계획의 수립과 중 · 장기 전시시설 확충을 위하여 필요한 때에는 전시산업에 관한 시장현황조사 및 수요조사를 실시할 수 있다. 〈개정 2013. 3. 23., 2016. 1. 27.〉

② 산업통상자원부장관은 제1항에 따른 시장현황조사 및 수요조사를 실시함에 있어서 필요한 자료를 관계 행정기관, 지방자치단체에 요청할 수 있다. 이 경우 요청을 받은 관계 행정기관 등은 특별한 사유가 없는 한 이에 응하여야 한다. 〈개정 2013. 3. 23., 2015. 2. 3., 2016. 1. 27.〉

[제목개정 2016. 1. 27.]

제3장 삭제 〈2015. 2. 3.〉

제7조 삭제 〈2015. 2. 3.〉

제8조 삭제 〈2015. 2. 3.〉

제9조 삭제 〈2015. 2. 3.〉

제10조 삭제 〈2015. 2. 3.〉

제4장 전시산업 기반의 조성

제11조(전시시설의 건립) ① 주관기관이 국비 또는 지방비가 소요되는 전시시설을 건립하려는 경우에는 다음 각 호의 사항이 포함된 전시시설 건립계획에 대하여 대통령령으로 정하는 바에 따라 산업통상자원부장관과 미리 협의하여야 한다. 〈개정 2013. 3. 23., 2015. 2. 3.〉

1. 전시시설 건립의 타당성

2. 전시시설 건립에 사용되는 시설 · 인력 및 재원대책

3. 전시시설 운영 및 활용 계획

4. 숙박시설 등 부대시설 건립 계획

5. 그 밖에 전시시설과 관련하여 산업통상자원부장관이 필요하다고 인정한 사항

② 산업통상자원부장관은 제1항에 따른 전시시설 건립계획에 대하여 전시시설의 국제경쟁력, 전시회 및 전시회부대행사의 수급, 지역경제 발전에 대한 기여도, 지역균형 발전 등을 고려하여 조정할 수 있다.

〈개정 2013. 3. 23.〉

③ 산업통상자원부장관은 전시시설이 「국제회의산업 육성에 관한 법률」 제2조제3호에 따른 국제회의시설을 포함하는 경우 제2항에 따른 전시시설 건립계획에 대한 조정 시 문화체육관광부장관과 미리 협의하여야 한다. 〈개정 2013. 3. 23.〉

제12조(전시산업 전문인력의 양성) ① 정부는 전시산업 전문인력의 효율적인 양성을 위한 방안을 강구하여야 한다.

② 산업통상자원부장관은 전시산업 전문인력의 양성을 위하여 주관기관으로 하여금 다음 각 호의 사업을 실시하게 할 수 있다. 〈개정 2013. 3. 23.〉

1. 전시산업 전문인력의 양성을 위한 교육 및 훈련의 실시

2. 전시산업 전문인력의 효율적인 양성을 위한 교육과정의 개발 및 운영

3. 그 밖에 전시산업 전문인력의 교육 및 훈련과 관련하여 필요한 사업으로서 산업통상자원부장관이 정하는 사업

제13조(전시산업정보의 유통촉진 및 관리) ① 산업통상자원부장관은 전시산업정보의 원활한 공급 및 유통을 촉진하기 위하여 필요한 시책을 강구하여야 한다. 〈개정 2013. 3. 23.〉

② 산업통상자원부장관은 전시산업정보의 공급, 활용 및 유통을 촉진하기 위하여 주관기관으로 하여금 다음 각 호의 사업을 실시하게 할 수 있다. 〈개정 2013. 3. 23.〉

1. 전시산업정보·통계의 기준 정립, 수집 및 분석

2. 전시산업정보의 가공 및 유통

3. 전시산업정보망의 구축 및 운영

4. 그 밖에 전시산업정보의 유통촉진을 위하여 필요한 사업으로서 산업통상자원부장관이 정하는 사업

③ 삭제 〈2015. 2. 3.〉

제14조 삭제 〈2015. 2. 3.〉

제15조(사이버전시회 기반 구축) ① 산업통상자원부장관은 사이버전시회의 기반을 구축하기 위하여 필요한 시책을 강구하여야 한다. 〈개정 2013. 3. 23.〉

② 산업통상자원부장관은 사이버전시회의 기반을 구축하기 위하여 주관기관으로 하여금 다음 각 호의 사업을 실시하게 할 수 있다. 〈개정 2013. 3. 23.〉

1. 인터넷 등 정보통신망을 활용한 사이버전시회의 개최

2. 사이버전시회의 개최를 위한 관리체제의 개발 및 운영

3. 그 밖에 사이버전시회의 기반을 구축하기 위하여 필요하다고 인정하는 사업으로서 산업통상자원부장관이 정하는 사업

③ 산업통상자원부장관은 사이버전시회를 개최·주관하거나 이에 참여하는 기관에 대하여 필요한 지원을 할 수 있다. 〈개정 2013. 3. 23.〉

제16조(국제협력의 촉진) ① 산업통상자원부장관은 전시산업의 발전 및 국제경쟁력 제고를 위하여

부록

국제협력을 촉진하기 위한 시책을 강구하여야 한다. 〈개정 2013. 3. 23.〉

② 산업통상자원부장관은 국제협력을 촉진하기 위하여 주관기관으로 하여금 다음 각 호의 사업을 실시하게 할 수 있다. 〈개정 2013. 3. 23.〉

1. 전시산업 관련 국제협력을 위한 조사 및 연구

2. 전시산업 전문인력 및 전시산업정보의 국제교류

3. 전시회·전시회부대행사의 유치 및 해외 전시 관련 기관과의 협력활동

4. 그 밖에 전시산업의 국제협력을 촉진하기 위하여 필요한 사업으로서 산업통상자원부장관이 정하는 사업

제17조(전시회의 국제화·대형화·전문화 등) ① 산업통상자원부장관은 전시회의 국제화·대형화·전문화를 통하여 국제경쟁력을 갖춘 전시회를 육성하기 위한 시책을 강구하여야 한다. 〈개정 2013. 3. 23.〉

② 산업통상자원부장관은 해외 참가업체 및 참관객의 유치촉진을 통하여 전시회가 활성화될 수 있도록 지원하여야 한다. 〈개정 2013. 3. 23.〉

③ 산업통상자원부장관은 전시회가 지역전략산업과 연계되어 활성화될 수 있도록 지원하여야 한다. 〈개정 2013. 3. 23.〉

제18조(전시산업의 표준화) ① 산업통상자원부장관은 전시산업의 효율적 육성을 위하여 전시산업의 표준화를 위한 시책을 강구하여야 한다. 〈개정 2013. 3. 23.〉

② 산업통상자원부장관은 전시산업의 표준화를 위하여 필요한 기준 및 제도를 정할 수 있다. 〈개정 2013. 3. 23.〉

③ 산업통상자원부장관은 전시산업의 표준화를 위하여 주관기관으로 하여금 다음 각 호의 사업을 실시하게 할 수 있다. 〈개정 2013. 3. 23., 2020. 12. 29.〉

1. 전시회 관련 업무 및 절차의 표준 제정을 위한 연구

2. 전시사업자간 계약 기준의 설정(이 경우 「독점규제 및 공정거래에 관한 법률」 제40조제1항 및 제51조제1항을 준수한다)

3. 그 밖에 전시산업의 표준화를 위하여 필요한 사업으로서 산업통상자원부장관이 정하는 사업

제19조(전시회 관련 입찰의 특례) 산업통상자원부장관은 전시산업의 육성과 건전한 경쟁구조 정착을 위하여 전시회와 관련된 기획, 설계, 제작 및 설치 등의 입찰과 관련하여서는 별도의 절차와 기준을 정하여 이를 고시할 수 있다. 〈개정 2013. 3. 23.〉

제20조(신규 유망전시회 발굴) ① 산업통상자원부장관은 전시산업의 발전 및 국제경쟁력 제고를 위하여 신규 유망전시회를 발굴하고 이를 지원하여야 한다. 〈개정 2013. 3. 23.〉

② 산업통상자원부장관은 신규 유망전시회의 발굴과 지원을 위하여 주관기관으로 하여금 다음 각 호의 사업을 실시하게 할 수 있다. 〈개정 2013. 3. 23.〉

1. 전시회 기획 및 설계·디자인 공모전

2. 신규 유망전시회 선정 및 이에 대한 지원 사업

3. 그 밖에 신규 유망전시회의 발굴을 위하여 필요한 사업으로서 산업통상자원부장관이 정하는 사업

제5장 전시산업 지원

제21조(전시산업의 지원) ① 산업통상자원부장관은 전시산업의 발전을 위하여 예산의 범위에서 다음 각 호의 사업을 지원할 수 있다. 〈개정 2013. 3. 23., 2016. 1. 27.〉

1. 제6조에 따른 전시산업 시장현황조사 및 수요조사

2. 제11조부터 제20조까지에 따른 전시산업 기반조성 사업

3. 국내 전시회 및 전시회부대행사 개최

4. 해외 전시회 참가 사업

5. 그 밖에 산업통상자원부장관이 필요하다고 인정하는 사업

② 산업통상자원부장관은 제1항에 따라 지원을 받은 자가 거짓이나 그 밖의 부정한 방법으로 지원을 받거나 지원받은 사업목적으로 지원금을 사용하지 아니한 경우에는 그 지원 상당액을 환수하여야 한다. 〈개정 2013. 3. 23.〉

③ 제1항 및 제2항에 따른 지원 및 지원 환수 등에 필요한 사항은 대통령령으로 정한다.

④ 산업통상자원부장관은 전시산업의 발전과 효율성 제고를 위하여 제1항에 따라 지원되는 전시회 중 유사한 전시회에 대하여 이를 통합 또는 조정할 수 있다. 〈개정 2013. 3. 23.〉

⑤ 산업통상자원부장관은 해외마케팅 활성화와 효율성 제고를 위하여 해외마케팅 지원전략을 수립하고, 이에 따라 제1항제4호의 해외전시회 참가 지원 유형 및 기준 등을 관계 기관과 협의하여 별도로 정하여 고시할 수 있다. 〈개정 2013. 3. 23.〉

⑥ 산업통상자원부장관은 제5항의 해외마케팅 지원전략에 따라 해외마케팅 성과 제고를 위하여 필요한 경우 관계 기관과 협의하여 해외 전시회 지원 사업을 조정할 수 있다. 〈개정 2013. 3. 23.〉

제22조(전시회 평가제도 운영) ① 산업통상자원부장관은 제21조에 따라 지원되는 국내 전시회 개최 및 해외 전시회 참가에 대한 평가제도를 운영할 수 있다. 〈개정 2013. 3. 23.〉

② 산업통상자원부장관은 제21조제1항에 따른 국내 전시회 개최 및 해외 전시회 참가 지원시 제1항에 따른 평가 결과를 반영하여야 한다. 〈개정 2013. 3. 23.〉

③ 제1항 및 제2항에 따른 평가의 방법 및 절차 등 평가제도의 운영에 필요한 사항은 대통령령으로 정한다.

제23조(세제지원 등) ① 정부는 전시산업의 발전 및 활성화를 위하여 「조세특례제한법」, 「지방세특례제한법」, 그 밖의 조세 관련 법률로 정하는 바에 따라 전시사업자에 대하여 조세감면 등 필요한 조치를 할 수 있다. 〈개정 2010. 3. 31.〉

② 정부는 전시산업의 발전을 위하여 대통령령으로 정하는 바에 따라 전시사업자에 대하여 금융 및 행정상 지원 등 필요한 지원조치를 할 수 있다.

제24조(부담금 등의 감면) 전시시설을 설치·운영하는 자에 대하여는 관련 법률로 정하는 바에 따라 다음 각 호의 부담금 등을 감면할 수 있다.

1. 「산지관리법」 제19조에 따른 대체산림자원조성비

2. 「농지법」 제38조에 따른 농지보전부담금

3. 「초지법」 제23조제6항에 따른 대체초지조성비

제25조 삭제 〈2015. 2. 3.〉

제6장 보칙

제26조(국·공유재산의 임대 및 매각) ① 국가 또는 지방자치단체는 전시시설의 효율적인 조성·운영을 위하여 필요하다고 인정하는 경우 제4조제1항제4호부터 제6호까지의 자와 제8호의 법인 또는 단체 중 대통령령으로 정하는 자에 대하여 「국유재산법」 또는 「공유재산 및 물품 관리법」에도 불구하고 수의계약에 의하여 국유재산 또는 공유재산을 사용·수익허가 또는 대부(이하 "임대"라 한다)하거나 매각할 수 있다. 〈개정 2015. 2. 3.〉

② 제1항에 따라 국유 또는 공유의 토지나 건물을 임대하는 경우의 임대기간은 「국유재산법」 또는 「공유재산 및 물품 관리법」에도 불구하고 20년의 범위 이내로 할 수 있으며, 이를 연장할 수 있다. 〈개정 2010. 2. 4.〉

③ 제1항에 따라 국유 또는 공유의 토지를 임대하는 경우에는 「국유재산법」 또는 「공유재산 및 물품 관리법」에도 불구하고 그 토지 위에 건물이나 그 밖의 영구시설물을 축조하게 할 수 있다. 이 경우 제2항에 따른 임대기간이 종료되는 때에 이를 국가 또는 지방자치단체에 기부하거나 원상으로 회복하여 반환하는 조건으로 토지를 임대할 수 있다.

④ 주관기관은 제3항에 따라 국유지 또는 공유지에 건물이나 그 밖의 영구시설물을 축조한 경우에는 해당 시설을 담보로 제공하거나 매각할 수 없다.

[제목개정 2010. 2. 4.]

제27조(전시시설 건축시 허가 등의 의제) ① 전시시설에 대하여 「건축법」 제11조에 따른 건축허가를 받거나 같은 법 제14조에 따른 건축신고를 함에 있어서 시장, 군수 또는 구청장이 제4항에 따라 다른 행정기관의 장과 협의한 사항에 대하여는 같은 법 제11조제5항 각 호의 사항 외에 다음 각 호의 허가·인가·승인·동의 또는 신고(이하 "허가등"이라 한다)에 관하여 허가등을 받은 것으로 본다. 〈개정 2011. 8. 4., 2021. 11. 30.〉

1. 「하수도법」 제24조에 따른 시설 또는 공작물 설치의 허가

2. 「수도법」 제52조에 따른 전용상수도 설치의 인가

3. 「소방시설 설치 및 관리에 관한 법률」 제6조제1항에 따른 건축허가의 동의

4. 「폐기물관리법」 제29조제2항에 따른 폐기물처리시설 설치의 승인 또는 신고

② 전시시설에 대하여 시장, 군수 또는 구청장이 「건축법」 제22조에 따른 건축물의 사용승인을 함에 있어서 시장, 군수 또는 구청장이 제4항에 따라 다른 행정기관의 장과 협의한 사항에 대하여는 같은 법 제22조제4항 각 호의 사항 외에 다음 각 호의 검사 또는 신고(이하 "검사등"이라 한다)에 관하여 검사등을 받은 것으로 본다.

1. 「수도법」 제53조에 따라 준용되는 전용상수도의 수질검사 등

2. 「소방시설공사업법」 제14조에 따른 소방시설의 완공검사

3. 「폐기물관리법」 제29조제4항에 따른 폐기물처리시설의 사용개시 신고

③ 허가등 및 검사등의 의제를 받으려는 자는 해당 전시시설의 건축허가신청 및 건축신고와 사용승인신청을 하는 때에 해당 법령이 정하는 관련 서류를 함께 제출하여야 한다.

④ 시장, 군수 또는 구청장이 「건축법」 제11조제1항 및 같은 법 제14조제1항에 따른 건축허가·건축신고 및 같은 법 제22조제1항에 따른 사용승인을 함에 있어서 제1항 및 제2항에 해당하는 사항이 다른 행정기관의 권한에 속하는 경우에는 그 행정기관의 장과 협의하여야 한다. 이 경우 협의를 요청받은 행정기관의 장은 요청받은 날부터 15일 이내에 의견을 제출하여야 한다.

제28조(위임과 위탁) ① 산업통상자원부장관은 제6조, 제12조, 제13조, 제15조부터 제18조까지 및 제20조부터 제22조까지의 규정에 따른 권한 또는 업무의 일부를 대통령령으로 정하는 바에 따라 관계 행정기관의 장, 관련 법인 또는 단체에 위임 또는 위탁할 수 있다. 〈개정 2013. 3. 23., 2015. 2. 3.〉

② 산업통상자원부장관은 제1항에 따라 업무를 위탁받은 법인 또는 단체에 대하여 예산의 범위에서 필요한 경비를 보조할 수 있다. 〈개정 2013. 3. 23.〉

제7장 삭제 〈2015. 2. 3.〉

제29조 삭제 〈2015. 2. 3.〉

부칙 〈제18522호, 2021. 11. 30.〉 (소방시설 설치 및 관리에 관한 법률)

제1조(시행일) 이 법은 공포 후 1년이 경과한 날부터 시행한다. 〈단서 생략〉

제2조 부터 제13조까지 생략

제14조(다른 법률의 개정) ①부터 ④까지 생략

④ 전시산업발전법 일부를 다음과 같이 개정한다.

제27조제1항제3호 중 "「소방시설 설치·유지 및 안전관리에 관한 법률」 제7조"를 "「소방시설 설치 및 관리에 관한 법률」 제6조"로 한다.

④부터 〈54〉까지 생략

제15조 생략

참고문헌

[국내 자료]

국내기관 발표자료

강원발전연구원(2016). 강원도 유니크베뉴 발굴 및 활성화 방안연구
경상남도(2018). 경상남도 마이스산업 5개년 종합계획수립
대구경북개발연구원(2002). 대구전시컨벤션산업 발전 기본 전략
문화체육관광부(2019) 제4차 국제회의산업 육성 기본계획(2019-2023)
문화체육관광부(2019). 2019년 관광숙박업 등록현황
부산시보, 제1527 120개국 6만명 참가 생산유발 1,746억.
부산일보, (2015.4.21.). [그림·사진으로 읽는 역사] 16. 한국 최초 박람회 '일한상품박람회'
삼성경제연구소(2010). 서울G20 정상회의 의의 성과와 향후 과제, CEO 인포메이션, 제 780호.
서울건축사신문 (2021.10. 7). 세계박람회 한국관을 한국을 어떻게 보여주는가 / 박정연 명지대학교 건축학과 겸임교
    수, 건축사, 용인시 공공건축가
서울컨벤션뷰로(2020.11.16.), SCB 뉴스 서울, MICE계 오스카상 'ICCA BMA' 수상.
와이즈포스트(주)(2018). 안동시 마이스산업 중.장기 육성방안연구 용역
전자신문(2014). [이슈분석] 비콘, NFC와 무엇이 다른가
한국관광공사(2005). 국제회의 산업의 경제적 파급효과에 관한 연구
한국관광공사(2015). 2015 MICE 산업통계 조사연구
한국관광공사(2018). 2018 MICE 산업의 경제적 파급효과
한국관광공사(2019). 미팅 테크놀로지 가이드(meeting technology guide)
한국문화관광연구원(2018). 전라북도 마이스산업 종합계획수립용역
한국문화관광연구원(2020). 국제회의산업 정책 추진 실태와 과제
한국전시산업진흥회 전시저널(2021). 글로벌 전시산업과거 및 미래전망(2021 5~6월호)
한국전시산업진흥회(2020). 2019 국내 전시산업 통계조사결과 비교
한국컨벤션이벤트산업협회(2008). 컨벤션 표준용어사전
한국컨벤션전시산업연구원(2021). 경상북도 MICE 특화도시 육성전략

국내 서적 및 연구논문

국제전시기획론(2018). 한국전시주최자협회 저 / 한올출판사
김기흥·유영호·변호근(2004). 전시주최자의 관계마케팅적 행위가 전시회 성과에 미치는 영향. 관광연구저널. 18(1).
    243-254.
김동철(2010). 조선후기 통제와 교류의 장소, 부산 왜관. 한일관계사연구, 37, 3-36.
김상균 (2020). 메타버스. 서울: 플랜비디자인.
김영나(2000). '박람회' 라는 전시공간. 서양미술사학회논문집,13(),75-111.
김태칠, 김봉석, 임택, 배순근. (2014). 비용편익분석을 이용한 전시컨벤션센터의 경제성 분석. 관광연구저널, 28(2),
    19-35.
박기홍(2000). 컨벤션 전담기구 설립·운영방안, 한국관광연구원.
박래춘(2014). "지역 컨벤션산업의 조직간 네트워크 형성이 조직성과에 미치는 영향에 관한 연구", 관광연구논총, 제
    26권, 제4호, 2014. pp. 67-89.

서승진, 윤은주(2007), 컨벤션산업론, 세림출판

성은희(2019). 컨벤션기획실무, 백산출판사

손정미(2015). 컨벤션 경영전략과 기획, 한올출판사

신현길 (2014). 한국 전시산업의 기원과 성장 : 조선시대 후기에서 1980대까지의 역사적 고찰 - 1960년대 이후 KOTRA 수행 전시사업을 중심으로, 무역전시연구, 9:3, 19-59

여호근(2003). 전시컨벤션센터의 조직 효율성에 관한 연구, 한국관광레저학회, 14(3), 91-105.

오길창, 이은용, 이수범. (2005). 컨벤션산업진흥을 위한 CVB활성화에 관한 연구. 호텔경영학연구, 14(2), 207-225.

오룡(2021). 상상력의 전시장 엑스포, 다우

이각규(2010). 한국의 근대박람회, 커뮤니케이션북스, 서울

이각규(2015). 박람회프로듀스, 커뮤니케이션북스 , 서울

이자형(2000). 한국의 국제회의 발전 역사에 관한 연구, 한림대학교 국제학대학원 석사학위논문.

이현애, 정희정, 구철모, 정남호(2018). MICE 생태계 분석을 위한 PCO와 이해관계자 간의 하이퍼링크 관계망 분석 , Information Systems Review, 20(3).

임정덕, 김승환, 김민수, 이철호 (2010). 창조도시 부산을 향한 성찰과 모색, 부산대 동북아지역발전연구원.

정미혜(2011). 전시주최자 서비스와 참가업체 목표가 전시만족도와 전시성과에 미치는 영향, 관광연구. 26(4). 547-565.

정미혜·최병호(2008). 전시참가기업의 참가목표와 전시회의 전반적 만족도-부산 국제수산무역엑스포(BISFE) 2006을 대상으로. 관광연구. 23(2). 305-320.

정봉희·김홍범(2018). 전시주최자의 서비스품질이 전시 참가업체와의 관계품질 및 관계지속의도에 미치는 영향에 대한 연구. 관광 경영연구. 22(7). 815-836.

정숙화(2020). 전시컨벤션의 지식플랫폼으로서 역할에 관한 연구: 플랫폼 개념을 중심으로, 관광경영연구, 24(2), 641-660.

정숙화(2020). 지식경영 관점에서 본 전시기획사의 역할에 관한 연구. 관광경영연구. 24(5), 863-882.

정숙화(2019). 지식플랫폼으로서 전시컨벤션 클러스터 효과에 관한 연구: 마린위크(Marine Week)를 중심으로. 관광경영연구. 23(1), 395-414.

정숙화, 이재우(2014). 부산의 컨벤션산업과 특화도 분석: 기획사(PCO) 업무 프로세스를 중심으로. 무역통상학회지, 14(3), 35-54.

정숙화·이재우(2016). 전시컨벤션산업의 지식창출과 전환에 관한 연구. MICE 관광연구. 16(4). 43-57.

정숙화·이재우(2018). 효과적인 지식공유와 창출을 위한 전시컨벤션의 형태에 관한 연구: SECI, Ba 개념을 중심으로. 서비스경영학회지. 19(1). 47-64.

진동현(2007). 전문전시회의 효과적인 마케팅전략 - 전자부품박람회 KEPES 사례를 중심으로, 무역전시연구, 2(2), 61-83.

최승담(1995). 세계화 시대의 관광산업, 백산출판사.

최인호. (2016). 일본의 유니크 베뉴 활용 MICE 진흥사업. 무역전시연구, 11(3), 217-235.

하지혜(2018). 세계박람회 주제구현을 위한 회장 구성에 관한 연구, 홍익대 박사학위논문.

IRS Global (2022). 메타버스&기반기술(디지털 트윈 · NFT) 혁신 트렌드 및 비즈니스 선도전략. 서울.

부록

[해외 자료]

해외기관 발표자료

UFI(2019). 23rd UFI Global Barometer.

UFI(2020). Global Economic Impact of Exhibitions.

UFI(2021). Global Recovery Insights.

UFI(2021). UFI Report on Sustainability.

UFI(2022). 28th UFI Global Barometer.

UFI(2022). Global Economic Impact of Exhibitions.

UFI(2023). 31st UFI Global Barometer.

UIA(2016). International Meetings Statistics Report 57th. Edition

UIA(2020). International Meetings Statistics Report 61th. Edition

UIA(2021). International Meetings Statistics Report 62th. Edition

UIA(2022). International Meetings Statistics Report 63th. Edition

UIA(2023). International Meetings Statistics Report 64th. Edition

해외 서적 및 연구논문

Arrow, K. J.(1962). The economic implications of learning by doing. The Review of Economics Studies, 29(3), 155-173.

Aureli S, Baldo MD(2019). Performance measurement in the networked context of convention and visitors bureaus (CVBs), Annals of Tourism Research, 75, 92-105. doi.org/10.1016/j.annals.2018.12.004

Bathelt, H., Malmberg, A. and Maskell, P(2004). Clusters and Knowledge: Local Buzz, Global Pipelines and the Process of Knowledge Creation. Progress in Human Geography. 28. pp.31-56.

Berman et al(1984). Convention Management and Service, AH & MA.

Blythe, J(1999). Visitor and Exhibitor Expectations and Outcomes at Trade Exhibitions. Marketing Intelligence and Planning, 17(2). pp.100-108.

Carlsen, J. 1995 Gathering information: Meetings and convention sector research in Australia. Journal of Tourism Studies, 6(2), 21-29.

Dwyer, L., Weber, K., & Chon, K.(2002). Economic Contribution of Convention Tourism: Conceptual and empirical Issues. Haworth Hospitality Press.

Fischer, W. (1992) Zur Geschichte der Messen in Europa [On the history of trade fairs in Europe], in: K.-H. Strothmann & M. Busche (Eds) Handbuch Messemarketing [Handbook of Trade Fair Marketing], pp. 3-13 (Wiesbaden: Gabler).

Ford and Peeper (2007) The past as prologue: predicting the future of the convention and visitor bureau industry on the basis of its history, Tourism Management 28, 1104-1114

Friedman (2015) The world is flat: a brief history of the twenty-first century, Farrar, Straus and Giroux.

Gertler MS (1995) "Being there": proximity, organization, and culture in the development and adoption of advanced manufacturing technologies. Econ Geogr 71(1):1-6.

Gertler, M. S.(2003). Tacit knowledge and the economic geography of context, or the undefinable tacitness of being(there). Journal of Economic Geography, 3, 75-9

Gopalakrishna, S and Lilien, GL(1995). A Three-Stage Model of Industrial Trade Show Performance. Marketing Science 14(1):22-42. https://doi.org/10.1287/mksc.14.1.22

Gormsen, N. (1996) Leipzig—Stadt, Handel, Messe: Die städtebauliche Entwicklung der Stadt Leipzig als

Handels- und Messestadt [Leipzig's Development as a Trade and Exhibition Center] (Leipzig: Institut fär Länderkunde).

Hansen and Allen(2015) An organizational meeting orientation, the cambridge handbook of meeting science, 203-222

Hansen. K(1996). The dual motives of participants at international trade show. International Marketing Review. 13(2). pp.39-53.

Henn, S and Bathelt, H.(2015). Knowledge generation and field reproduction in temporary clusters and the role of business conferences, Geoforum, 58, 104-113.

ICCA Annual Statistics Study 2020.

Koutoulas, D. (2005) Operational and Financial Characteristics of Convention and Visitors Bureaux, Journal of Convention & Event Tourism, 7:3-4, 139-156, DOI: 10.1300/J452v07n03_08

Leask, A., & Hood, G. (2001). Unusual Venues as Conferences Facilities: Current and Future Management Issues. Journal of Convention & Exhibition Management, 2(4), 37-63

Lee, H and Lee, JS(2017). An exploratory study of factors that exhibition organizers look for when selecting convention and exhibition centers, Journal of Travel & Tourism Marketing, 34:8, 1001-1017, DOI: 10.1080/10548408.2016.1276508

Maritz(2012). The future of meeting venues, White paper, Fenton: Maritz Research

Maskell P, Bathelt H, Malmberg A (2004) Temporary clusters and knowledge creation: the efects of international trade fairs, conventions and other professional gatherings. SPACES 2004-4 (Marurg: University of Marburg). http://www.spaces-online.com.

Maskell, P., Bathelt, H. and Malmberg, A(2006). Building Global Knowledge Pipelines: The Role of Temporary Clusters. European Planning Studies. 14(8). pp.997-1013.

McCabe, Vivienne and Poole, Berry and Weeks, Paul and Liper, Neil(2000). The business and management of conventions, Sydney, John Wiley & Sons Australia, Ltd.

Montgomery and Strick(1995), Meetings, Conventions and Expositions: An introduction to the industry, Van Nostrand Reinhold.

Morrow, Sandra L(2002). The art of the show. IAEM Foundation, Dallas, Texas.

Nelson, R. R.(2000). Convention Centers as Catalysts for local Economic Development. University of Delaware, UM

Rinallo, D. and Golfetto, F(2011). Exploring the Knowledge Strategies of Temporary Cluster Organizers: a Longitudinal Study of the EU Fabric Industry Trade shows(1986-2006). Economic Geography. 87(4). pp.453-476.

Rogers, T. (2008), 2nd Edutuin. Conferences and Conventions 2nd Edition: A Global Industry. Routledge.

Rosson, P. J. and Seringhaus, F.H.R. (1995). Visitor and exhibitor interaction at industrial trade fairs. Journal of Business Research. 32. pp.81-90.

Rutherford, D.G. (1990). Introduction to the conventions, expositions, and meetings industry. John Wiley & Sons Inc.

Spyriadis, T., Fletcher, J., and Fyall, A. Destination Management Organisational Structures". Trends in European Tourism Planning and Organisation, edited by Carlos Costa, Emese Panyik and Dimitrios Buhalis, Bristol, Blue Ridge Summit: Channel View Publications, 2013, 77-91. https://doi.org/10.21832/9781845414122-010

Stephen W. Litvin, SW , Wayne W. Smith WW., and Blackwell, C. (2012) Destination marketing, accommodation taxes, and mandated tourism promotional expenditures: may be time to reconsider, Current Issues in Tourism, 15(4), 385-390, DOI: 10.1080/13683500.2011.590187

Tanner, John F. Jr., Chonko, L. B. and Ponzurick, T.V(2001). A learning model of trade show attendance. Journal of Convention & Exhibition Management. 3(3). pp.3-26.

부록

Thomas G. Bauer, TG, Lambert, J. and Hutchison, J (2001) Government Intervention in the Australasian Meetings, Incentives, Conventions and Exhibitions Industry (MICE), Journal of Convention & Exhibition Management, 3:1, 65-87.

Torre, A., and Rallet, A. (2005). Proximity and localization. Regional Studies 39:47-59

Wang, Y. (2008). Collaborative destination marketing: Roles and strategies of convention and visitors bureaus. Journal of Vacation Marketing, 14(3), 191-209. https://doi.org/10.1177/1356766708090582

Weber. K., & Ladkin. A.(2004). Trends affecting the convention industry in the 21st century. Journal of Convention and Event Tourism, 6(4), 47-63.

Weirich, M.L. (1992). Meetings and Conventions Management, Delmar Publishers Inc.

[웹자료]

김성원칼럼 (2015), 스마트 미디어 관점에서 스마트(Smart)에 대한 정의 https://bizzen.tistory.com/619

MICE 용어정의 (위키백과) https://ko.wikipedia.org/wiki/MICE

마이스도 비대면이 뉴노멀…'미팅 테크' 타고 무섭게 질주, 한경문화(2020.7.14.)
    https://www.hankyung.com/life/article/2020071452371

매일건설신문 (2018), http://www.mcnews.co.kr/63247

산업박람회(1962) https://archives.seoul.go.kr/item/645 / 서울특별시, 서울기록원

서울라이트(2021) _동대문플라자 https://blog.naver.com/kmk1572/222296579935

스마트 MICE https://blog.lgcns.com/2374

엠더블유네트웍스 http://www.mwnetworks.co.kr/mwnetworks/

연사관리 기관: www.hooh.kr/ https://londonspeakerbureau.com/

연합뉴스 (2012.6.23.), 라이온스 세계대회 4만명 '부산 퍼레이드'
    https://www.yna.co.kr/view/AKR20120623026400051

전자신문(2014), 비콘, NFC와 무엇이 다른가, https://www.etnews.com/20141111000345

챗봇 사례 aventri https://www.aventri.com/

컨벤션 정의(캠브리지 사전). https://dictionary.cambridge.org/dictionary/english/convention

통번역대학원 통변역대학원 namu.wiki/w/통역대학원

프랑스에서 제작된 '아디다스'의 3D Projection Mapping Show. https://youtu.be/txfltP5IWIA

프로젝션맵핑 (국회, 태권브이). https://youtu.be/I1p_c3S1VNM

프로젝션맵핑 (코카콜라'에서 런칭 125주년을 기념하여 선보인, 애틀랜타 본사가 위치한 26층(122.8m) 높이의 빌딩을 이용한 대형 스케일의 프로젝션 맵핑 이벤트) https://youtu.be/Py_xZU7KVpw

한국경제 (2019.10.28.). 컨벤션센터 건립 붐…2025년 전시장 면적 50만㎡ 시대 열린다,
    https://www.hankyung.com/article/2019102847681

한국관광공사 https://k-mice.visitkorea.or.kr/vr/main.kto

한국관광공사 코리아 유니크베뉴 https://k-mice.visitkorea.or.kr/uniquevenue/main/brand.kto?lang=ko

AMEX Global Business Travel, 2023 Global Meetings and Events Forecast,
    https://www.amexglobalbusinesstravel.com/the-atlas/american-express-meetings-events-forecast/

Brussels special venues : https://venues.be/

Conferencing trends
    https://www.softermii.com/blog/video-conferencing-trends-in-the-post-covid-world

Convention Bureau Italia, https://conventionbureauitalia.com/en/p/chi-siamo

CVENT, 8 must-know types of seating arragements for events by Maria Waida

　　https://www.socialtables.com/blog/meeting-event-design/types-of-seating-arrangements/

Event business impact

　　https://insights.eventscouncil.org/Full-Article/2018-global-economic-significance-of-business-events

IAPCO Terminology Research

　　https://www.iapco.org/publications/on-line-dictionary/dictionary/?ds=Professional+Convention+
　　Organizer)

Insight (glossary)

　　https://insights.eventscouncil.org/Industry-glossary/Glossary-Details/PID/405/mcat/403/EDNSearch/A

Metaverse Roadmap (www.metaverseroadmap.org/overview/)

Samsung Newsroom, https://news.samsung.com/

Trade Show Displays Types - From Booths and Stands to Banners and Trusses

　　https://www.fair-point.com/de/blog/trade-show-displays/

UCON Exhibitions(glossary)

　　https://ucon.com.au/blog/difference-between-trade-show-and-exhibition-and-expo-and-trade-fair/

Unique venue of London www.uniquevenuesoflondon.co.uk/